长篇历史小说

成吉思汗

子孙秘传

第二季 之二

血性草原

胡刃 著

中国国际广播出版社

图书在版编目（CIP）数据

血性草原 / 胡刃著. —北京：中国国际广播出版社，2017.3
（成吉思汗子孙秘传.第二季）
ISBN 978-7-5078-3933-3

Ⅰ.①血…　Ⅱ.①胡…　Ⅲ.①长篇历史小说－中国－当代
Ⅳ.① I247.5

中国版本图书馆CIP数据核字（2017）第038297号

血性草原

著　者	胡　刃	
责任编辑	杜春梅	
版式设计	国广设计室	
责任校对	徐秀英	

出版发行	中国国际广播出版社 ［010-83139469　010-83139489（传真）］	
社　址	北京市西城区天宁寺前街2号北院A座一层	
	邮编：100055	
网　址	www.chirp.com.cn	
经　销	新华书店	
印　刷	环球东方（北京）印务有限公司	

开　本	710×1000　1/16	
字　数	237千字	
印　张	16	
版　次	2017 年 3 月　北京第一版	
印　次	2017 年 3 月　第一次印刷	
定　价	38.00 元	

CRI
中国国际广播出版社
欢迎关注本社新浪官方微博
官方网站 www.chirp.cn

主要人物

1. 沙津：乌梁氏之子，巴图尔之父

2. 巴鲁：沙津族弟，巴图尔九叔

3. 乌梁氏：巴图尔奶奶

4. 巴云氏：沙津夫人，巴图尔之母

5. 哲旺喇嘛：包头召当家喇嘛，巴图尔八爷爷

6. 巴雅尔：沙津长子，巴图尔之兄

7. 巴图尔：沙津次子，巴雅尔之弟

8. 穆氏：巴鲁之妻

9. 乌木尔：巴鲁之子

10. 多尔济：沙津族弟，巴图尔四叔

11. 布氏：沙津族弟之妻，巴图尔五婶

12. 巴音孟克：布氏之子，巴图尔族弟

13. 李生：走西口汉人

14. 郭富：走西口汉人

15. 麻政和：捻军将领

16. 福兴：绥远将军

17. 武梁：沙尔沁代行章盖，继任绥远将军

18. 马升：大同总兵

19. 阿鲁：南海子官渡防御官

20. 鄂必格：比利时基督教传教士

21. 海伦：鄂必格女儿

22. 韩默理：荷兰天主教传教士

目　录

第一章 ·· 1

　　巴鲁一抬脚，麻子脸的刀"嗖"地就被踢飞了。巴鲁拽出自己的弯刀，往前一近身，刀压在麻子脸的肩头，麻子脸吓得面如土色。

第二章 ·· 9

　　搬兵？搬兵！只有搬兵！可到哪儿去搬兵？山东巡抚这儿不可能了，我还能去哪儿？泰安府！泰安是个大府，有重兵拱卫济南。我现在就去！

第三章 ·· 17

　　大青马是畜生，可大青马有情有义，临危不惧。那些狗官哪个能比得上我的大青马？不，他们不是畜生，他们连畜生都不如啊！他们是魔鬼，是豺狼，是毒虫……

第四章 ·· 25

　　巴鲁端起酒先是叹气，接着就哭，再后来，连哭带絮叨。巴鲁车轱辘着说个没完，他重复最多的两句是："狗官畜生不如，大清朝完了。"

第五章 ·· 33

巴图尔看着鹰在天上飞，他就想像鹰一样翱翔。两年前过年放二踢脚。二踢脚也叫双响炮，第一个响把二踢脚送上天，第二个响在空中炸开。巴图尔把十几个二踢脚捆成两捆，绑在自己靴子底下……

第六章 ·· 42

多尔济想管巴鲁，可巴图尔这么一个十来岁的孩子都抢白我，何况是巴鲁？要是巴鲁也骂我胆小鬼，我岂不是要往地缝里钻？

第七章 ·· 50

听到青面大侠的消息，穆氏心惊肉跳，巴鲁搬兵不成，他恨死了山东巡抚和泰安、东昌两个知府，这位青面大侠会不会是巴鲁呢？

第八章 ·· 58

乌梁氏心里是矛盾的，她既希望巴云氏找个好男人，又不希望巴云氏离开自己。有人愿意入赘巴家，媳妇的终身有了依靠，自己还能天天看到媳妇，这不是两全其美吗？

第九章 ·· 66

巴家没有靠山，也不知武梁是什么背景，但武梁是满人，满人在大清高人一等。如果任由武梁上告，一旦世袭章盖被免，那我可是上对不起祖先，下对不起儿孙。

第十章 ·· 74

练武讲的是冬练三九，夏练三伏，早起晚睡。前院衙门里的鼓声把二人惊醒，巴雅尔和巴图尔弟兄俩一趟拳还没练完，就听前院传来武梁杀猪般的号叫声。

第十一章 ·· 82

从那时起，巴图尔和巴音孟克就偷偷地练接柳叶。这些年来，巴图尔和巴音孟克已经练得炉火纯青了。巴图尔和巴音孟克心花怒放，这回八爷爷输定了，我们终于可以杀捻子了。

第十二章 ·· 90

眨眼间，麻政和的枪就到了，"啪"地抽在巴图尔肩上，巴图尔"扑通"摔出七尺多远。巴图尔的左肩一阵剧痛，眼前金星乱窜。

第十三章 ·· 99

巴图尔醒来时，嗓子跟着了火似的，他想找口水喝，可刚一翻身，觉得身子像是被什么捆着。巴图尔睁开眼睛，见自己缠着纱布。他想挣扎，一阵剧痛袭来，巴图尔出了一身冷汗。

第十四章 ·· 107

巴图尔脱掉袜子，抠着脚丫子。主人终于忍无可忍，他把酒碗一推，拂袖而去，媒婆和巴图尔被晾在炕上。

第十五章 ·· 115

　　一听如此粗俗的话，巴图尔勃然大怒，他上下齿一咬，露出
两颗虎牙。胖大汉子正在叫板，"啪"，巴图尔一鞭子抽在他脸
上，胖大汉子脸上顿时起了一道血印子。

第十六章 ·· 123

　　马上一颠，巴图尔就觉得头越来越重，脖子越来越软，他不
由自主地趴在马背上。这匹马似乎发现了主人的异常，它渐渐地
慢了下来。巴图尔正走着，路边有人拉住巴图尔的马……

第十七章 ·· 131

　　巴图尔和巴音孟克是杀了几个捻子，可他们只有十七岁，都
是孩子，马升一下子就给他们八品官，这可能吗？巴云氏越想越
不对劲儿，一种不祥之兆袭上心头。

第十八章 ·· 140

　　乌拉特人在敖包里放了一匹白马和蒙古文的《平安经》。多
尔济和巴图尔都说敖包是土默特的，可拿不出有力证据。理藩院
要来打开敖包查验，一旦敖包中如乌拉特人所说，这场官司巴家
就输定了。

第十九章 ·· 148

　　巴音孟克猛然想起那次从家庙包头召回来，见多尔济在大榆
树下和一个身着男装的女子一马双跨，难道那个女子就是汉人？
如此看来，四大爷胆子不小嘛！

第二十章 ·· 157

　　麻政和飞身跳上马，转身就走，巴图尔撒腿就追。他哪能追
得上，眼看两个人之间的距离越来越远。巴图尔急了，他把手中
刀举了起来，照麻政和的背后就飞了过去。

第二十一章 ·· 165

　　巴图尔和巴音孟克押着王山来找马升。王山一见马升就"扑
通"跪倒……两个人本以为马升会秉公执法，没想到，意外发生
了……

第二十二章 ·· 173

　　巴图尔一会儿"扑哧"笑一声，一会儿又"扑哧"笑一声，
老仆不知巴图尔在笑什么，就问什么事这么好笑。巴图尔把往阿
鲁脸上抹屎的事说了一遍，他一边说，一边笑，笑得前仰后合。

第二十三章 ·· 181

　　两个人的视线缠绕在一起，最终还是巴图尔避开了海伦的目
光，他望着屋顶，声细如丝……

第二十四章 ·· 189

　　巴音孟克一走，巴图尔却释然了，本来这件事因我而起，是
我连累了巴音孟克，好汉做事好汉当，天塌下来我一个人顶着。

第二十五章 ·· 197

　　朝廷的军队对东洋人畏之如虎，对老百姓凶狠如狼，麻政和
与官军作对，这不是替天行道吗？这不是好人吗？我抓不抓他？

第二十六章 ·· 205

我大清是拥有广阔领土的东方巨人，难道就甘于这样沉沦下去吗？不！我们绝不能这样下去！我们要奋斗，我们要拼搏，我们要使我们的国家重振雄风！

第二十七章 ·· 213

奶奶是个特别持重的老人，高兴时也不眉开眼笑，烦恼时也不愁眉苦脸，无论遇到什么事，从不惊慌，今天这是怎么了？

第二十八章 ·· 221

巴云氏，你不是瞧不起我吗？巴图尔，你不是陷害我吗？本将军给你们来个钝刀子割肉，一片一片地拉！只要巴图尔一天不死，巴家就得给我送银子，等我把巴家的财产榨干，然后再把巴图尔一刀两断！

第二十九章 ·· 229

巴图尔跳下马，他紧走几步来到鄂必格夫妇面前，见地上的海伦两眼紧闭，血流如注。巴图尔痛断肝肠，他抱起海伦的头，声嘶力竭地呼唤……

第三十章 ·· 237

穆氏摘下自己脖子上那块玉佩，和青面人的玉佩并在一起，一对鸳鸯玉佩端端正正地放在青面人胸窝上。穆氏将青面人下葬，埋成一座新坟。

第一章

　　巴鲁一抬脚，麻子脸的刀"嗖"地就被踢飞了。巴鲁拽出自己的弯刀，往前一近身，刀压在麻子脸的肩头，麻子脸吓得面如土色。

清初的八旗兵勇如猛虎，天下无敌。

晚清的八旗兵形似病猫，一触即溃。

太平军横扫江南，清政府只得把八旗兵撤下来，转而起用民兵，当局称之为团练。书生出身的曾国藩以五千民兵起家，重创太平军。然而，太平天国未灭，捻军又起。不久前，捻军在豫、鲁、苏三省连战连胜，大有与太平天国南北呼应之势。

八旗兵成了美丽的绣花枕头，清廷只得征调弓马纯熟的蒙古兵。蒙古土默特右旗奉调开往山东，这就是土默川蒙古百姓至今仍难以忘怀的"打南阵"。

1863 年（同治二年）阴历四月，捻军主力在山东临清州与土默特右旗蒙古军遭遇。双方打了三天三夜，捻军死伤惨重，大败而走。土默特右旗从三品参领沙津所部九百名骑兵死死咬住一支捻军，直至冠县。

太阳刚刚落山，晚霞如血一般在天边流淌，一群乌鸦"呱呱"地在树上叫个不停。沙津带住马的丝缰察看地形，前方没有崇山峻岭，只有几个小山包蜿蜒地伸向远方。

沙津吩咐手下军兵："加速前进！绝不给捻子喘息之机。"

捻子是清廷对捻军的贬称。

蒙古骑兵来去如风，不到半个时辰，又追上了捻军。

"杀——"

蒙古军扑了过去，捻军首领麻政和率部反击。火光之中，沙津跃马来到麻政和面前，他大枪一抖，照麻政和的前心就刺，麻政和往旁一闪，手中盘龙枪压住沙津这条枪。

麻政和看着沙津："沙将军，我们远日无冤，近日无仇，你为什么苦苦相逼？"

沙津眼睛一瞪："你们这些捻子违逆作乱，无法无天，好端端的大清国，被你们搅得乌烟瘴气，生灵涂炭，民不聊生。不杀你们何以正国法？不杀你们何以扬我大清国威？不杀你们老百姓何以过上安稳日子？"

麻政和反驳："沙将军，你错了，把国家搅得乌烟瘴气的不是我们，使百姓生灵涂炭的也不是我们，而是当朝统治者。朝廷对洋鬼子卑躬屈膝，对老百姓狠如毒蝎。两次鸦片战争以来，老百姓穷得就差卖裤子了，可当官的不但喝我们的血，还要榨干我们的骨髓。洋鬼子欺负我们，我们还可以卧薪尝胆，发奋图强。可当官的骑在我们头上，除了造反，我们还有活路吗？沙将军，你是个英雄，可是，大清朝大厦将倾，你纵然浑身是铁能打几根钉？听我一句良言，咱们化干戈为玉帛，携起手来推翻这个腐败透顶的朝廷，一起把洋鬼子赶出国门，还我中华净土，使天下苍生安居乐业……"

沙津怒斥："一派胡言！朝廷被列强蹂躏，你们不为国分忧也就罢了，可你们却和太平天国的长毛子串通。国家外有洋鬼子欺凌，内有你们作乱，不安内何以攘外？不把你们剿灭，怎么抗击外寇？麻政和，我也劝你一句，你已经山穷水尽了，只要你放下武器，遣散你的弟兄，我绝不难为你。"

麻政和眉毛往起一挑："看来，我们是话不投机了。但我还想告诉你，你要是不听麻某良言相劝，此地就是你葬身之处！"

沙津哈哈大笑："哈哈哈……麻政和，死到临头，还说梦话。你该醒醒了！"

说着，沙津抽枪便刺，麻政和用盘龙枪往外一挂，"噹"，双枪相碰，火星四射。

"三哥，你先歇息一下，把他交给九弟。"

沙津的同族弟兄巴鲁晃手中大刀直劈麻政和。

巴鲁二十四五岁，高颧骨，深眼窝，面如熟杏，四方大脸，头戴青铜盔，身披青铜甲，胯下一匹大青马，手中擎着一把大刀。

身为指挥官，身先士卒重要，但操控全局更为重要。沙津虚晃一枪退到一旁："老九，多加小心。"

见巴鲁的刀到了自己头顶，麻政和把盘龙枪往上一架，"噹——"一声巨响，巴鲁的刀被崩起三尺多高，他胯下的大青马"嗒嗒嗒"倒退三步。麻政和也觉得两臂发酸，眼前金星闪动。

巴鲁的大刀二次劈向麻政和，麻政和盘龙枪往外一拨，两个人战在一处。

巴鲁的刀寒光片片，形似门板，快如闪电。麻政和的枪也十分了得，他把盘龙枪抖开了，犹如怪蟒，又赛蛟龙。十几个回合过去了，两个人势均力敌。

麻政和这股捻军有两千余人，绝大多数是步兵。沙津的土默特右旗将士虽少，但以骑兵对步兵，还是压着麻政和一头。沙津想，战场上瞬息万变，再过一会儿不一定发生什么情况，既然我军主动，干脆速战速决，杀了麻政和。

沙津大喝一声："麻政和，招枪！"

麻政和与巴鲁打得难分难解，沙津的枪"扑棱"就到了，麻政和急忙闪身，可沙津这条枪太快了，"噗"，麻政和的左腿被扎了个窟窿。

"啊！"麻政和疼得一咧嘴。

麻政和虽然受了伤，可丝毫没有逃走的意思。沙津不禁暗中称赞，麻政和面临全军覆没的危险，他的心却像山一样沉着。相反，朝廷的将领多是贪生怕死之徒，如果有一半像麻政和这样，我大清朝也不至于到今天。

只可惜，他是朝廷的叛逆，这种人多活一天，朝廷就多一天威胁。沙津的枪更快了。

巴鲁见三哥上来，他有点着急，求胜心切促使巴鲁招招致命。

麻政和以一敌二，力不从心，"噗"，右臂挨了一刀，血流如注。麻政和虽然血染征袍，却死战不退。麻政和不退，他手下的捻军也跟他一样，奋力抵抗。

沙津有点奇怪，麻政和为什么不逃？为什么要玩儿命呢？捻军不会有什么阴谋吧？

沙津正想着，突然，自己队伍的后面一阵大乱——

"杀呀——"

沙津回头一看，又一支捻军杀了过来。火光之下，黑压压一片，看不出有多少人。沙津一惊，我说麻政和不走，原来是在等待援兵。

几员捻军将领杀到沙津、巴鲁面前，麻政和忘了伤痛："沙津，你已经被我军包围了。虽然你杀了我们无数弟兄，但只要你投降，就一笔勾销。咱们携起手来，反清灭洋，重振中华，建立一个崭新的国家。"

沙津瞥了麻政和一眼："哼！我土默特蒙古，世受国恩，岂能与你等草寇为伍！"

麻政和把眼睛一瞪："那就怪不得我了！"

两支捻军前后夹击，沙津、巴鲁毫无畏惧，土默特右旗的蒙古将士人人奋勇，个个争先，双方展开了一场你死我活的较量。

眨眼就是半个时辰，捻军不但没有减少，反而越来越多。沙津偷眼一看，见麻政和正立马在一棵树下，有个军兵在给他包扎伤口。沙津灵机一动，他把大枪往马的得胜钩鸟翅环上一挂，摘弓搭箭，"嗖"地就是一箭，麻政和"哎呀"一声摔于马下。

捻军为之一乱，沙津这支蒙古兵趁机冲出重围。可没跑多远，迎面又来了一支捻军，沙津见左侧有个小山包，他带领军兵奔山包而去。上了山包，沙津往下一看，火光之中，山前山后，山左山右，到处都是捻军，看样子不下万人。

沙津回头看了看自己的蒙古将士，跟上来有八百多人。沙津暗道，我蒙古将士虽然骁勇善战，可捻军十几倍于我军，这可对我军不利呀！

然而，沙津却笑了，这必是捻子的主力，我们不就是要寻找捻军的主力，将其一举全歼吗？既然长生天给了我这次机会，哪能放过这些穷凶极恶的暴徒！

沙津转过身对巴鲁道："老九，你武艺高强，汉话说得好。我在这里吸引住捻子，你马上杀出去，到山东巡抚衙门搬兵。"沙津信心十足，"只要朝廷的援兵及时赶到，大清的天下就不会再有捻子了。"

巴鲁目光凝重："三哥，从这儿到济南少说也有三百里，就算巡抚大人及时发兵，也得一天一夜。如果捻子攻上来，我们这些弟兄可就危险了。要不，咱们还是突围吧？"

沙津摇了摇头，坚定地说："老九，我们打了六年捻子，难得遇上捻子主力，机不可失。你放心，只要你在二十四个时辰之内把援兵搬来，捻子就绝不会踏上这山包半步！"

一天是十二个时辰，二十四个时辰就是两天两夜，沙津给巴鲁的时间是足够的。

沙津意志如铁，巴鲁点了点头："那好，三哥，你和弟兄们多保重。"

说着，巴鲁跳下自己的大青马，他把马的肚带"啪啪啪"紧了三扣，扳鞍不去，推鞍不回。巴鲁跳上坐骑，他正了正盔，勒了勒甲。

"三哥，我走了！"

巴鲁杀出一条血胡同，片刻消失在夜幕里。

巴鲁这匹大青马跟飞了一般，他一刻也不敢耽搁，第二天清晨就到了济南。

古代的衙门前有两面大鼓，老百姓有诉状随时可以击鼓。据说，这是我国汉朝流传下来的传统。

刘邦建立汉朝不久，他的孙子在街上路遇一个叫苏小娥的少女。见苏小娥貌美出众，孙子遂生邪念。苏姑娘性情刚烈，一巴掌扇在孙子脸上。孙子大怒，夺过随从手中的齐眉棍砸向苏姑娘。眼看苏姑娘命悬一线，一个大汉冲上前救了苏小娥。孙子想杀大汉，却不是大汉的对手。随从背后偷袭，剑刺大汉后心，大汉抽身闪过，这剑却扎进了孙子的胸口，孙子倒地身亡。

随从串通一气嫁祸大汉，刘邦要将大汉处斩。苏小娥和妹妹一人持鼓，一人持锣，两人来到皇宫前击鼓敲锣，连喊"冤枉"。刘邦命人把苏氏姐妹带上大殿。苏小娥把事情的经过如实地说了一遍，刘邦再传大汉对质，事情水落石出。刘邦不但没有杀那个大汉，还赞扬了他。因为这件事，刘邦举一反三，他命各级官衙门前置鼓两面，并规定"鼓声一响，官必上堂"。击鼓鸣冤就这么流传下来，直至清末。当然，不光有冤情可以击鼓，有紧急军情，同样也可以击鼓。

按说，这是于国于民的好事，可好事得有好人办。清末官员十分腐败，门难进，脸能看，事难办。衙役凶狠如狼，老百姓纵有天大冤情，还没等到衙门口，衙役就把他们挡住了。所以，一年之中，各级官府听不到几次鼓声。

官府掩耳盗铃，粉饰太平。

巴鲁找到巡抚衙门，甩镫离鞍跳下坐骑。巴鲁把大青马的缰绳系在拴马桩上，他直奔大鼓而来。

几个站岗的门军见有人要击鼓，立刻阻拦。

巴鲁向门军抱拳："各位弟兄，我是从剿捻前敌回来搬兵的，军情十万火急，我要马上见巡抚大人。"

清朝的巡抚相当于民国时期的省主席，手中握有兵权。

门军打量巴鲁，见巴鲁浑身上下土中带血，血中带泥，脸上都是灰尘，眼中布满红线。几个人对视一下，其中一个麻子脸问："你是哪位将军的属下，官居何职啊？"

"我是蒙古土默特右旗第六甲参领沙津部下，官居从六品骁骑校，我叫巴鲁。"

甲是甲浪的简称，是清朝军事行政单位。当初满人入关前，把军队编为正黄、正白、正蓝、正红、镶黄、镶白、镶蓝、镶红八个旗，旗的下级是甲浪，甲浪的下级是牛录。一个牛录三百人，五个牛录为一个甲浪，五个甲浪为一个固山，固山即为旗。旗、甲浪和牛录是"五五制"。

牛录的首领叫牛录额真，汉译佐领，蒙译章盖；甲浪的首领叫甲浪额真，汉译参领，蒙语音译扎兰安奔；固山的首领叫固山额真，汉译都统或旗长，蒙古土默特部有左右两个旗，与满八旗不同的是"六五制"，即每个旗设六个甲，每个甲设五个章盖。可是，由于蒙古族人丁不旺，每个章盖只有满洲牛录的一半，仅一百五十人。

麻子脸皮笑肉不笑："六品官想见巡抚大人，这不合规矩吧……"

麻子脸一边说，一边向巴鲁伸出手。

巴鲁见麻子脸向自己要银子，他的火"腾"地就上来了："军情十万火急，我身上哪有银子？快带我进去！"

麻子脸放下手，很是不屑："巡抚大人不在。"

巴鲁一把揪住麻子脸的衣领："剿捻事关国家稳定，贻误军机你吃罪得起吗？"

俗话说，宰相门前七品官，巡抚虽然不是宰相，但也是一方诸侯，封疆大吏，衙门里的军兵自然高人一等。见巴鲁动手，麻子脸也不说话，拽出腰刀"刷"地砍向巴鲁的腕子，巴鲁急忙松手。

麻子脸大叫："弟兄们，有人要闯衙门！"

话音刚落，里面蹿出二十多人，一个个手提腰刀，拧着眉，瞪着眼，跟凶神恶煞一般，巴鲁被围在当中。

麻子脸举刀就剁，巴鲁往旁一闪："我是来搬兵的，不是跟你们打架的！"

麻子脸哪里肯听："弟兄们，别听他胡说，他要行刺巡抚大人。上！"

众衙役你一刀，我一枪，巴鲁左闪右躲，不敢还手。

巴鲁身着重甲，这副铠甲不下四十斤。在马上不觉得怎么沉，可在马下，就显得十分笨拙。何况巴鲁随三哥沙津从临清州打到冠县，又从冠县跑到济南，连日来，没吃一顿饱饭，没睡一个时辰觉，身体疲惫已极。

巴鲁后悔刚才太冲动，以致惹出这么大麻烦，他一边躲，一边解释："弟兄们，别误会，别误会，我确实是来搬兵的。刚才是我不对，我向这位兄台赔罪。捻子主力被我军吸引在冠县的一个小山上，现在正是铲除捻子的最好时机，也是巡抚大人建立不世之功的时候。快让我见巡抚大人，晚了就来不及了……"

巴鲁正说着，"噗"，一个衙役的枪扎进了巴鲁的左臂，巴鲁一阵剧痛，一股热流从胳膊上淌了下来。

麻子脸见巴鲁受伤，他单刀一挥，直刺巴鲁前心。

巴鲁一抬脚，麻子脸的刀"嗖"地就被踢飞了。巴鲁拽出自己的弯刀，往前一近身，刀压在麻子脸的肩头。

巴鲁向众衙役喝道："别动！你们再敢往前一步，我就宰了他。"

麻子脸吓得面如土色，忙对众衙役道："别别别，你们别动。"

众衙役面面相觑，不敢上前。

麻子脸向巴鲁哀求："爷，爷，我的亲爷，有话好说，有话好说，你不就是要找巡抚大人吗？我这就去禀报，我这就去禀报。"

巴鲁怕他跑了，喝道："废话少说！叫他们给我击鼓。"

麻子脸连声道："是是是……击鼓，你们击鼓……"

鼓"咚咚咚……"响了三十多下，里面才有人出来："别敲了，大人这就升堂。"

可等了半个时辰，里面什么动静也没有。巴鲁让衙役再敲，前后足足敲了一个时辰，里面有人高喊："巡抚大人有令，传击鼓人上堂——"

巴鲁心急如焚，他把刀往回一撤，疾步走了进去。

巴鲁刚上大堂，突然冲过一群人，把巴鲁摁倒在地。

巡抚也不问话，他把桌子一拍："把他拉出去，重打四十！"

巴鲁连声道："冤枉，冤枉啊！大人，小人是从前敌来的，我是回来搬兵的……"

巡抚的脸拉得有三尺长："一派胡言！你手提钢刀，擅闯巡抚衙门，分明要行刺本官。拉下去，打！"

第二章

　　搬兵？搬兵！只有搬兵！可到哪儿去搬兵？山东巡抚这儿不可能了，我还能去哪儿？泰安府！泰安是个大府，有重兵拱卫济南。我现在就去！

　　巴鲁被拽到大堂门外，衙役摘掉巴鲁的头盔，扒去巴鲁的铠甲，抡板子就打。四十板子下去，巴鲁血肉模糊。

　　巴鲁被架到大堂，他趴在地上："大人，我真是从前敌回来的……"

　　巡抚大人听也不听："把这个人拖出去，退堂！"

　　"大人，大人哪……"

　　任凭巴鲁如何呼叫，山东巡抚跟没听见一样。

　　巴鲁被拖到衙门外，麻子脸和几个人一拥齐上，拳脚像雨点般打在巴鲁身上，巴鲁眼前一黑，昏了过去。

　　巴鲁醒来已是午后时分，他头痛欲裂，嗓子仿佛着了火一般，浑身上下如同散了架子似的。巴鲁的盔甲、刀和大青马都不见了。巴鲁转动眼球四下看了看，身旁有个小水沟，他向小水沟爬去。水很混浊，里面红色的、比针鼻儿还小的虫子上下游动。巴鲁渴极了，张开嘴，"咕嘟咕嘟"……

　　巴鲁喝了一肚子水，头脑清醒一些。救兵如救火，三哥沙津他们时刻都有全军覆没的危险。巴鲁宽慰自己，大人应该是误会了，一定是误会了，我太鲁莽，太着急了，没向大人说清楚。这是关系国家命运的大事，是天大的事，巡抚大人不会不出兵的。

水沟边有根树杈子，巴鲁手挂树杈，一挺身，站了起来。

小水沟离巡抚衙门也就是三百多步，巴鲁跟跟跄跄地走到巡抚衙门前。

衙门的大门开了，巴鲁为之一振，几个人说说笑笑从里面走了出来。巴鲁定睛一瞧，最前面的就是巡抚，巡抚大人身边是个衣着十分妖艳的女人。此时没有风，可巴鲁远远就闻到了脂粉味。

妖艳女人嗲声嗲气地对巡抚说："大人不要奴婢了？"

巡抚拧了一下妖艳女人的脸："不要谁大人我也不能不要你呀！你先回怡春院，过几天大人我再把你接过来。"

妖艳女人的眼泪下来了："奴婢担心大人把小女子忘了……"

巡抚一副怜香惜玉的样子："别哭，别哭，你放心，本官一定会派人把你接回来的。快上车吧。"

妖艳女人给巡抚掸了掸衣服，拉了拉袖子："大人，能不能派几个军兵送送奴婢，奴婢怕……"

巡抚一拍胸脯："有本官给你做主，你怕什么？"

"奴婢怕那些纨绔子弟纠缠，他们一见奴婢就没完没了，烦死人了。大人，你就给奴婢派几个人吧……"妖艳女人摇晃着巡抚的胳膊。

巡抚一指身边的侍从："你带上二十人，送一枝花姑娘回去。"

一枝花？妖艳女人叫一枝花？只有妓女才叫这样的名字，难道巡抚大人跟妓女混在一起？可转瞬间巴鲁就否定了自己，不可能，大清的官员是腐败，他们贪污受贿，买官卖官，搜刮民脂民膏，可总不至于在军兵面前和妓女调情吧？可是，一枝花不是妓女，那怡春院是什么地方？

侍从一挥手，衙门里走出一支卫队。一枝花上了车，这支卫队跟在车后，一枝花心满意足地走了。

山东巡抚刚要转身，巴鲁疾步上前，"扑通"跪在他面前："大人哪，我们把捻子主力吸引在冠县的一座小山上，请大人速发援军，一举铲除捻子，晚了我们八九百弟兄可就完了，大人……"

巡抚刚才对一枝花的温情倏地不见了，他仿佛变了一个人，冷冷地看着巴鲁："你是什么人？"

巴鲁连忙叩头："大人，上午小人在堂上见过大人……"

巡抚似乎想了起来："你真是从前敌回来的？"

巴鲁连连点头："大人，千真万确，千真万确呀！"

巡抚一皱眉："你刚才说，你们把多少捻子吸引到一座小山上了？"

巴鲁道："大人，一万多捻子。这可是捻子的主力，只要消灭这股捻子，捻患可平，天下可定，朝廷可安，大人将为国家立下不世之功。大人，这可是千载难逢的良机呀！"

巡抚沉着脸，斥道："那你怎么不早说？快！你进来，把前敌的情况详细禀明本官。"

巴鲁的心跟开了天窗一般："谢大人！谢大人……"

有人搀着巴鲁随巡抚大人走进大堂。巴鲁从血战临清州说起，一直讲到冠县的小山包，直说得口干舌燥，声音沙哑。

巡抚静静地听着，并不时插话询问。开始他一脸愁容，接着眉开眼笑："好！好！你来得正好！本官要亲自领兵，把捻子斩尽杀绝……"

巡抚的话还没说完，他身后有个胖子，胖子开口了："大人，三思啊。"

胖子眼睛不大，脑袋却不小，下巴的肥肉有两指多厚。

巡抚看了胖子一眼："师爷，机不可失，时不再来。还用'思'吗？"

胖子对捻军和太平天国都很熟悉。在他看来，无论是捻子还是太平军，个个都是穷凶极恶的亡命徒。前几年，朝廷出动八旗兵、绿营兵十余万人，可越剿捻子越多，这就充分说明了捻军的战斗力。而巡抚手下能调动的军队不足三万人。朝廷十万大军都不能取胜，何况三万人马？这还不是问题的关键，关键是，胜了，巡抚不一定升官；败了，巡抚不但要承担责任，而且所消耗的军费都没人给补充——朝廷每年赔偿洋鬼子的银子太多了，军费都是向洋人借的。

巡抚沉吟一下，他眼珠一转问巴鲁："你说你是来搬兵的，可有官文书信?"

行军打仗怎么可能带这些东西。巴鲁刚解释没两句,巡抚一拍惊堂木喝道:"大胆刁民,你竟敢冒充官军,欺瞒本官。来人!把他乱棍打出。"

巴鲁"梆梆梆"磕头,头都磕出了血,可巡抚理也不理,起身而去。

衙役如狼似虎,一通棍子……

巴鲁再次醒来时,已是残阳西坠,街道上行人寂寥如星,成群的蚊子"嗡嗡"地向他扑来。巴鲁想回前敌,叫三哥沙津放弃歼灭捻军主力的念头,设法突围。可又一想,自己浑身是伤,就算能到前敌,也不可能闯过捻军的重围,何况自己的大青马不见了,没有马自己寸步难行。我还得搬兵,无论如何,也要把三哥沙津他们救出来。

巴鲁强忍身上的剧痛,他第三次来到巡抚衙门,可门军一见是他,不容分说,上前就打。

巴鲁对巡抚衙门绝望了,我已经两次昏迷,再让他们这样打下去,命就没了。我死是小,三哥沙津他们还眼睁睁地盼救兵呢!

巴鲁连滚带爬地逃出巡抚衙门。怎么办?我该怎么办?搬兵?搬兵!只有搬兵!可到哪儿去搬兵?山东巡抚这儿不可能了,我还能去哪儿?泰安府!泰安是个大府,有重兵拱卫济南。对,济南到泰安只有百余里,我现在就去!

巴鲁走了两步,"扑通"摔在地上。马,我的大青马?我的大青马在哪儿?

巴鲁把拇指和食指放入口中,他深深地吸了一口气,打了一个并不响亮的呼哨。

"希溜溜",不远处传来大青马的嘶鸣声。巴鲁心头一喜,他辨了辨方向,马嘶之声是从巡抚衙门里传来的。巴鲁的心又悬了起来,大青马在巡抚衙门,那还出得来吗?巴鲁又打了一个呼哨,"希溜溜""希溜溜",又传来两声马嘶。

巴鲁还想再打呼哨,可每深吸一口气,胸部就像炸了一般地疼痛。巴鲁倚在墙下,无助地望着马嘶的方向。

"希溜溜……"大青马连声嘶鸣。莫不是大青马也在寻找自己?巴鲁使出全身气力，又打了一个呼哨。

"希溜溜……"大青马的嘶鸣一声接一声，也就是一袋烟的工夫，"咣当"，巡抚衙门的大门开了，大青马跑了出来，在它身后还追着三个衙役。

巴鲁一阵狂喜："我的大青马！"

大青马跑到巴鲁身边，"咴咴"地打着响鼻儿。巴鲁见马背上的鞍子还在，只是马的头和脖子上都是鞭痕，看到大青马被打，巴鲁比自己受伤还疼。

巴鲁第一次进巡抚衙门时，麻子脸就看上了大青马，尽管大青马身上有血迹，可毛管倍儿亮，就跟青缎子一般。麻子脸端详着，真是一匹好马，怎么也得值百两银子。麻子脸把大青马牵进衙门，拴在一棵树下。

刚开始大青马还比较温顺，可当它见巴鲁两次被拖出衙门时，大青马变得暴躁起来。麻子脸想骑马遛遛，可大青马连踢带咬，根本不让他接近。麻子脸抄起鞭子一通乱打，可越打大青马脾气越烈，麻子脸气得把鞭子都抽断了。

麻子脸打累了，他进屋喝水。恰在此时，传来巴鲁的呼哨声，大青马咬断缰绳，撞开大门，跑了出来。

巴鲁不知哪来的一股神力，他"噌"地站起来，爬上马背，大青马"嗒嗒嗒……"飞驰而去。

因为捻军起义，每天太阳不落城门就要关闭。巴鲁老远望见守城的门军往起拉吊桥。吊桥一旦拉起，就得等到明天天亮才能出城。巴鲁心如火焚，一刻也等不了，他使劲儿地踹马镫。巴鲁着急，大青马更急，它两眼圆睁，翻蹄亮掌，就差腾云驾雾了。

吊桥离地一尺，二尺，三尺，四尺！五尺！就在这时，巴鲁和大青马到了。

"哎！哎……"

当兵的想把巴鲁拦住，可大青马已经踏上吊桥，"嗖"，一人一马愣是从吊桥上飞了出去。

出了济南，巴鲁急急忙忙赶往泰安府。巴鲁就觉得两耳生风，两旁什么也看不清。

夜，沉沉的夜，没有星星，没有月亮，看不到边际，望不到尽头。

泰安府的城门早就关了，城上点着灯笼，巴鲁上前叫城："守城的弟兄们，我是从前敌来的，我是回来搬救兵的。"

巴鲁没敢说自己到了济南，他怕说巡抚不出兵，泰安府上行下效。

守城的军兵往下看了看："你是哪儿来的？"

巴鲁又道："我是从冠县来的，捻子把我们包围了……"

守城军兵还挺痛快："你先等着，我们马上禀报知府大人。"

夜空里，一颗流星划过，巴鲁心中燃起一丝希望。他强迫自己平静下来，可心就像家乡土默川上的暴风雪，呼啸着，翻滚着，时而怒吼，时而咆哮。

时间像只蜗牛，慢得让巴鲁无法忍受，大青马的心似乎与主人相通，两只前蹄"嗒嗒嗒"地刨着地。

尽管只有一盏茶的工夫，可巴鲁仿佛过了一年。就听城上道："下面的人听着，知府大人说了，泰安府兵微将寡，请你到济南巡抚衙门搬兵。"

巴鲁哀求："各位弟兄，我浑身是伤，又累又渴，好不容易杀出重围，我实在走不动了。救兵如救火，烦请各位弟兄再通禀一声，请知府救救我们。"

城上的军兵还真被巴鲁打动了，再去向知府禀报。

又是一阵漫长的等待，终于，一个人在城垛口露出头来："对不起，知府大人说了，没有巡抚大人的军令，他不敢擅自调兵。"

巴鲁脑袋"嗡嗡"直响，大青马原地转了两圈。我还求他们吗？知府不露面，说什么都是白扯，我在这儿多耽误一刻，三哥沙津他们就多一分危险。可是，我还能到哪儿搬兵呢？远地方不行，小山上没粮没水，三哥他们等不及。近的地方……东昌府？对，东昌府！

东昌府驻地位于泰安西偏北，巴鲁到济南搬兵时路过东昌。虽然东昌府地方不大，驻军不多，如能及时派出救兵，把三哥沙津他们救出来也不是不可能。巴鲁身上的伤钻心地疼，可他哪顾得了这些。他抱定一个信念，就是有一分希望，我也要尽万分努力！

巴鲁恨不能一步迈到东昌，大青马驮着主人，四只蹄子雨点般扣打山石。风呜咽着，林中的鸟纷纷惊起。草被大青马甩在后面，星星被大青马甩在后面，夜被大青马甩在后面……

曙光！曙光！曙光如毯子一样铺在眼前……不对呀，这曙光怎么成了血？巴鲁揉了几次眼睛，可看到的还是一摊一摊凝固的血……

巴鲁到东昌府已是巳时，太阳在东南方，眼睛半睁半闭，跟没睡醒似的。守门的军兵见巴鲁的衣服大窟窿连着小眼儿，浑身除了伤就是血，几乎是衣不蔽体。门军拦住他，巴鲁又解释一番，门军方把他放进城中。

刚到街上，就见有个老者趴在路边。老人满嘴是血，满身是土，一群人围着啧啧叹息。

一个书生模样的年轻人把老者搀了起来："老人家，你身犯何罪？知府老爷为何打你？"

老人愤愤地说："我犯什么罪了？我犯的是屁罪！"

书生以为老者在说气话，便道："老人家，我问你，是关心你，同情你，没有恶意。"

老人摇头叹气："小哥哥，小老儿知道你是好意，可我说的都是实话。"

原来，知府大人的轿从街上经过，老人着急让路，一个没注意，被砖头绊倒。知府大人传老人轿前问话，老人一紧张，一个屁没夹住，放了出来。知府老爷大发雷霆，说老人戏弄朝廷命官，把老人一通打。

"小哥哥，你说，我犯的不是屁罪吗？"老人一脸委屈。

旁边的行人怒道："这些狗官，就得捻军收拾他们！"

巴鲁正好路过，人们的说话声传到了他的耳中。听这个意思，知府大人应该没走多远。巴鲁把马圈回来，他强忍伤痛下了马。

巴鲁扶着马鞍，向人群打听知府的去向。

书生看着巴鲁，以为巴鲁与人斗殴，被打成这样。书生劝道："这位兄台，吃点亏就算了，还告什么状啊？这年头哪有讲理的地方？你没看这位老人被狗官打成这样吗？"

巴鲁解释道："我不是告状的，我是从前敌回来搬兵的。"

见巴鲁口气急切，有人手指十字路口，告诉了知府的去向。

巴鲁爬上大青马，拐了两个弯，见长长的一队人马走在街上，老百姓纷纷往两边躲。巴鲁的心"怦怦"直跳，他纵马上前。

巴鲁滚鞍下马，跪在地上，拦住知府的轿。

一个衙役大喝："这是知府大人的仪仗，你不要命了！"

巴鲁连连叩头："各位弟兄，不要误会，我是从前敌回来的。我要见知府大人。"

知府叫人落轿，传巴鲁上前回话。

巴鲁跪爬到知府面前，把前敌的情况简单地说了一遍。知府由惊而喜，他问捻军有多少人。巴鲁怕说实话吓着知府，他谎称三千多人。

知府非常干脆："东昌府有五千精兵，本官这就回衙门点兵，一举扫平捻子。"

第三章

　　大青马是畜生，可大青马有情有义，临危不惧。那些狗官哪
个能比得上我的大青马？不，他们不是畜生，他们连畜生都不如
啊！他们是魔鬼，是豺狼，是毒虫……

　　东昌知府把巴鲁带回衙门，传郎中给巴鲁上药疗伤，叫人给巴鲁端来
稀粥和包子，又命人喂大青马。

　　巴鲁狼吞虎咽，一口气吃了二十几个包子，喝了半木盆稀粥。

　　巴鲁一边嚼着包子，一边问身边的衙役，知府何时出兵。衙役出去问
了几个人，谁都不知道。衙役让巴鲁躺一会儿，有消息他马上来报。

　　巴鲁哪躺得下，前敌将士眼巴巴地盼救兵，三哥沙津他们生死难料，
尽管巴鲁十分疲惫，可他苦等，苦等，就怕自己睡着了误事。巴鲁看了看
天，太阳像是被蒙上了一层纱，白森森的，仿佛骷髅一般。

　　巴鲁走到屋外，衙门里各房间静悄悄的，根本没有出征前的紧张气
氛。见两个衙役从后堂出来，巴鲁立刻上前，他打听知府什么时候集合队
伍，两个衙役都摇头说不知道。

　　巴鲁更急了，捻子那么多人，三哥沙津手下只有八百来人，能坚持
十二个时辰就不得了了，可三哥却给自己二十四个时辰，这是三哥他们能
坚持的极限！现在已经过了两夜一天，不下十八个时辰，东昌府不马上出

兵，三哥他们必然被捻子消灭。

巴鲁的伤上了药，疼痛有所减轻，他疾步走向后堂。巴鲁想找知府，催促他马上出兵，可还没到门前，就被一个衙役挡住了："大人正在午睡，不得打扰。"

巴鲁求衙役进去通禀，衙役犹豫再三才向正房走去。巴鲁不由自主地走到窗下，屋里传来一个女人的训斥声："你没发烧吧？"

知府的声音比女人低很多："没有，嘿嘿，夫人，大清早我不是跟你说了吗？昨晚我做了个梦，梦见一块大石头向我滚来——时（石）来运转嘛。我出去巡视一圈，竟然朝廷有一支蒙古军被捻子围在冠县，他们派人来搬救兵。我的好运来了，你说，我打败捻子，皇上能不给我升官吗？"

女人的声音更大了："升个屁！阴天下雨你不知道，你手下的兵什么熊样你还不知道吗？他们打手无寸铁的老百姓一个顶仨，打捻子五个也不顶一个。你那几千人还不够给捻子塞牙缝呢！"

知府支吾："不，不会吧，捻子也没有多少人……"

女人不知在拍什么，发出"啪啪"的声音："说你是猪脑子，你真是猪脑子！有捻子在，朝廷每年给你拨十万两帑银；捻子没了，这笔钱谁还给你？"

知府不出声了。巴鲁的心在颤抖，脸上的肌肉直蹦。那个衙役推开房门走了出来，他高抬腿，轻落足，样子跟小偷似的。见巴鲁站在窗下，他的嘴一张一合，却没有声音，手不停地向巴鲁比划，示意巴鲁走开。

知府惧内居然到如此地步！发救兵是国家大事，一个女人有什么权利干涉？巴鲁又气又急。

巴鲁奔房门而去，那衙役想拽住巴鲁。巴鲁胳膊一扬，衙役"噔噔噔"倒退好几步，"扑通"一屁股坐在地上。

巴鲁推门而入。

知府和老婆两个人正坐在床上，知府光着膀子，老婆胸前戴个红兜肚。

巴鲁跪在床前："大人，军情十万火急，求您赶快发兵吧！"

知府夫人吓得"啊"的一声，扯过夹被挡在胸前："来人！快来人，有捻子，抓强盗……"

巴鲁不敢抬头："夫人，我不是捻子，我是官军，我们被捻子围在冠县，我是来搬救兵的……"

知府夫人根本不听，她大声呼叫。外面那个衙役冲进来就拖巴鲁，巴鲁甩开衙役，他跪爬几步来到床边："大人，我们跟捻子打了三天三夜，前敌的将士没吃没喝，再不派援兵，我们的弟兄就全完了，大人哪……"

知府夫人直往床里躲，她大叫："捻子，他是捻子。快！把他拖出去！把他拖出去！"

又有两个衙役冲了进来，三个衙役来拽巴鲁。巴鲁双手抓住床框，苦苦哀求。

知府的床框很高，四面挂着帷幔，一面可以拉合。睡觉时把帷幔一拉，里边就是一方小天地。

三个衙役用力拽巴鲁，巴鲁却死死抓住床框，床倾斜起来，知府夫人尖叫，知府也缩成一团。

有个衙役抽出腰刀，照巴鲁的腕子就砍，巴鲁只得松手。另外两个衙役趁机把巴鲁的两臂往后一拧，巴鲁被摁在地上。

知府醒过神来，他吼道："把他拉出去，乱棍打死！"

众衙役如狼似虎，巴鲁被拖到外面，棍棒劈头盖脸地打了下来。

巴鲁两手抱头，拼命呼叫："大人，你不能见死不救，不能啊，大人，大人哪……"

巴鲁被巡抚打了两次，浑身是伤，如果不是有一个信念在支撑着，他早就起不来了。虽然上了药，可哪还经得住再打，片刻巴鲁就喊不出来了。

突然，大青马"希溜溜……"从前面蹿了过来，它冲入人群，连踢带咬，"扑通""扑通""哎哟""哎哟"，众衙役纷纷往两旁躲，大青马叼起巴鲁就跑。

大青马跑在街上，人们不知发生了什么事，都觉得奇怪，这是什么马？怎么叼着人？难道成精了？

这种世道，多一事不如少一事，人们闪开道路。大青马穿过人群，跃出城门，钻进一片树林。

大青马把巴鲁轻轻放在地上，巴鲁两眼微闭，一动不动。大青马用鼻子拱了拱巴鲁的头，巴鲁没有反应。大青马在巴鲁脸上闻了闻，也许是感受到了巴鲁的气息，它围着巴鲁"咴咴"打响鼻，并不时用尾巴抽打飞到巴鲁身边的蚊虫。

夜幕降临，一颗星星也没有，天黑得像锅底一般。

"呜——"一阵风刮过，接着就是一道闪电，"咔嚓"，炸雷响起，"哗——"，大雨如同瓢泼似的下了起来。雨水一激，巴鲁慢慢地睁开眼睛。见巴鲁醒了，大青马鬃尾乍起，"咴咴"直叫。

巴鲁身上的伤被雨一淋，钻心地疼。巴鲁问自己，这是什么地方？我这是在哪儿？我不是到东昌府搬兵吗？对了，东昌知府的老婆拒绝出兵，我情急之下闯进内室，惹怒了东昌知府，他下令要把我乱棍打死。我隐隐约约记得，大青马把我叼了起来……是大青马，是它救了我。大青马！我的大青马呀！

搬兵！搬兵！！我要搬兵！！！我要救三哥沙津，我要救所有土默特右旗蒙古将士！

巴鲁猛地坐起来，可他又茫然了——济南我去了，山东巡抚能派兵护送妓女，却不派一兵一卒到冠县解围；泰安府紧闭城门，连城都不让我进；东昌知府听老婆的，打着自己的小算盘……我还能到哪儿搬兵？

巴鲁五脏俱焚，都说大清的官吏腐败，没想到他们竟腐败到这种地步！这样的国家还有什么希望？三哥沙津让我二十四个时辰内搬回援兵，现在过去二十三个时辰了吧？小山包里无粮草，外无救兵，他们的处境必是凶多吉少。难道我要去京城搬兵吗？那么多捻子，那么多敌兵，也许我到不了北京，三哥他们就不在了……

巴鲁放声大哭："三哥，你让九弟到哪里搬兵啊？长生天，你为什么这样对待土默特将士？"

哭着哭着，巴鲁"噌"地站了起来，搬兵是没有希望了，我得赶紧回前敌，就算死也要和三哥他们在一处。

巴鲁强忍伤痛，好不容易上了大青马，可刚跑几步，又"扑通"摔了下来，他再次失去知觉。

雷声不停地在空中撞击着，闪电一层接一层剥蚀着黑夜，雨就像无数条鞭子，抽打着大地山川。

巴鲁再次醒来时，天已经亮了，他发现自己躺在山坡上的一座破庙里，大青马站在他身边。见巴鲁睁开了眼睛，大青马用鼻子蹭着巴鲁的手，巴鲁发现，大青马眼泪已经流到了腮边。

巴鲁明白，肯定是大青马把自己叼到这里的，巴鲁给大青马擦了擦眼泪："大青马，我们不哭，我们不哭……"

巴鲁让大青马不哭，可他的眼泪却成串地往下滚。

大青马似乎听懂了主人的话，打了两个混浊的响鼻。

"畜生……"巴鲁想骂那些狗官。

可是，巴鲁觉得自己骂得不对，这不是在污辱我的大青马吗？大青马是畜生，可大青马有情有义，临危不惧。那些狗官哪个能比得上我的大青马？不，他们不是畜生，他们连畜生都不如啊！他们是魔鬼，是豺狼，是毒虫……

巴鲁扶着马头站了起来，他想上马，可眼前一黑，又跌了下来。

"扑通"大青马四条腿跪下了，它叼着巴鲁的衣服往马背上拉。

巴鲁的心如刀子扎的一般："大青马，我的好兄弟，我的好兄弟呀……"

巴鲁的眼泪在流，大青马的眼泪在流。

巴鲁爬到马背上，双手抓住鞍头的铁环。大青马慢慢站起身，巴鲁放开缰绳，大青马出了庙门。

雨后的路很滑，大青马跑不起来，加之巴鲁在背上，大青马只得放慢脚步。从东昌府到冠县不过百里，大青马却足足走了三个时辰。小山包越来越近，路旁的水沟里血和泥水混在一起，发出串串哀鸣。巴鲁的心仿佛要从嗓子眼儿蹦出来似的。

越往山上走尸体越多，有捻军的，有土默特右旗蒙古军的。

来到山顶，巴鲁从马上"扑通"滚了下来，他扑到一个蒙古兵的尸体上，用手一摸，身体没有一点余温。

巴鲁翻看尸体，一具，两具，三具……九具，十具……

巴鲁狂叫:"三哥,你在哪儿……"

巴鲁找了半天,终于在一个捻军将领身边发现了沙津的尸体。沙津虽然死了,可眉毛立着,拳头攥着,眼睛瞪着。

巴鲁摇着沙津的尸体,泣不成声:"三哥,九弟回来了,你睁开眼睛看看九弟!三哥,三哥呀……"

沙津是土默特右旗第六甲沙尔沁章盖衙门的世袭章盖,在剿捻中晋升为参领。

土默特右旗第六甲沙尔沁章盖衙门位于黄河北岸、大青山脚下的沙尔沁村,也就是今天的内蒙古包头市东河区沙尔沁镇。沙津姓巴拉格特氏,简称巴氏。巴拉格特和博尔济吉特都是孛儿只斤氏的转音。清史记载,自成吉思汗到清初的土默特部首领鄂木布共十九代;从鄂木布到沙津共八代。这样算下来,沙津是成吉思汗的第二十七代孙。

清军入关之前,首先统一了漠南草原。沙津的老祖杭高被封为世袭都统,但仅传了两代,就因罪被革职了,世袭都统改为世袭章盖。

沙津在剿捻中战功卓著,清廷为鼓励沙津奋勇杀敌,拨专款为沙津翻修章盖衙门和官宅。章盖衙门按两进院结构建造,前院是章盖办公之处,后院是世袭章盖的官宅。这几天,章盖衙门的主体已经起来了,工地现场,有搬砖的,有运石料的,有挑水的,有和泥的……人来人往,热火朝天。不过,忙碌的大都是青壮年汉人。

这些青壮年汉人都是走西口到这里的。草原地广人稀,蒙古人以放牧为主,不习耕种。汉人放牧不行,但个个都是种田能手。他们来到草原后,租下蒙古人的土地,开荒种田,用他们手中的粮食换蒙古人的牛羊。两个民族互通有无,相濡以沫。

在这些汉人当中,有举家迁来的;也有父母妻儿留在山西老家,本人春天来到草原,秋天回到山西,像大雁一样,过着候鸟般的生活。

因为打南阵,沙尔沁章盖的男丁绝大多数上了战场,留在家中的主要是老人、孩子和女人,蒙古人家中的一些体力活只能请周边的汉人来做。听说朝廷为巴家修衙门、盖官宅,春种后,农闲的汉人来到工地,挣钱贴补家用。

工地上有个大水槽，房子刚刚封顶，水槽里还有鞭炮的碎屑，红纸屑被水漂成了惨白色。工地外搭着棚子，棚子下安放几口大锅。

今天，章盖衙门的新房要上瓦，这是喜庆的日子。棚子下，一群蒙古女人正准备为工匠煮手扒肉。一个人牵着大青马走来，此人头戴麻冠，身着麻衣，脚踏麻鞋，肩上扛着引魂幡。大青马头戴着白花，鞍挂着白布，尾巴系着白条。见此人这副装扮，人们都觉得十分别扭。

烧火的中年蒙古女人认出了这个人，她惊道："哎哟，巴鲁！你回来了？"

这个女人话一出口，做饭的蒙古女人立刻围了上来。

沙尔沁人口不多，但每家每户都有随沙津打南阵的男人，一见巴鲁这个样子，心中都有一种不祥之兆。女人们七嘴八舌，有人询问自己的丈夫，有人打听自己的儿子，有人问自己的兄弟……

巴鲁目光呆滞，表情木然："他们都回不来了。"

挑水的也不挑了，和泥的也不和了，搬瓦的也不搬了，工匠们都跑了过来。

工地旁边有几顶蒙古包，因为翻盖新房，沙津的母亲乌梁氏及家人都临时住在蒙古包中。老夫人乌梁氏听说巴鲁回来了，她手捻佛珠，迎了出来。

一见乌梁氏，人们自动闪出一条人胡同。

乌梁氏来到巴鲁面前："巴鲁！真是你？"

巴鲁"扑通"跪倒："大婶……"

巴鲁嘴角嚅动，泪水一对一双往下滚，却说不出话来。

老夫人乌梁氏多年笃信神佛，老人脸色总是那么平和，高兴时老人也不眉开眼笑，烦恼时也不愁眉苦脸。乌梁氏把巴鲁虚扶起来。老夫人给巴鲁掸了掸身上的尘土，反倒安慰巴鲁："巴鲁啊，大婶礼佛几十年，什么事都看淡了，你说吧，是不是你三哥沙津不在了？"

巴鲁孩子一般"哇"地哭了出来，他哽咽着说："大清国完了，大清国完了……"

包头召西跨院的一间偏殿里，十几个孩子腰杆笔直地坐在凳子上，他们双手背着，目视讲桌前的哲旺喇嘛。哲旺慈眉善目，扁鼻高颧，一看就是蒙古人。

哲旺喇嘛两鬓和胡须都已经白了，老人神态安详："随我念：'犬守夜，鸡司晨'……"

孩子们念道："犬守夜，鸡司晨。"

哲旺喇嘛又道："苟不学，曷为人。"

孩子们也念："苟不学，曷为人。"

哲旺喇嘛接着道："蚕吐丝，蜂酿蜜。"

"蚕吐丝，蜂酿蜜。"

"人不学，不如物。"

"人不学，不如物。"

"梆梆梆"，庙外传来敲门声。

哲旺喇嘛对孩子们说："好了，今天就念到这儿。"

哲旺喇嘛推开门，见沙津家的老仆站在门外。老仆披麻戴孝，脸上挂有泪痕。哲旺喇嘛一愣："阿弥陀佛，怎么了？"

老仆带着哭腔："八老太爷，三爷阵亡了，咱们土默特右旗打南阵的人，就回来九爷巴鲁一个。家里办丧事，老夫人叫我来把几位少爷都接回去。"

第四章

　　巴鲁端起酒先是叹气，接着就哭，再后来，连哭带絮叨。巴鲁车轱辘着说个没完，他重复最多的两句是："狗官畜生不如，大清朝完了。"

　　自东周以来，中国历代王朝都修筑长城，以阻挡北方游牧民族南下，尤其是明朝，东起山海关，西到嘉峪关，绵延万余里，但是，蒙古铁骑仍然两次兵临北京城。清朝取得天下之后，改修长城为修庙，"一座喇嘛庙，胜抵十万兵"。清朝利用蒙古民族信仰喇嘛教，支持鼓励他们大建寺院，弱化蒙古民族。同时规定，蒙古男丁"三出一，五出二"必须当喇嘛。也就是说，家里三个男孩，就得一人出家；五个男孩，就得两人当喇嘛。

　　孩子进入寺庙成为小喇嘛，朝廷奖励一片土地。

　　喇嘛不服兵役，不纳粮税，不应差役，周围信教百姓的功德钱和庙产就可使他们衣食无忧。喇嘛只管念经，不问他事，但禁止娶妻。一旦发现有喇嘛近了女色，寺庙以黑灰涂其面，责令其逆转寺庙三圈，然后打四十鞭子，驱逐出寺。

　　不仅如此，清廷一有大的战事，都要征调蒙古兵。由于信教和战争等原因，在清朝统治下，蒙古民族的人口不但没有增加，反而比明朝时期大大减少。

包头召是巴氏家族的家庙，召是藏语，就是庙的意思。包头召位于包头市东河区北梁上，这里到沙尔沁大约三十里。寺院坐北朝南，占地十余亩。因为是家庙，在这里修行的喇嘛都是巴氏族人。

包头召的当家喇嘛法号哲旺，他从小在五当召出家。五当召是藏传佛教僧人学习佛法的地方，其下设有4个扎仓。如果把五当召比为大学，扎仓就是大学下属的学院。五当召采用藏语教学，学制由低到高13级，全部学完要21年，考试合格，授予相应的佛学学位。从五当召获得佛学学位的喇嘛，一般都出任各庙的住持或方丈。

哲旺喇嘛从五当召学成回到家庙包头召，他不但佛学造诣很高，而且，还精通儒学和武学。当时官办的学校很少，中原汉人一般都把孩子送到私塾。可是，草原地广人稀，连私塾也没有，孩子要想上学，只能送进庙里。所以，巴氏家族的孩子都在包头召学习，由哲旺喇嘛教他们读书练武。

巴氏家族十五支，沙津的曾祖是巴拉。当年，巴拉和三弟巴特曾带兵随清军主力在科布多与准噶尔军征战。从巴拉到沙津共五代，沙津在同辈中虽然排行老三，但因是长门长支，所以，他承袭了章盖。沙津的母亲乌梁氏在同辈中年龄最老，就连哲旺喇嘛也得叫她姐吉。

土默特蒙古人把嫂子称为姐吉。

按巴家长幼顺序，哲旺喇嘛行八，巴家人不称他法号，而是叫他"八大爷"或"八爷爷"，老仆则叫他"八老太爷"。

听老仆来报，哲旺喇嘛双手合十，眉毛动了两下："阿弥陀佛……"

沙津有两个儿子，长子巴雅尔十二岁，次子巴图尔十岁。巴图尔闻声蹿出门外，巴雅尔和其他孩子也都跟了出来。

巴图尔惊问："老大爷，你说什么？"

老仆把沙津等土默特右旗蒙古将士阵亡的事简单地说了一遍，一旁的巴雅尔放声痛哭："阿爸，阿爸，你怎么死了，你不要我了，呜……"

其他孩子的父亲也都同沙津一起阵亡，巴雅尔一哭，他们也哭。

只有巴图尔没哭，他攥起拳头问老仆："老大爷，你告诉我，是谁杀了我阿爸？"

"是捻子。"老仆怕巴图尔不明白，他补充道："是跟朝廷作对的乱党。"

巴图尔拉着哥哥巴雅尔的手，又招呼其他的孩子："走，跟我走！"

老仆惊问："二少爷，你去哪儿？"

巴图尔眼睛里仿佛喷出两团火："拿兵刃，杀捻子，为阿爸报仇！为死去的大爷、伯伯报仇！"

土默特蒙古人把伯父叫大爷，把伯母叫大娘；把叔父叫伯伯，把叔母叫婶。

老仆拦道："二少爷，你连捻子在哪儿都不知道，怎么报仇？"

巴图尔脖子一梗："额吉说过，捻子在山东。"

额吉就是母亲。巴雅尔和巴图尔的额吉是巴云氏。

巴图尔这么一说，这些孩子纷纷响应，巴图尔在前边走，孩子们跟在后面。

哲旺喇嘛脸一沉："巴图尔，不得胡闹！"

孩子们站住了，巴图尔脸一扬："八爷爷，我没有胡闹，我要杀捻子报仇！"

老仆拉住巴图尔："二少爷，你还小，等你长大再报仇也不晚。快随我回家吧，老夫人和夫人都等你们回去呢。"

巴雅尔在这群孩子中最大，他止住哭声："巴图尔，不要惹奶奶和额吉生气，回家吧。"

巴图尔眼睛瞪得溜圆："要回你回，我不回去！"

巴图尔仍坚持要到正殿拿兵刃，哲旺喇嘛身形一晃，谁也没看清怎么回事，老人已经稳稳地站在巴图尔面前："巴图尔，你想报仇也可以，但要过我这关。"

巴图尔并不在乎："什么关？"

包头召院中有棵大柳树，大柳树有三丈多高，一搂多粗。哲旺喇嘛两脚轻轻一点地，身子纵起。半空中，哲旺喇嘛手一划拉，揪下一把柳叶，飘然落在地上。

哲旺喇嘛张开手："我把这些柳叶抛出，你要能一片不少地接在手上，我就让你去报仇。如果有一片落到地上，那你就不要去了。"

巴图尔挠了挠脑袋，虽然他跟八爷爷练了两年，可要接住这么多柳叶，巴图尔想都不敢想，他犹豫起来。

哲旺喇嘛平时对孩子很严厉，孩子们大都怕他，但也有两个例外，一个是巴图尔，另一个是巴音孟克。巴音孟克跟巴图尔同龄，只是生日比巴图尔小两个月。巴音孟克天生一副笑脸，他高兴时你看他在笑，他哭时你看他也在笑，他生气时你看他还在笑。

巴音孟克在这群孩子中心眼儿最多，他也想给自己的阿爸报仇。巴音孟克抹了一把眼泪："八爷爷，你这是欺负我们小孩儿。"

哲旺喇嘛沉着脸："我怎么欺负你们了？"

巴音孟克道："我们只跟您老人家学了两年武艺，二哥巴图尔怎么可能接住那么多柳叶，你这不是欺负我们是什么？"

哲旺喇嘛也觉得巴音孟克说得有道理，便问："怎么才算不欺负你们呢？"

巴音孟克眼睛眨了眨："我二哥巴图尔抛柳叶，您老人家来接，这才算不欺负小孩子。二哥，你说对不对？"

巴音孟克一句话提醒了巴图尔，巴图尔道："对对对，我抛柳叶，八爷爷要能一片不少地接到手中，那我们就不去报仇了。"

哲旺喇嘛慢条斯理地问："说话算数？"

巴图尔胸脯一挺："大丈夫言必信，行必果！"

哲旺喇嘛既觉得可笑，又觉得可气，就你这么个屁孩子，也自称大丈夫？

巴图尔和巴音孟克知道八爷爷哲旺喇嘛武艺高强，但一片不少把柳叶接住，他们认为绝对不可能。两个孩子跟哲旺喇嘛玩心眼儿，以为能把哲旺喇嘛难住。哪知哲旺喇嘛抓过巴图尔的左手，把柳叶放在巴图尔手心。巴图尔人小，手小，一抓不过来，地上掉了三四片。哲旺喇嘛一片一片捡起来，给了巴图尔。

巴音孟克不知道哲旺喇嘛武功有多高，见老人如此自信，巴音孟克心里发虚，难道八爷爷真能接住？巴音孟克灵机一动，在巴图尔耳边低声说:"你要抛低些,让八爷爷接不住。"

巴图尔也在想,怎么才能不让八爷爷接住,巴音孟克一句话提醒了他,巴图尔心领神会,他不往高抛,而是往侧下方扔。

巴图尔身高四尺左右,手离地面不到二尺,几十片柳叶往下落,人是没办法接的。巴图尔想,八爷爷能接到几片就不错了,只要他老人家不能全部接住,我就可以去南阵杀捻子报仇了。

哲旺喇嘛万没想到巴图尔心里打着这样的鬼主意,老人先是一愣,继而,哲旺喇嘛一把扯下僧袍,两手一抖,平地卷起旋风,柳叶全飞了起来。哲旺喇嘛单臂一挥,纷纷扬扬的柳叶便全都落到手上。

巴图尔和巴音孟克呆了,巴雅尔和那几个抹眼泪的孩子也都呆了。

哲旺喇嘛口气很硬:"巴图尔,你该回家了!"

巴图尔还想争辩,但见哲旺喇嘛眼里有一种不可抗拒的力量,巴图尔只得低下头,可心里并不服气。哲旺喇嘛把孩子们带出包头庙门,孩子们上了马车,老仆鞭子一摇,马车奔沙尔沁方向而去。

沙津还没出生的时候父亲就因病去世了,当时沙津的母亲乌梁氏年仅二十六岁,她守着沙津这一棵独苗,含辛茹苦地把他抚养成人。沙津十八岁时承袭章盖,娶妻巴云氏,三年生下两子,就是巴雅尔和巴图尔。老夫人乌梁氏本以为从此可以享清福了,可是,好日子没过多长时间,国难当头,沙津一去就是六年,结果等来的却是阵亡的消息,连儿子沙津的尸骨都没有看到。老人忍着巨大痛苦,办完丧事就一病不起。

多年以前,乌梁氏也病过一段时间,不过,那次是装的。

乌梁氏年轻时长得特别漂亮,整个土默特右旗无人不知。丈夫去世后,登门提亲劝她再嫁的人踩破了门槛。乌梁氏不好驳人家的面子,就以孩子为借口,说等孩子长大再说。沙津八岁时,乌梁氏为了让孩子学到真本事,就把小沙津送到了五当召。

五当召是方圆百里最为著名的庙,那里有位学识高深的老喇嘛,小沙津就拜老喇嘛为师。

小沙津一走,提亲的人又来了。乌梁氏决心为丈夫守节,于是,她就躺在炕上装病。

小沙津十分孝顺，听说额吉病倒了，他跑了六十多里山路，从五当召连夜回到沙尔沁。乌梁氏见孩子的靴子底都跑丢了，脚被碎石扎得全是血。

乌梁氏把小沙津紧紧地搂在怀里，泪水扑簌簌地流了下来。

乌梁氏给儿子包扎伤口之后，就问小沙津学了些什么。小沙津告诉额吉，老喇嘛除了教他写蒙古文，读藏文，还让他背汉文的《三字经》。

乌梁氏让沙津背给自己听。沙津背道："人之初，性本善。性相近，习相远。苟不教，性乃迁。教之道，贵以专。昔孟母，择邻处，子不学，断机杼……"

小沙津背完了，乌梁氏问道："儿子，'昔孟母，择邻处，子不学，断机杼'，这是什么意思？"

小沙津摇了摇头。老喇嘛只叫小沙津背，还没给他讲其中的故事。

孟母就是孟子的母亲。孟子叫孟轲，相传孟轲少年丧父，家境贫寒，母亲一心想把儿子培养成材。最初，孟母住在山下，办丧事的经常路过家门口，孟轲就和小伙伴模仿着玩出殡的游戏。孟母觉得这对儿子成长很不利，于是，就把家搬到了镇上。镇上的邻居是个屠夫，每天杀猪卖肉，小孟轲又模仿屠夫。孟母认为这样下去，孩子容易产生暴戾心理，又把家搬到一所学堂附近。孟轲听到学堂的读书声觉得挺有意思，孟母因势利导，就把孟轲送进了学堂。

贪玩是孩子的天性。一天，孟轲逃学跑了回来。孟母正在织布，她拿起剪刀"刺啦刺啦"把织机上的布剪断了，孟轲十分吃惊。孟母对儿子说，布一分一分织成寸，一寸一寸织成尺，一尺一尺织成丈。学习也是一样，只有日积月累，才能有广博的知识，才能成为国家的有用之材。如果像娘织布这般，织一点就剪断了，必将一事无成。孟轲悔悟，从此发奋读书，终于成为仅次于孔子的"亚圣"。

乌梁氏用这个故事启发小沙津："无论学什么，都不能半途而废，不然将一事无成。"

小沙津扬起小脸："可是，孩儿听说额吉病得很重，放心不下。"

乌梁氏心中甚感安慰，她搂着孩子："额吉知道你孝顺，可'孝顺孝顺'，'孝'讲的就是'顺'。你从五当召跑回来，分了心，浪费了时间，耽误了学习，这是额吉不想看到的。额吉没有捎信儿给你，就说明额吉没什么大病，你不用担心，好好学习就是了。"

第二天，乌梁氏就叫仆人把小沙津送回了五当召。

巴云氏和沙津成亲之后，继承了孝顺的家风，虽然家里有使女，可巴云氏总是亲自服侍婆母乌梁氏梳头、修脚。

老夫人生病，巴云氏更是照顾得无微不至。

草原缺医少药，人得了病一般都是祭敖包。蒙古民族认为敖包可通天神，祭敖包可以得到天神的保佑，禳灾祛病。敖包也称脑包或鄂博，其实就是石头堆。

巴云氏祭了敖包又拜佛，拜了佛又叫人到归化城请郎中，可是，老夫人的病仍是时轻时重。

蒙古包外，两块石头支着砂锅，下面燃着牛粪火，砂锅散发浓重的药味。巴云氏坚持给婆母乌梁氏熬药，期盼乌梁氏早日痊愈。就在这时，巴鲁媳妇穆氏拎着两盒点心来看望老夫人乌梁氏。

巴云氏的药已经熬好了，她把穆氏让到老夫人乌梁氏的蒙古包，可一掀门帘，见乌梁氏正睡着，妯娌俩悄悄地退了出来，进了另一顶蒙古包。

"他九婶，坐吧。"

穆氏神色颓然，她问老夫人乌梁氏的病情："大婶好些了吗?"

巴云氏目光黯淡，她摇了摇头。

穆氏声音很轻："有个偏方，没准能治大婶的病。"

巴云氏一振："他九婶，什么偏方?"

穆氏还没有出嫁的时候，她母亲因伤心过度得了一场大病，怎么也治不好。后来，有个游方郎中给了一剂偏方：把人血焙干成粉，每次半匙，用酒冲服，一日两次，连服七日。那时，正赶上绥远将军衙署出红差斩杀人犯，穆氏的哥哥给刽子手送点钱，刽子手给接了半坛子人血。回到家中，穆氏把血倒在锅里熬，直到把血中的水分熬干，血液变成粉末。穆氏的母亲服了这个偏方，病还真就好了。

绥远将军最初叫建威将军，是漠南的最高军政长官。今天呼和浩特市是由绥远和归化两城合并而成。可绥远城出红差都是秋天，现在是夏季，出红差怎么也得等两个月之后，婆母病得这么重，能等两个月吗？可不等有什么办法呢？去哪儿弄这么多人血？

巴云氏正想着，穆氏抽泣起来，巴云氏问："他九婶，你怎么了？"

巴云氏这么一问，穆氏哭得更厉害了："三姐吉，你说，我的命怎么这么苦啊……"

巴鲁平安归来，穆氏十分庆幸。可是，巴鲁回家之后，天天喝得酩酊大醉。蒙古人好酒的很多，可人家最多早中晚一天喝三顿，巴鲁却喝五顿，前半夜一顿，后半夜一顿。头些日子，穆氏也没放在心上，土默特右旗九百多将士，只回来巴鲁一人，他捡了一条命，爱喝就喝吧。然而，巴鲁端起酒先是叹气，接着就哭，再后来，连哭带絮叨。巴鲁车轱辘着说个没完，他重复最多的两句是："狗官畜生不如，大清朝完了。"

辱骂官老爷，诅咒朝廷，那可是杀头大罪！

穆氏非常害怕，她担心被现任的老章盖听到。老章盖是绥远将军衙署派来的。章盖衙门毕竟是一级官府，沙津去山东剿捻，沙津的长子巴雅尔还未成年，章盖衙门不能没有人管。绥远将军衙署就派来一个满人代理章盖。这个老章盖家在绥远城，因其年龄较大，身体不好，一个月在沙尔沁章盖衙门也待不上几天。

巴云氏安慰道："他九伯伯心里堵得慌，你劝劝他就好了。"

妯娌俩正说着，巴音孟克的母亲布氏走了进来。

一见穆氏，布氏就嚷："我就不明白了，打南阵，巴家除了四哥多尔济，去了他们哥十个，就回来巴鲁一人，你们家巴鲁不好好过日子，他抽什么邪风？"

穆氏只顾抹眼泪，巴云氏问布氏："他五婶，巴鲁怎么了？"

布氏的嗓门又尖又亮："怎么了？他在臭水沟那儿胡说八道呢！"

穆氏止住哭声，愣愣地看着布氏。

第五章

　　巴图尔看着鹰在天上飞，他就想像鹰一样翱翔。两年前过年放二踢脚。二踢脚也叫双响炮，第一个响把二踢脚送上天，第二个响在空中炸开。巴图尔把十几个二踢脚捆成两捆，绑在自己靴子底下……

　　布氏比巴云氏小两岁，她丈夫在巴氏家族中排行老五。布氏身高体壮，力大过人。蒙古男人喜欢摔跤，有一次布氏的丈夫一连三次被人摔倒。布氏急了，她一把抓住那人的腰带，双手举过头顶，差点把那人摔死。

　　这次打南阵，布氏的丈夫也阵亡了。巴鲁带回这个噩耗，布氏悲痛欲绝。可一天过后，她跟没事人似的。阵亡将士的尸骨都在山东，家人只能烧他们生前遗物，以示祭奠。烧这些遗物时，那些失去丈夫的女人都哭得死去活来，布氏没哭。

　　家里没有男人，事事都得女人出头。包头镇有家皮毛行，布氏和几个姐妹家的羊毛羊皮都卖给这家皮毛行。布氏为人仗义，姐妹都愿意跟布氏搭伴同行。皮毛行的老板娘虽是汉人，却跟布氏处得不错。前几天，布氏和几个姐妹又来卖羊毛。

　　见布氏有说有笑，老板娘就跟布氏开玩笑："我说，你家男人不在了，你还这么开心，不是有相好的了吧?"

布氏心直口快:"瞎说!那些男爷们儿都喜欢柳叶弯眉杏核眼的，杨柳细腰赛笔杆的。我眉毛跟刷子似的，腰跟大缸似的，谁和我相好?我是为我那三个儿子，孩子已经没了阿爸，我这个当额吉的要是哭个好歹的，我儿子怎么办?我是想明白了，我不能哭，也不会寻死上吊，我要好好活着，把儿子拉扯成人，这才对得起他阿爸。要把三个儿子拉扯成人，我就得有副好身板，要想有副好身板，我就不能哭，我就得高兴。"

布氏的话在妯娌之间传开了。

巴云氏失去丈夫，也非常痛苦，当着婆母的面不敢哭，当着两个儿子的面不能哭，只有在夜深人静的时候，钻进被窝，蒙上头大哭一场。巴云氏得知布氏和老板娘的对话，心中也是一亮，是啊，我上有婆母，下有两个儿子，万一我也倒下了，婆母谁照顾?我的两个孩子谁管?喇嘛教讲的是六道轮回，人的死不过是又一次生命的开始。丈夫生前没做过坏事，说不定他转世之后，我还能见到他。从那以后，巴云氏也不像以前那样伤心了。

巴云氏问:"他九伯伯又说什么了?"

布氏道:"他说，'狗官畜生不如，大清朝完了'。"

巴云氏担心地说:"老九这是不要命了!"

布氏怒道:"谁说不是呢，我要不看他是从死人堆里爬回来的，我上去就给他两个大嘴巴!"

穆氏紧张起来:"这可怎么办?这可怎么办……"

布氏道:"咋办?把他整回去呀!"

巴云氏急道:"他九婶哪能整动他九伯伯……"巴云氏忙叫过两个男仆，让他们和穆氏一起把巴鲁送回家。

布氏追出蒙古包，她对穆氏大声道:"你告诉巴鲁，他要再出去丢人现眼，胡说八道，大嘴巴子我非扇他不可!"

沙尔沁是大青山下的一个村子，村子里有二十几户人家。这里地势平坦，村中心有个大水沟。穆氏和两个男仆气喘吁吁地来到沟边，见巴鲁躺在水中，浑身是泥。

巴鲁六岁的儿子乌木尔在一旁哭："阿爸，回家，阿爸，回家吧……"

巴鲁的脸上不知是泪痕，还是污水，他不停地说着："狗官畜生不如，大清朝完了……"

穆氏跑进水中，一股酒气直冲她的鼻子。

穆氏想把巴鲁挽起来："他阿爸，你怎么跑到这儿来了？快起来，咱们回家，回家……"

巴鲁一甩手："国都完了，哪还有家？"

穆氏身材瘦小，哪经得起巴鲁这么一甩，"扑通"，穆氏摔在水沟里。水不深，只过膝盖，两个男仆把穆氏扶了起来。

乌木尔在水边哭："额吉，额吉……"

巴鲁呵斥乌木尔："哭什么！没出息的东西！"巴鲁不让儿子哭，他却哭着，"你是从哪里来的？为什么要生在这个乱世？为什么要生在我家？……"

两个男仆连拖带拽，把巴鲁送回家。

老夫人乌梁氏一病就是两个月。

这几天，巴云氏脑子里一直都在想穆氏说的那个人血偏方。婆母这么大年纪，病了这么长时间，经不起折腾。不管这个偏方好不好使，我都要试试。现在没有红差，找不到人血，用别人的血不可能，只能用自己的血了。

巴云氏思忖，他九姐说了，她额吉的病用了半盆人血。半盆，这几乎是一个人体内的全部血液。人没有血能活吗？巴云氏又一想，我怎么这么糊涂！一次流这么多血，肯定有生命危险。可血和头发一样，是能够再生的。我每天割一大碗血，焙干之后，够婆母一天服用就行，这应该不会有什么大事。

巴云氏准备了瓷碗、布条和止血药，她点上蜡烛，把短刀在火上烤了烤。巴云氏拿着刀看着自己的手背，身子不由自主地颤抖起来，尽管是夏天，还是觉得有点儿冷。

巴云氏连鸡都没杀过，要割自己的肉，流自己的血，哪下得了手！刀刚碰到皮肤，就觉得一阵疼痛，血一滴也没流下来。巴云氏又把刀伸向手指，她心一横，眼睛一闭，刀在左手中指上扎了进去，顿时，一阵钻心的疼痛，"当"，刀掉到地上。巴云氏慢慢睁开眼睛，手指肚上流出了血。巴云氏一阵欣喜，她吸着凉气，挤压中指。可挤了半天，只流出半酒盅。这远远不够。

巴云氏捡起刀，她又盯着手背的血管。巴云氏想扎血管，可又一想，不行，割血管万一血流不止怎么办？巴云氏猛然想到，不能在手上割血呀！在手上割，我把"药"端给婆母，婆母问我，我怎么回答？我如果说了实话，婆母绝不会答应，更不会吃这种"药"。

巴云氏又往胳膊上看，右手食指摁了摁左小臂上的肌肉，这地方差不多，都是肉，刀子扎进去既不会伤筋，也不会动骨，包扎之后，袖子挡着，谁也看不见。

巴云氏盘算着，要流七次血，要在自己胳膊上扎七次，第一次扎哪儿，第二次扎哪儿，第三次扎哪儿……巴云氏握着刀，牙一咬，眼一瞪，猛地扎了下去。巴云氏疼得一激灵，眼中浸满泪花，一股热流就像一条红色的小溪涓涓地淌进碗里。

也就是一袋烟的工夫，血流了一大碗。巴云氏在伤口处撒上药粉，用布条包好，她晃了晃头，头也不晕，眼也不花，除了伤口有些疼痛之外，身体没有什么不适。巴云氏暗想，这是个好兆头，大概婆母的病该好了。

仲夏的塞外一片生机，两只黄嘴巴的鸟儿在树上的窝边东张西望，其中一只爬到枝上，扇动翅膀，试着要飞。另一只叫个不停，仿佛在劝阻那只雏鸟，不要冒险。

树上"叽叽喳喳"，树下也在争吵，巴图尔气哼哼地对哥哥巴雅尔说："你跟胆小鬼四伯伯一样!"

巴雅尔辩道："我才不和四伯伯一样，我不是胆小鬼!"

兄弟两个说的四伯伯叫多尔济，多尔济也是巴氏族人。多尔济武艺虽然不高，但十八般兵刃也都拿得起。六年前，朝廷征调土默特左右两旗剿捻。一听说去中原打仗，多尔济推说自己不敢见血，一见血就晕。大队人马出征前，沙津点名，唯独不见多尔济。多尔济跑到章盖衙门后院，抱着老夫人乌梁氏的腿痛哭。

瓦罐不离井口破，将军难免阵前亡。近百年来，巴氏家族为国捐躯的男人太多了，乌梁氏也觉得巴家的男人不应该都上战场，不然，家中连个主心骨也没有。乌梁氏向沙津求情，多尔济方才留了下来，从此，多尔济就落下个"胆小鬼"的外号。

巴图尔道："不给阿爸报仇，你就是胆小鬼！"

巴雅尔不服："你光想给阿爸报仇，却忘了奶奶，奶奶本来就病着，我们走了，奶奶想我们怎么办？"

巴图尔否定哥哥："不对！奶奶的病是因为捻子杀了阿爸，咱们杀了捻子，奶奶的病就好了。"

巴雅尔跟小大人似的："你还小，你不懂。阿爸率好几百人都没杀了捻子，我们一帮小孩子怎么给阿爸报仇？"

巴图尔歪着头："那你待在家里就能杀捻子给阿爸报仇吗？"

巴雅尔道："我不跟你争，咱们找额吉问问，看我说得对，还是你说得对。"

巴图尔也不示弱："问就问。"

两个孩子来到蒙古包前，撩帘走了进去。见巴云氏胳膊上缠着布条，桌子上有一大碗血，兄弟俩惊问："额吉，你受伤了？"

巴云氏不想让孩子知道，她想把两个孩子打发出去："没事，额吉不小心，划破了点皮……"巴云氏岔开话题，"你们俩跑哪里去了，还不去看看奶奶？"

两个孩子不走，巴雅尔指着碗说："划破点皮怎么流这么多血？"

巴图尔也道："还用碗接？"

巴云氏一时找不到合适的理由，她支吾着哄骗两个孩子："这……你们不懂，吃啥补啥……血流了可惜，额吉接到碗里，是想把血喝了。你们忘了？额吉给你们缝衣服时，针扎了手，就用嘴嗫。"

巴云氏觉得这谎编得挺圆滑，巴雅尔没有多想："额吉，那你疼不疼？我看看。"

巴云氏心中一热，这么小，就知道关心额吉，多么可爱的孩子！

"上药了，不疼了。"巴云氏笑道。

巴图尔刨根问底："针扎一下才流几滴血。额吉流这么大一碗，到底为什么？"

巴图尔这么一说，巴雅尔也醒悟过来："是啊，额吉。"

巴云氏装出生气的样子："额吉不是说了吗？是不小心，划破了点皮。行了，没事了，你们还不看奶奶去？"

两个孩子仍没动，巴图尔眨着眼睛，不说话了。巴雅尔告状似的说："额吉，巴图尔要带十几个孩子去南阵杀捻子，我不让他去，他跟我吵。额吉，你说我做得对不对？"

巴云氏训斥巴图尔："你瞎闹什么？捻子是你能杀的吗？"

巴图尔争辩道："我要给阿爸报仇！"

巴云氏又疼又爱："巴图尔，哥哥说得对。你太小，还打不过捻子。要报仇也得等你长大，等你像阿爸那么高才行。"

巴图尔自懂事起，就没见过父亲，他一本正经地问："阿爸多高？有四伯伯高吗？"

巴云氏连连摇头："胆小鬼四伯伯怎么能跟你阿爸比？阿爸比他高多了。"

巴图尔又说："阿爸比九伯伯高吗？"

巴云氏点点头："阿爸跟九伯伯差不多。"

巴图尔挺起胸："那我就快快地长，长得像阿爸一样高就能给阿爸报仇了。"

巴云氏苦涩地笑了一下："这就对了，去吧去吧！"

两个孩子走后，巴云氏偷偷地把血焙干，研成末，送进婆母的蒙古包。看着这紫红色的"药面"，乌梁氏不知道是什么，但老人知道巴云氏是个孝顺的媳妇，于是，就按媳妇说的，用酒冲服喝了下去。

巴云氏割血被两个孩子发现，好不容易搪塞过去，她不敢再让孩子看见了。巴云氏每天晚上等巴雅尔和巴图尔睡着了，她才拿起刀，扎向胳膊，当天夜里就把血焙干。

有了第一次，第二次巴云氏手也不抖了，心也不慌了。第三次、第四次就更从容了。一连五天，巴云氏胳膊扎了五个伤口，流出了五大碗血。流这么多血，哪里受得了。巴云氏脸色苍白，头阵阵发晕，走路仿佛踩着棉花。

夜里，巴雅尔和巴图尔发出轻微而又均匀的呼吸声，巴云氏强打精神从榻上爬了起来。她点燃蜡烛，拿起刀，第六次扎向自己。血流得很慢，很慢，很慢……巴云氏不得不用手由上而下撸着胳膊，以使血流得快一些。良久，碗里的血终于满了。巴云氏眼前金星乱窜，浑身一点力气也没有，可她还是坚持着，努力坚持着……

巴云氏把止血药敷在胳膊上，把伤口包好。

今夜的血碗怎么这么重？前几次巴云氏一只手就能端起，今夜不得不用两只手。可是伤口都在左臂，左手不敢用力，只能招架。巴云氏捧着血碗，如同捧着一块巨石，刚迈出两步，眼前一黑，"啪"，血碗掉在地上，血溅了一地。

巴云氏一下子瘫在地上，她几乎要崩溃了。血！我的血！婆母还等着我的血治病，血不能就这么洒了。巴云氏想把洒到地上的血捧到碗里，她只捧了两下，手就抬不动了。

巴雅尔和巴图尔被惊醒，两个孩子扑到额吉面前——

"额吉，你怎么了？"

"血！"

"额吉，你受伤了！"

"额吉，你怎么流这么多血？"

夜深人静，巴云氏担心被另一个蒙古包的婆母和使女听见，她忙阻止两个孩子。巴雅尔和巴图尔把额吉扶到榻上。巴云氏胳膊上的布条渗出了血，桌子上还有一把短刀，两个孩子明白了八九。

"额吉，你是不是又在胳膊上割血了？"

"额吉，你为什么要这样？"

"这是大人的事，你们两个孩子不懂。"巴云氏有气无力。

两个孩子无论怎么问，巴云氏都不肯说。巴雅尔急得直哭，巴图尔却来到桌前，他抓起短刀，往自己的胳膊比划："额吉，你不说，我也割自己的血。"

巴图尔从小就非常淘气，他的淘气跟别的孩子不一样，人家孩子淘气只是损坏一些东西。巴图尔淘气能淘出花样来。

巴图尔看着鹰在天上飞，他就想像鹰一样翱翔。两年前过年放二踢脚。二踢脚也叫双响炮，第一个响把二踢脚送上天，第二个响在空中炸开。巴图尔把十几个二踢脚捆成两捆，绑在自己靴子底下。巴图尔点燃二踢脚，他没上天，靴子却上天了，两只脚掌被炸得黑乎乎一片。

如果是一般的孩子，肯定要大哭不止，可巴图尔一声不吭。巴图尔在炕上躺了将近一个月，伤刚好，他又想出一个招来。

巴图尔做了一个大风筝，他把自己绑在风筝上，让小伙伴拉着风筝绳跑。无论小伙伴怎么跑，风筝就是飞不起来。巴图尔带着小伙伴来到沙尔沁外的山坡上，这里有座土地庙，巴图尔带着风筝，爬到庙顶上往下跳，小伙伴拉着风筝跑。结果巴图尔摔得鼻青脸肿，还是没有飞起来。

巴云氏一气之下把巴图尔锁进屋里半个多月。

乌梁氏发话，巴云氏才把巴图尔放出来。巴图尔老实了几天，淘气的毛病又犯了。

沙尔沁北面是大青山，春天，山上的杏刚刚长到黄豆粒大，巴图尔就带几个小伙伴到山上摘杏。悬崖上有棵杏树，这棵树上的杏比别的都大，可谁也不敢过去摘。

巴图尔在悬崖边看了看，他趴下身子，一只手抓住地上的草，一只手伸向这棵杏树。巴图尔只摘了七八个杏，地上的草被连根拔起，巴图尔滚落悬崖。小伙伴跑回去告诉巴云氏，巴云氏带两个老仆来到悬崖下，却见巴图尔正一把一把地抓土往伤口上抹，一边抹还一边说："土面儿吃血，男儿是铁；土面儿吃血，男儿是铁……"

巴云氏真想打巴图尔两巴掌，见巴图尔浑身是伤，血透过厚厚的土往外流。巴云氏心疼坏了，打也不是，骂也不是，没办法，她把巴图尔和巴雅尔一块儿送到家庙包头召，请哲旺喇嘛严加管教。

两个孩子在家庙包头召学了两年，因为沙津阵亡，家里办丧事，老夫人乌梁氏叫人把两个孩子接回来，直到现在。

沙津为国捐躯，两个孩子就是乌梁氏和巴云氏的精神支柱，婆媳二人谁也没说再把巴雅尔和巴图尔送回包头召。

巴云氏想把巴图尔手中的刀夺过来，可刚要伸手，"噗"，巴图尔扎进了自己的胳膊。

巴图尔扎自己，不像巴云氏割血。巴云氏割血掌握着刀的深浅，既要扎出血，又不能太深。可巴图尔是个孩子，他哪知深浅。这可把巴云氏吓坏了，这要是伤了筋骨，孩子落下残疾，那自己不得后悔一辈子。

巴图尔的血一下子流了下来，巴云氏惊叫："冤家……"

巴图尔威胁巴云氏："额吉，你不说，我还扎。"

巴图尔拔出刀，又举了起来，巴云氏急道："我说，我说……冤家，你快放手！"

第六章

多尔济想管巴鲁，可巴图尔这么一个十来岁的孩子都抢白我，何况是巴鲁？要是巴鲁也骂我胆小鬼，我岂不是要往地缝里钻？

巴云氏只得把割血给婆母治病的事告诉给两个孩子。巴图尔满不在乎："额吉，就这事，你跟我说不就得了！我血多……"

巴图尔捡起地上的碗，接自己的血："额吉，从今天开始，就用我的血给奶奶治病。"

巴云氏哪里舍得，她流着泪："孩子，你还小，还在长身体，不能用你的血。"

巴云氏想阻止巴图尔，哪知，巴雅尔把刀夺了过来，他在自己胳膊上扎了一下。

巴雅尔和巴图尔两个孩子各流了一碗血。巴云氏心疼坏了，她给两个孩子包好伤口，把巴雅尔和巴图尔搂在怀里，泪水汩汩而出。

也不知道是这个偏方真有疗效，还是母子三人的孝举感动了长生天。七天之后，老夫人乌梁氏就能下地走路了。半个月之后，乌梁氏的病竟然好了。

秋天到了，前院章盖衙门房顶的瓦都铺上了，后院官宅的瓦还在地上放着，几大车瓦堆在院子东北角。

老夫人乌梁氏对巴云氏说："我看瓦就不要上了，留个念想吧。"

老夫人乌梁氏想以此来纪念儿子，追忆打南阵阵亡的将士。巴云氏的心也是一动，丈夫沙津生前与自己恩恩爱爱，和和美美。丈夫走了，连一句话也没有留下。有个"念想"既可满足婆母的心愿，又可寄托自己的哀思，还可激励巴家人上进，这比上瓦更有意义。

沙尔沁章盖官宅没上一片瓦，只是抹几层胶泥，以防下雨漏水。此后，每年沙津忌日的时候，全章盖的人都到沙尔沁章盖官宅给房子抹胶泥，纪念阵亡的土默特右旗将士，直到清朝灭亡。经过一百五十年的风雨洗礼，沙尔沁章盖官宅至今屹立不倒，房上仍是胶泥。

今天，每当沙尔沁的老人聚在章盖官宅前，他们还能说出一些阵亡将士的名字。

章盖官宅是新建章盖衙门的一部分。章盖衙门是个长方形院落，中间有七间房子把衙门分成了前后两个四合院。前院是官衙，七间房子是章盖处理日常公务的地方。东西两侧各有九间厢房，衙役在这些厢房中办公。七间房子东侧有个月亮门，穿过月亮门，就到后院官宅了。

沙尔沁的蒙古民族已经完全接受了汉文化，章盖衙门竣工，乌梁氏和巴云氏一家人就拆了蒙古包，搬进了官宅。

沙津打南阵，章盖本该由长子巴雅尔代理，但巴雅尔太小，无法处理公务，绥远将军福兴就派来一位老章盖。后院主要是巴家女眷，老章盖觉得不方便，也很少到后院去，因此，月亮门常常锁着。后院章盖官宅还有一个东门，乌梁氏、巴云氏等家人出入都走这个门。

天高云淡，金风送爽。"梆梆梆"，章盖官宅传来敲门声，老仆开门，见门外站着一个男子，此人头戴尖顶栖鹰冠，身着蓝缎子蒙古长袍，腰间系着巴掌宽银扣皮腰带，上镶十几颗红珊瑚。腰的右侧悬挂一个火镰和一柄蒙古刀，刀鞘上的小口槽内插着一双银筷子。腰带左侧挂着鼻烟壶袋和一个精美的烟荷包。

蒙古人认为，火镰是光明的象征，刀是镇邪之宝，无论男女老少出门必带这两件物品。这是蒙古人野外露宿、打猎传下来的遗风。蒙古男人的佩饰除了火镰、刀、筷子、烟袋、鼻烟壶之外，手上还常常戴银戒指。这个男子左右手各戴两个又大又宽又厚的戒指，手里拎着两大盒点心。此人三十多岁，眼睛不大，但很有神，颔下留着两撇八字胡，一看就是刚从外地回来的。

　　章盖官宅有五间正房，蒙古人以右为上。右就是西，乌粱氏住西边三间，巴云氏住东边两间，婆媳二人都有使女服侍。使女给乌粱氏捶着腿，一旁的巴云氏陪婆母乌粱氏说话，老仆把八字胡带了进来。

　　八字胡把点心放在桌上，单腿打千儿，跪在老夫人乌粱氏面前："大婶，侄儿多尔济给您老人家请安。"

　　乌粱氏手里捻着佛珠："是胆小鬼多尔济呀，起来吧。"

　　自从多尔济得了"胆小鬼"的外号，总是比人矮三分。巴氏家族有什么事，多尔济都不敢上前，就怕人揭他的短。为了补上这三分，他的穿戴总是那么考究，以掩饰内心的惶恐。

　　多尔济特别不爱听人叫他胆小鬼，可老夫人乌粱氏是长辈，他心里不舒服，脸上不敢带出来。

　　多尔济又给巴云氏打了个千儿："三姐吉吉祥。"

　　一般来说，同辈之间见面或点点头，或打个招呼。一两个月不见，也就是以手抚胸，施个抚胸礼。打千儿是仅次于磕头的大礼。多尔济给乌粱氏打千儿是应该的，乌粱氏毕竟是长辈。可是，给巴云氏打千儿，却让人意外了。

　　巴云氏笑道："胆小鬼老四，自家姐吉，你这么客气干什么？"

　　多尔济心里别扭，怎么胆小鬼、胆小鬼地叫个没完了。胆小鬼不就是怕死吗？死算什么呀？那不过是又一次生命的开始。我现在是没儿子，让我上战场？我也像三哥沙津他们似的有去无回？不孝有三，无后为大。我连个接续香烟的都没有，到阴曹地府，怎么向列祖列宗交代？

　　多尔济不由得看了看桌子上的点心，这可是我专门从绥远城带回来的，官还不打送礼的呢，你们婆媳竟对我毫不客气。

　　多尔济又看了看自己的这身打扮，我走在绥远城街上，哪个商家不对我点头哈腰？可在本家人面前，我怎么就一点尊严也没有？唉！啥也别说了，都怪我那三个不争气的娘儿们，也不知我上辈子跟她们结了什么仇，三个女人，生了一大堆丫头片子，却整不出一个儿子来，让我丢人现眼，抬不起头。

多尔济平身站起，话中带着不满："我这不是来求三姐吉嘛。"

巴云氏微微一笑："求我？"

多尔济一想，求人就得说好话，心中就是有一万个不高兴，也不能表露出来。多尔济没笑挤笑："大婶和三姐吉，你们都在，我想跟你们商量商量。人过三十天过午，我今年都三十三了。我想过继个儿子，你们看行不？"

乌梁氏道："好啊！行，怎么不行？有些没儿子的人家，过继一个，或是抱养一个，都生了儿子。山西人管这叫'带子'。"

多尔济一拍大腿："太对啦！大婶，我就是这个意思。"

正说着，巴雅尔和巴图尔走了进来，两个孩子给多尔济请安。

见巴雅尔和巴图尔，多尔济眼睛里立刻放出两道光："快快，都起来，都起来。哎呀，真好啊……"

多尔济把两个孩子一一搀起，他看看这个，瞧瞧那个。这两个孩子，孝顺，仁义，长得都跟虎羔子似的。三哥沙津虽然不在了，但人家有儿子，能闭上眼睛……巴雅尔是长子，这孩子明人情，懂事理，守规矩。可是，他到十八岁就要承袭章盖，我不能毁了这孩子的前程。巴图尔胆子大，有主意，就是有点淘气。嗨，孩子哪有不淘气的，淘气的孩子聪明，就他了！

多尔济打定主意，他嘿嘿一笑："大婶，三姐吉，把巴图尔过继给我怎么样？"

乌梁氏愣了，自从沙津阵亡，她和巴云氏把这两个孩子看成命根子一般，过继给多尔济，那怎么能行？

巴云氏敛起笑容，这个胆小鬼老四，我也不是有三个五个儿子，过继就过继给你一个。我只有两个儿子，两个孩子正好是个伴儿。孩子的阿爸扔下我不管了，我这辈子就靠这两个儿子呢！可是，毕竟都是巴家人，还得顾及老四的面子，怎么说好呢？

乌梁氏和巴云氏婆媳相互对视，正不知如何回复多尔济，一旁的巴图尔开口了："我不!"

多尔济俯下身："巴图尔，你要是管四伯伯叫阿爸，你要海里的龙，四伯伯给你抓;你要天上的星星，四伯伯给你摘;你要四伯伯的脑袋，四伯伯揪下来给你当球踢……"

巴图尔一推多尔济："不! 我不给胆小鬼当儿子!"

一句话噎得多尔济脸红到脖子根。

多尔济十分尴尬，正在这时，穆氏抱着儿子乌木尔走了进来。巴云氏不再理多尔济，她把乌木尔放到炕上，见穆氏满面泪痕，便问："他九婶，又怎么了?"

穆氏未曾说话，眼泪先掉了下来。

巴鲁从山东回到沙尔沁，每天只做两件事:一件是喂大青马，另一件是喝酒。巴鲁喝酒之前，必先给大青马填满草料。

巴鲁抚摸着大青马的头，喃喃自语："你不是畜生，你是正人君子;狗官才是畜生，狗官畜生都不如。"

大青马仿佛听懂了巴鲁的话，它打着响鼻回应主人。

巴鲁跟大青马说完进屋，穆氏把酒和肉摆在桌上。

穆氏柔声细语："他阿爸，你回来快四个月了，一直也没到家庙包头召烧香，我已经把供品准备好了，要不，你明天到庙里拜拜佛，祭祭祖?"

"咕嘟咕嘟"，巴鲁把一大碗酒倒进肚子里，他一抹嘴，又哭上了:"狗官畜生不如，大清朝完了，我拜佛祭祖有什么用，呜……"

穆氏劝道："他阿爸，你别这样，你已经尽力了，这不是你的错。"

巴鲁哭得更伤心了:"不! 是我的错，我当初就不该去搬兵，我应该和三哥沙津他们一起战死，我应该和三哥沙津一起战死啊……狗官畜生不如，大清朝完了，大清朝完了……"

穆氏忙关上门，她劝道:"他阿爸，你小点声，诅咒朝廷，谩骂官员，那是要被杀头的!"

穆氏想以朝廷来威慑巴鲁，"啪"，没想到巴鲁一拍桌子，桌子上的盘子颠了起来，乌木尔吓得直往墙角钻。

巴鲁两眼瞪得跟牛眼一般:"我早就该死!我早就不想活了!让大清的狗官来杀我!我已经死过好几回了,再死一次算什么!"接着,又放声大哭,"我生不如死啊,生不如死啊……"

穆氏的泪水止不住了:"看你把孩子吓的,你别喝了行不?我求你了。"

穆氏想把酒坛子拿走,可她刚把坛子端起,巴鲁一下子扑了过来,他一把夺过酒坛子。由于用力过猛,巴鲁的一只胳膊撞在墙上,酒坛子落地,"啪"地碎了。

巴鲁心疼坏了,他用手指着穆氏的鼻子:"你还我酒!你还我酒!"

穆氏和巴鲁结婚八载,两个人在一起的时间只有两年,在穆氏的记忆中,巴鲁从没发过这么大火。

穆氏吓得直往后躲:"我,我给你买,我给你买……"

巴鲁吼道:"快去!"

穆氏转身出了屋,乌木尔光着脚跑了出来:"额吉,我怕……"

穆氏把孩子抱在怀中,用蒙古袍裹住孩子的脚:"天这么凉,你怎么不穿鞋呀?"

"我不敢……"乌木尔眼中含泪。

穆氏没有给巴鲁买酒,而是来到章盖官宅。她本想向巴云氏诉苦,可一见多尔济却改变了主意。

巴氏家族总共有十五户。如今,巴氏家族中只有哲旺喇嘛、多尔济和巴鲁三个成年男子。哲旺虽是长辈,可老人是家庙包头召的当家喇嘛,很少回沙尔沁。多尔济毕竟是本家四哥,穆氏把希望寄托在多尔济身上:"四哥,你管管巴鲁吧,不要让他再这么喝了。"

多尔济想管巴鲁,可巴图尔这么一个十来岁的孩子都抢白我,何况是巴鲁?要是巴鲁也骂我胆小鬼,我岂不是要往地缝里钻?

多尔济起身道:"我刚从绥远城回来,还没到家呢,我得先回家看看。"

多尔济溜了。

巴云氏一进巴鲁家的院子就听到屋里的哭声:"……狗官畜生不如,

大清朝完了……狗官畜生不如，大清朝完了……"

巴云氏走进屋，一股浓烈的酒气呛得她透不过气来。地下除了羊骨头就是坛子碎片，炕上放着桌子，桌子上有个酒坛子，也不知巴鲁又从哪儿弄来的。炕头有一床棉被，被上放着个枕头，枕上没有枕巾，枕巾在巴鲁腿上，枕巾抹得都是油。

巴云氏把前后窗户打开，一缕风吹了进来，她这才透出气来。

巴鲁对巴云氏的到来置若罔闻，他捧着酒坛子，"咕嘟"喝了一大口酒，巴鲁车轱辘话又来了："狗官畜生不如，大清朝完了……狗官畜生不如，大清朝完了……"

巴云氏站在巴鲁面前："他九伯伯，别喝了，看你都成啥样了。你不为自己也得为老婆孩子想想，他们好不容易把你盼了回来，就想一家人好好过日子，可你这么喝，他们娘儿俩整天提心吊胆，这哪像个家呀？听三姐吉一句话，不要再喝了。"

巴鲁脸色跟猪肝一般："都死了才好，都死了才好。他们死了，我也死，我早就不想活了，我不想活了。狗官畜生不如，大清朝完了……"

巴云氏劝道："你没搬来救兵，大伙也没说你不对，还夸你是英雄呢，你没给巴氏家族丢脸。听三姐吉的话，别喝了，啊？"

巴云氏要把酒坛子抱走，巴鲁"噌"地蹿了上来。巴云氏吓了一跳，她本能地往旁边一闪，没想到巴鲁跌在地上不动了。

巴云氏大惊，她俯下身："他九伯伯，他九伯伯！"

"呼噜噜""呼噜噜"，巴鲁打起了鼾声，巴云氏摇头叹息。

巴云氏想把巴鲁弄到炕上，可巴鲁醉得跟一摊泥似的。巴云氏费了好大劲儿，巴鲁只是翻了个身。

"三姐吉，我来帮你。"

巴云氏一回头，见多尔济走了进来。

"你来得正好，我弄不动，你把巴鲁放到炕上，让他在炕上睡。"

多尔济把巴鲁抱上炕："这人，怎么喝成这样？"

巴云氏叹道："谁说不是呢……哎，你不是还没回家吗？"

多尔济支吾两声："我，我……"他一拍胸脯，"我现在是巴鲁唯一的哥哥，巴鲁这样，我哪能放心，所以，我到家说了两句话就来了。这个巴鲁，确实不像话，不是喝就是哭，这哪像个男子汉大丈夫？他这是睡了，不然，我非好好教训教训他不可。"

巴云氏知道多尔济说大话，但没有揭穿。

巴云氏和多尔济把巴鲁弄到炕上，巴鲁鼾声如雷，巴云氏拉过被子给巴鲁盖上，然后和多尔济出了巴鲁家。

多尔济用眼角瞅着巴云氏，他神色忧郁："真羡慕我三哥，有那么好的两个儿子，真有福气呀！"

"他是有福气。他一走了之，却把两个孩子推给了我。"巴云氏怨道。

多尔济立刻转过头，眼中放着光："你不想管交给我呀，我喜欢，我就喜欢儿子。只要过继给我，我来管。"

巴云氏心惊肉跳，没想到多尔济的话在这儿等着！巴云氏白了多尔济一眼："你三哥就留下这点骨血，你怎么总是打这两个孩子的主意？"

多尔济嗫嚅道："我，我，我借，我借……"多尔济也觉得自己语无伦次，心说，有借牛的，有借马的，哪有借儿子的？他灵机一动，"大婶不是说了'带子'的事吗？你把儿子先借给我，等给我'带'出儿子，我再还给你。"

巴云氏脸一沉："借儿子？亏你想得出来！"随即加快了脚步。

多尔济并不死心："三姐吉，我，我不是怕你操心嘛！"

巴云氏头也不回，多尔济在后面嘟囔一句："好心没好报……"

第七章

听到青面大侠的消息，穆氏心惊肉跳，巴鲁搬兵不成，他恨死了山东巡抚和泰安、东昌两个知府，这位青面大侠会不会是巴鲁呢？

清廷在蒙古地区实行盟旗制度，除了世袭职务之外，其他的官兵都没有薪水，这就是"官无俸，兵无饷"。

"官无俸，兵无饷"并不是绝对没有俸饷，而是以地代饷。草原地广人稀，首先，朝廷以户口地形式，按人头分配土地。其次，在比丁（统计兵员）时，被列为兵员的，每人五顷。第三，如果升了官，还要给土地，这部分土地称官俸地。

巴氏家族十五户不但有户口地，还有因战功而受朝廷赏赐的万亩草场，这样一来，巴氏家族的土地占到了土默特右旗第六甲沙尔沁章盖的一半以上。

自古以来，蒙古民族以游牧为生，不善耕种，所以，土默特蒙古人留一部分土地放牧，另一部分出租给汉人。出租的土地，一般来说，第一年按秋后收成的十分之一收取租金，第二年按十分之二，第三年之后全部按十分之三。

被征为兵员的青年，有的在归化城副都统衙门值班，有的在关卡、渡口、驿站当差，更多的则是应征参战，比如征准噶尔、打南阵，等等。凡是应征兵员，都要骑上自己家的马，带上自己家的兵刃，穿上自己家的盔甲，背上自己家的奶食肉干出征。

巴鲁从军之后，穆氏勤于操持家务，日子比上不足，比下有余。然而，巴鲁从南阵回来，一天喝五顿酒，几个月下来，家里的积蓄就被他花得差不多了。

巴鲁又到槽头喂大青马，他嘴里仍是叨叨念念："你不是畜生，他们才是畜生。你忠孝仁义，明辨是非，狗官没有一个比得上你……"

填完草料，巴鲁走进屋中，穆氏知道他又要开喝了。以往，尽管穆氏不想让他喝，但总是把酒和肉摆到桌上。这次穆氏没动，马上就要过年了，别人家大人小孩都买了布，做了新衣服，巴鲁一家谁也没买。

巴鲁看也不看穆氏："国家都要完了，穿新衣服给谁看？"

穆氏小心翼翼："大人也就算了，可咱们就一个乌木尔，不能委屈了孩子。"

巴鲁脸色铁青："他委屈什么？我还委屈呢！拿酒，我要喝酒。"

穆氏埋怨道："你刚醒，怎么还喝？"

巴鲁眼睛瞪得跟牛眼似的："我不喝酒就得死！狗官让我死，你也让我死吗？"

穆氏无奈，她把酒坛子搬来，穆氏往外倒酒，可是，仅仅倒出半碗，坛子就空了。

巴鲁喝问："怎么没酒了？"

穆氏凄然道："家里就剩了十文钱，哪还有钱买酒？"

巴鲁沉着脸："钱呢？"

穆氏扭过脸，声音哽咽："你也不算算，你一天就喝进去二百文，一个月下来就是六两银子。你回来半年多，我从牙缝里挤出来的银子都让你喝光了。"

巴鲁一口把半碗酒干了下去："家里不是还有二十四只羊吗？"

穆氏猛然转过头："家里就剩这么点指望，你还要打羊的主意？"

巴鲁没说话，他把酒坛子倒过来底朝天，坛子里只流出几滴，巴鲁用舌头舔了舔坛子沿，把坛子一扔，坛子歪在炕上。

巴鲁的喉结动了两下，他起身打开橱柜，把里面的衣物一件一件往外掏。橱柜空了，也没找到一文钱。巴鲁又去翻箱子，他发现箱子底下有个红布包。巴鲁解开红布包，见是个首饰盒。打开首饰盒，里面有一对玉佩，一个是鸳，一个是鸯。

这对鸳鸯玉佩各有一寸多宽，二寸来长，白中带绿，绿中带蓝，小巧玲珑，晶莹剔透。

巴鲁拿起其中一块玉佩往外就走，穆氏一把拉住巴鲁："他阿爸，你要干什么？"

巴鲁冷冷地说："换酒。"

穆氏"扑通"跪在地上："你不能，这是咱们当年的定情信物，我把它看得比命还重。要换，你就把我换了吧！"

巴鲁想绕过穆氏，穆氏一把抱住巴鲁的腿，泪流满面："他阿爸，我求你了，我求你了，你不能换。"

巴鲁大叫："放开！"

穆氏哪里肯放，巴鲁吼道："你再不放开，我就休了你！"

穆氏失声痛哭："他阿爸，你休了我，我也不让你拿玉佩换酒。"

巴鲁急了："我休了你！我休了你！我休了你！"

可是，穆氏就是不放，巴鲁把穆氏推倒在地上："我这就休你，我这就休你！"

巴鲁在屋里转了半天也没找到纸张，他跳到炕上，拽过被子，把被里"刺啦"撕下一大块。

穆氏勤俭持家，见巴鲁撕被子，她心疼坏了："他阿爸，你干什么？不过了？"

巴鲁喘着粗气："我休了你！我休了你！"

窗台上有个小碟，碟上放着一支破毛笔，碟里的墨也不知放了多长时间，早就干了。巴鲁提起笔，往小碟里"呸呸呸"吐了几口唾沫，他把破毛笔在里面抹了几下，然后在白被里上写下两行字：

　　　　穆氏不贤，吾今休之。

　　　　蒙古巴鲁　同治二年腊月初十

　　土默特蒙古人凡是签字都把"蒙古"二字冠在自己名字前面。

　　巴鲁把休书扔给穆氏："你现在就走！带上你的东西，给我走！"

　　蒙古民族没有休妻之说，女人一旦出嫁，就永远属于夫家。即使丈夫死了，她也不能改嫁到别的家族。如果改嫁，只能嫁给前夫的弟弟，或是与她没有血缘关系的前夫的儿子或孙子。这个传统叫收继婚。

　　因为汉人走西口来到草原，受汉人影响，休妻才在蒙古民族中出现。

　　中国人的传统是嫁鸡随鸡，嫁狗随狗，男人对女人有绝对权威，只要男人一纸休书，就可解除与女人的婚姻关系。女人被男人休了，无论是对女人自身，还是对女人的父母，都是莫大的耻辱。

　　穆氏一见休书，顿时呆了，她以为巴鲁是在说气话，根本就没当真。这对鸳鸯玉佩是我们婚姻的见证，是我们爱的见证，两块玉佩要永远在一起。当年，巴鲁出征前还和我一起捧着这对鸳鸯玉佩发誓，说今生今世就像这对鸳鸯，永不分别。怎么打南阵回来，他就忘了自己的诺言，居然要拿玉佩换酒喝！我不答应，他竟写休书！

　　穆氏使劲儿摇头，这不是他的本意，这绝不可能是他的本意！他糊涂了！他魔怔了！他神经错乱了！

　　房子开始摇晃起来，霎时，穆氏大脑一片空白，身子一歪，瘫在地上："长生天哪……"

　　乌木尔伏在穆氏身边哭："额吉，额吉……"

　　穆氏猛然醒悟过来，她立刻想到了巴云氏和布氏，她要看着巴鲁，她要守着两块鸳鸯玉佩，穆氏对乌木尔说："孩子，快！快去找你三娘和五娘。"

　　乌木尔没有动："额吉……"

　　穆氏声嘶力竭："快去！"

　　乌木尔站起身跑出房门。

　　穆氏跪爬到巴鲁脚下，她边哭边诉说："他阿爸，咱们夫妻八年，你去剿捻，为国效力；我抚养孩子，操持家务。只希望咱们夫妻终生厮守，白头到老。盼星星，盼月亮，好不容易把你盼回来，你喝酒我不管，你卖房子我也不管，就是不能用这对鸳鸯玉佩换酒喝。他阿爸，我求你了，我给你磕头，我给你磕头……"

"梆梆梆"，穆氏以头触地。

巴鲁提起穆氏的衣领，不知他是阻止穆氏磕头，还是对穆氏发狠："国家都要亡了，留这破玩意儿能当吃当喝？"

穆氏言辞极其坚决："玉佩不能当吃，也不能当喝，可它是我的命！"

巴鲁两眼通红："命命命！你跟玉佩过吧！我把你休了，这已经不是你家了……"巴鲁把两块玉佩中的一块塞到穆氏手中："这是你的。带上它，你给我马上走。"

这块玉佩在穆氏手中仿佛有千斤重："我不走，我不走。他阿爸，你不要休我，不要休我……"

夫妻俩争执不下，巴云氏和布氏匆匆进屋，后边的乌木尔靠着墙哭。

布氏大喝："巴鲁，你作什么妖？"

巴云氏上前搀起穆氏，她也斥责巴鲁："巴鲁，这又怎么了？"

巴鲁把头扭到一边，一言不发。

穆氏哭着把刚才的经过说了一遍，巴云氏拿起休书一看，可不是嘛！

巴云氏劝道："他九伯伯啊，两口子过日子哪有勺子不碰锅沿儿的？吵几句嘴有什么大不了的？哪能写休书呢？这休书是闹着玩儿的吗？她九婶多贤惠，你天天喝酒吃肉，她和孩子啃咸菜窝头，她图个啥？不就想和你安安稳稳地过日子吗？为了挽救这个家，为了让你早日醒悟过来，她把家里所有的积蓄都给你买酒了。你六年不在，她攒点钱容易吗？这样的媳妇你去哪儿找？那对鸳鸯玉佩我知道，那是你们夫妻的信物，她不让你拿去换酒，那不正是珍惜你们的感情吗？你怎么能狠心休她呢？"

布氏说话可不像巴云氏那样温柔："我说巴鲁，没看出来呀，你长能耐了是不是？敢休老婆了是不是？你算个啥呀？除了能喝点猫尿，你哪出奇？也就是他九婶能看上你，换了别人你天天这么灌大酒，人家早就不跟你过了，你还反过来休人家，你要不要脸？你长没长心？你还算个人吗？"

巴鲁一屁股坐在炕上，他又哭开了："狗官畜生不如，大清朝完了……"

"少跟我装疯卖傻！"布氏嗓音又尖又亮，仿佛房子都在颤，"哪朝哪代完了，老百姓也不能跟着一起去！"

巴鲁号啕大哭："我不想活了，我不想活了……"巴鲁指着穆氏，"你给我走，你给我走，我已经休了你，你为什么赖在这儿不走？"

"闭嘴！"布氏又喝一声，她的手都要指到巴鲁的鼻子尖了，"你让谁走？这个家是你的吗？你打南阵一去就是六年，这六年你拿回一根草棍没有？我告诉你，这个家都是他九婶的！是她九婶瞎了眼，把你当成了宝儿，要是换了我，你整天喝大酒，吃不上，穿不上，我早就把你赶出去了！"

巴鲁脖子一梗："我也没让她跟我过，她愿意去哪儿就去哪儿，我已经把她休了。"

"呸！"布氏一口啐在巴鲁脸上，"你把他九婶休了？熬瞎你的狗眼！"

布氏的唾沫在巴鲁脸上流着，巴鲁抹也不抹，擦也不擦。

布氏对穆氏说："他九婶，把休书给他，他怎么写的，让他怎么给我烧了！"

布氏双手叉腰，跟一头母狮相仿。穆氏从巴云氏手中接过休书，眼神中既有惊恐，又有期盼。

布氏一把夺过休书，她举到巴鲁面前："你把休书给我烧了！"

巴鲁"噌"地站起，他拍着自己的胸脯："我是爷们儿！爷们儿你知道不？我说出的话像山一样不会动摇！"

布氏跟巴鲁较上劲儿了："你烧不烧？"

巴鲁的脾气也上来了："我就不烧！"

布氏抡起蒲扇般的大手"啪"地就是一记耳光。

巴鲁纵酒过度，身子远不及在山东剿捻时结实，他在地上转了一圈，"扑通"摔倒，鲜血从嘴角淌了下来。

巴鲁在两军阵前杀敌无数，可面对布氏，他一手没还。

巴鲁傻笑："呵呵呵，打得好，打得好……"他晃晃悠悠地站了起来，"再打，再打，你刚才打的是这边脸……"巴鲁指着肿起的左脸，又指右脸，"这，这边还少一下，这边，你打，你打……"

"你以为我不敢打……"布氏又扬起了大巴掌。

布氏打在巴鲁脸上，疼在穆氏心里，穆氏死死地抱住布氏的胳膊："五姐吉，别打他，别打他，要打你就打我吧……"

布氏狠狠地说："他长的就是欠揍的脑袋，不揍怎么能行？"布氏本想教训教训巴鲁，哪知穆氏如此护着他。

巴云氏也过来拉布氏的袖子："他五婶，别打了，别打了。"

布氏把手放了下来，她怒视巴鲁："你睁开你的狗眼看看，到现在你媳妇还护着你。这样的媳妇打着灯笼都找不着，你还不满足？今天是三姐吉和你媳妇拉着，不然我非打得你满地找牙！"

巴鲁又哭上了："狗官畜生不如……"

"闭上你的臭嘴！你没搬来救兵是你没能耐，有能耐你也学梁山泊好汉替天行道啊！在家中休老婆算什么本事？"

布氏这句话出口，巴鲁像触电一般，他身子一颤。

巴鲁不哭了，他不停地点头："好！好！打得好！骂得对！"

巴鲁低下头，看了看手中的玉佩，他把玉佩往怀里一揣，又摸了摸，确认玉佩带在身上。巴鲁转身出屋，提起马鞍子来到槽头。他把马鞍子往大青马背上一放，把马的肚带扣紧，上了马，两脚一蹬镫，飞奔而去。

穆氏追了出去："他阿爸，你去哪儿？你回来……"

巴鲁连影子都没了，穆氏倒在地上，号啕痛哭。

巴鲁一去便无消息。四年后，一支旅蒙商队经过沙尔沁，从他们口中得知，捻军已被朝廷剿灭，但山东出了个青面刺客。这个刺客武功盖世，擅使一把弯刀，专门杀贪官、除恶霸。两个月时间里，相继杀了山东巡抚和泰安、东昌两个知府。山东官吏人人自危，个个胆寒。此事惊动了朝廷，朝廷把这个刺客叫暴民，老百姓称之为青面大侠。朝廷悬赏十万两白银捉拿这位青面大侠。

自从巴鲁走后，巴云氏经常来陪穆氏，开导她、劝慰她。听到青面大侠的消息，穆氏心惊肉跳，巴鲁搬兵不成，他恨死了山东巡抚和泰安、东昌两个知府，这位青面大侠会不会是巴鲁呢？

巴云氏虽然也是这么猜的，她却宽慰穆氏："青面大侠应该是一张青脸吧？他九伯伯面如熟杏，是张黄脸。你不要瞎想了，肯定不是巴鲁。他九伯伯有情有义，只是他心里闷得慌，出去散散心，没准儿哪天就回来了。"

几年来，穆氏一直把自己的那块玉佩挂在脖子上。她取出玉佩，凝视着摇了摇头，一对鸳鸯只剩了一只，他还能回来吗？穆氏心中不免埋怨五姐吉布氏，如果不是五姐吉打了巴鲁，又用替天行道的话来激他，也许他不会走。我也是，他喝就喝呗，要卖羊就卖呗，就是卖了房子能怎么着？只要和他在一起，什么都无所谓。

巴云氏陪了穆氏一下午，天黑了，方从穆氏家出来。

巴云氏走在前面，突然觉得背后好像有人在跟着自己，回头一看，果然有个黑影。巴云氏头皮发紧，头发发乍，不由得加快脚步。可是，拐了个弯，那黑影几步蹿到了巴云氏面前。

"谁？"巴云氏惊叫一声。

第八章

　　乌梁氏心里是矛盾的，她既希望巴云氏找个好男人，又不希望巴云氏离开自己。有人愿意入赘巴家，媳妇的终身有了依靠，自己还能天天看到媳妇，这不是两全其美吗？

　　巴云氏定睛一看，见是多尔济，心才落了地："你装神弄鬼的，吓死我了！"

　　多尔济嬉皮笑脸："我，我没装神弄鬼，我是怕三姐吉害怕，我来保护你。"

　　巴云氏嗤笑："你怕我害怕？你的胆子也比我大不了多少……"

　　多尔济担心巴云氏说他胆小鬼，他忙打断巴云氏的话："可我，我毕竟是男人哪。"

　　巴云氏没有理会多尔济，继续往前走。

　　多尔济见四下无人，他对巴云氏悄悄地说："三姐吉，有件事我求你。"

　　巴云氏爱搭不理："求我？不是过继儿子吧？"

　　多尔济嘿嘿一笑："三姐吉真聪明，我就是这个意思。你看，这又过了四年，这长生天也不知怎么了，就是跟我过不去，我还是没有儿子。"

　　巴云氏漫不经心地说："老夫人不是跟你说过'带子'的事吗？你从

哪户儿子多的人家抱养一个不就得了。"

多尔济两手一摊:"我,我问了三十多家,可,可人家谁也不给……三姐吉,我求你了,巴雅尔和巴图尔哪个过继给我都行,只要我生了儿子,马上就把孩子还给你,我不抢你的儿子还不行吗?"

巴云氏一口回绝:"不行!"

多尔济带着哭腔:"三姐吉,我求你了。"

巴云氏不想听多尔济磨叽:"老五家有三个儿子你不去求,你怎么偏偏盯上我儿子了?"

多尔济一脸苦相:"三姐吉,老五媳妇布氏的嘴跟刀子似的,脾气跟驴似的,我,我哪敢跟她说呀!"

巴云氏不给多尔济好脸:"那你就挑软的捏?打我的主意?"

多尔济拉住巴云氏的衣襟,眼泪掉了下来:"三姐吉,我想儿子都要疯了,要是没有儿子,我还不如死了算了……"

见多尔济如此伤心,巴云氏的心软了下来:"唉,看你也是够可怜的,要不,我跟他五婶说说,看她能不能过继给你一个儿子?"

多尔济激动地说:"谢谢三姐吉!谢谢三姐吉!"

近来,章盖衙门里那个老章盖告老离职。巴雅尔十六岁,仍不能主持章盖衙门事务。绥远将军福兴派一个千总来代行章盖职责。

千总是从五品的武官。这个千总叫武梁,是个满人。武梁有个同母异父的妹妹,姑娘十八岁,长得跟花一般。按说,这在当时正是谈婚论嫁的年龄,可多少人提亲都被武梁拒之门外。武梁背后对自己的夫人说,妹妹奇货可居,一旦被哪个王爷或贝勒看中,那就是一座大靠山。一旦有了靠山,自己就可青云直上,再也不用仰人鼻息了。

绥远将军福兴得知武梁的妹妹国色天香,就叫人找武梁提亲,让武梁的妹妹做他的九夫人。武梁思索再三,绥远将军虽是从一品,可福兴只是个外放官,外放官再大也比不了京官,京官能跟皇上说上话,所以,他没同意。

然而,事隔两个月,福兴把武梁派到沙尔沁代理章盖,武梁由从五品,越过正五品,代理从四品,这相当于连升两级。不过,武梁的俸银却一分也没有增加。武梁猜想，难道这是福兴给我画的大馅饼，等着我把妹妹嫁给他？

不管怎样，还算是升了官，武梁高高兴兴赴任。

一到沙尔沁，武梁就听说巴氏家族十五户拥有广阔的耕地和草场，章盖巴家的地最多。武梁粗略一算，章盖巴家一年出租土地就有两三千两银子，这还不包括世袭章盖的俸禄。

沙津虽然阵亡，但巴家还是世袭章盖，世袭章盖的俸禄照发。

世袭章盖每年俸银一百三十五两，养廉银三百八十两，外加小米五十八石五斗、杂米二十二石。石是旧制的容积单位，一石大约一百八十斤。这样折算下来，章盖巴家的俸粮有一万四千四百多斤。此外，朝廷还给供养五匹马的草料费，以及笔墨纸砚的办公费等。

而武梁年俸只有八十两，养廉银每年一百八十两，他的年收入不过二百六十两，章盖巴家的收入对武梁的诱惑太大了。

武梁在想，沙津阵亡多年，巴云氏年轻守寡，我要是能和她走到一起，章盖巴家的财产就归我武某人了。我用巴家的银子上下打点，再把妹妹嫁给哪个王爷、贝勒，那我的前途将不可限量，没准绥远将军福兴还得来巴结我呢！

可怎么才能迎得巴云氏的心呢？武梁手里端着紫砂小茶壶，他对茶壶嘴嘬了两口。

章盖衙门有个笔帖式。笔帖式是九品文官，掌管公文起草、支应差事，同现在的秘书有些相似。

武梁对笔帖式道："章盖官宅盖得倒挺不错，只是没有上瓦。沙大人为国捐躯，他的老母妻儿却住没瓦的房子，真是让人心寒。你去找几个工匠，把后院的瓦都铺上。"

笔帖式道："大人，您太费心了，后面的官宅是不上瓦的，老夫人说是纪念沙大人。"

武梁一怔："这倒新鲜，我还没听说过这种纪念方式。"

笔帖式赔笑："确实如此，大人到后院一问便知。"

武梁正好就坡下驴，我何不以此为借口，找巴云氏搭讪搭讪。

前院的衙门和后院的官宅只隔一道月亮门，武梁来到月亮门前，见门锁着，他出了衙门，绕到官宅东门。

老仆正在打扫院子，见武梁来了，忙上前作揖。得知武梁要见巴云氏，老仆马上往里通禀。

不一会儿，老仆走了出来："武大人，我家夫人请您到厢房客厅茶叙。"

武梁来到厢房客厅一看，见巴云氏三十六七岁，白皙的脸庞，细嫩的皮肤，又细又长的眉毛，身材挺拔，气质袭人，武梁暗道：真是国色天香啊！

武梁恭维道："巴家乃成吉思汗之后，元室皇族之遗脉，本官有幸一睹夫人的风采，真三生之幸啊！"

巴云氏脸一红，礼貌地说："大人客气了，不知大人有何见教？"

见巴云氏直截了当，武梁道："啊，是这样，我刚刚上任，见后院房上无瓦，出于对夫人的尊重，我想找几个工匠把瓦铺上，也算是对夫人尽点绵薄之力。"武梁没有提巴云氏阵亡的丈夫沙津。

巴云氏摇了摇头："不劳大人费心了。四年前，朝廷专门拨下银两为我家修房子，正当房子上瓦之时，前敌传来亡夫殉国的消息，婆母吩咐，家中所有的房子都不上瓦。以此纪念亡夫和那些阵亡的将士。"

武梁呷了一口茶："纪念沙大人也不至于用这种方法，给沙大人修一所冥宅，或者建座祠堂，这不更能寄托夫人思念之情吗？如果夫人不方便，我来筹集银两如何？"

巴云氏婉言拒绝："谢谢大人。不上瓦是婆母的意思。"

武梁盯着巴云氏，他弦外有音："可是，这么好的宅子不上瓦，可就有点像，像风姿绰约的少妇头上没有首饰，岂不是太不协调了？"

巴云氏见武梁的眼睛有股邪劲儿，她回绝道："武大人的情我领了，不过，婆母之命，不能违抗。"

武梁的眼珠在巴云氏脸上乱转："要是夫人答应了，老夫人那里可以慢慢来嘛。"

巴云氏道："请武大人恕罪，我也不想上瓦。"

武梁并不死心，几天后，一群工匠敲开后院的门，老仆通禀，巴云氏把工匠拦在外面。巴云氏认识其中的几个工匠，便道："盖衙门的时候，你们是知道的，巴家房子不上瓦，难道你们忘了吗？"

章盖官宅不上瓦，在土默特右旗境内的蒙汉百姓之中已经传为佳话。工匠也纳闷，怎么章盖巴家突然要上瓦了？可是，他们都是章盖衙门招来的，走也不是，留也不是。正在这时，武梁端着紫砂小茶壶走了过来。

武梁喝了一口茶，对巴云氏道："夫人，本官在大青山给沙大人选了一处风水宝地，准备给沙大人建一处冥宅，正想请夫人过去看看。等冥宅盖起，把沙大人的亡灵请进去，以后就可以在那里祭奠沙大人了。至于这房子上的瓦，还是上了吧，不然，知道的说巴家不想上瓦，不知道的还以为本官不关心巴家呢。"

巴云氏心说，这个人怎么跟狗皮膏药似的？她沉着脸道："巴家有祠堂，巴家的祠堂就在家庙包头召。亡夫的灵位也在其中，大人就不用费心了。"

武梁愣了，巴家还有家庙？怎么衙门里的人没对我说起？这帮狗屎的奴才，我来了这么长时间，谁也不对我讲。武梁望着巴云氏，巴云氏的美貌和章盖巴家的财产太诱人了，武梁哪肯轻易放弃。可是，要想得到巴云氏和章盖巴家的财产，就得让巴云氏忘掉沙津。

武梁眼珠一转，叫工匠先回去，他走到巴云氏身边，低声说："夫人，人死不能复生，你已经苦了好几年，也算是对得起沙大人了。再说，你年轻漂亮，美丽动人，总不能这么守一辈子吧？我虽不是蒙古人，但我也知道，蒙古人和汉人不一样。汉人把贞节烈女捧得很高，蒙古人再嫁是很平常的事。当年三娘子曾一嫁阿拉坦汗，再嫁阿拉坦汗之子辛爱黄，三嫁阿拉坦汗之孙扯力克，被后世传为佳话。夫人为何不效法三娘子，留下一段美谈呢？"

武梁一边说，一边向巴云氏挤眉弄眼。

巴云氏见武梁不怀好意，她断然地说："三娘子乃旷世奇女，巴云氏岂能与先人相比？巴云氏立志为亡夫守节，房上的瓦永远不上！"

武梁纠缠不休："夫人，你也该为本官想想，本官在此代行章盖之职，章盖官宅连一片瓦也没有，这传出去我的脸往哪儿放？夫人，赏给本官一个薄面，明天让工匠们再来，好不好？"武梁色眯眯地看着巴云氏。

巴云氏心中很是生气，她板起脸，正要说话，武梁身后有人喝道："不好！"

武梁转过身一看，见来了两个半大孩子。巴云氏见是自己的两个儿子巴雅尔和巴图尔，她心中有了依靠。

尽管老夫人乌梁氏和巴云氏舍不得巴雅尔和巴图尔，可为了孩子长大之后能有所作为，婆媳二人还是打发老仆把两个孩子送回了包头召。巴雅尔和巴图尔每天跟八爷爷哲旺喇嘛读书练武，身材长高了，脑子里的学问也一天天增加了。听说来了个新章盖，八爷爷打发兄弟二人回来看看，没想到遇上了这么一幕。

巴雅尔和巴图尔一左一右站在巴云氏身边。武梁不认识两个孩子，心说，这是哪儿来的两个野小子，在这里胡说八道。可是，两个孩子跟巴云氏十分亲热，武梁就猜到了几分。

武梁掩饰心中不快，他装出笑脸问："夫人，这，这两个孩子就是贵公子吧？"

武梁毕竟是绥远将军衙署派来的，巴云氏不想与其发生矛盾，只得耐着性子如实相告。

巴图尔不冷不热："你就是新来的代理章盖大人吧？章盖衙门不是在前院吗？你到后院来干什么？"

武梁勉强笑了笑："我这不是出于好意，想把你们家的瓦铺上吗？"

巴图尔看着武梁就不舒服："我家不需要！"

巴云氏拉了一下巴图尔衣角："不得对武大人无礼！"

巴图尔不再说话了。

巴雅尔还算客气："武大人的情我们领了，不过，不上瓦是奶奶和额吉商量好的，不能更改。"

巴云氏让两个孩子见过武梁，武梁干咳两声，又喝了两口茶，讪讪地走了。

巴雅尔和巴图尔在家只住了两晚，兄弟二人就回了包头召。两个孩子一走，武梁就打发军兵到后院劈柴、担水、扫院子。本来这些粗活有老仆做，军兵却和老仆抢着干。而且，隔三差五，武梁还叫人往后院送些米、面、油和牛羊肉。这些吃的，章盖巴家也不缺，但却能拉近人和人之间的关系。

晚上，老夫人乌梁氏坐在炕沿边，巴云氏把一盆热水端到老人脚下，她俯下身脱去老夫人的袜子，把老人的脚泡在热水盆里。

巴云氏反复添了几次热水，乌梁氏脸上渗出了汗珠。巴云氏双手在盆里搓了搓老人的脚，给老人擦干，然后把水倒掉。

巴云氏洗了把手，来到老夫人面前，她跟乌梁氏每天都说些家长里短——哪个汉人家里娶了媳妇，哪个蒙古人家里女儿出嫁；哪个汉人家又盖了房子，哪个蒙古人家里又添了牲畜；大青山今年的草长得如何，博托河的水势怎样……

博托河就是今天内蒙古包头市内的东河。

老夫人乌梁氏静静地听着，什么也不问，只是不时地看巴云氏两眼。巴云氏发觉婆母似乎有心事，就向老夫人发问。乌梁氏张了几次嘴才道："媳妇啊，有件事额吉想跟你商量商量。"

巴云氏微笑道："不用商量，额吉做主就行了。"

乌梁氏郑重地说："这关系到你的后半生，额吉哪能不和你商量？"

见老夫人说得这般认真，巴云氏神情专注地看着婆母。

乌梁氏长叹一声："额吉守寡三十多年，知道守寡的难处。你是个特别孝顺的媳妇，额吉不忍心耽误你的后半生，要是有可心的男人，你就找一个吧。"

巴云氏大惊，她"扑通"跪在老夫人面前："额吉，媳妇做错了事，您老人家打我骂我都行，千万不能赶媳妇走啊！"

老夫人连声道："快起来，快起来，你没做错事，什么也没做错，听额吉说。"

巴云氏缓缓地站了起来，老夫人深情地望着巴云氏："额吉不糊涂，额吉生病的时候，你割血为额吉煎药，我们婆媳的血早就融在一起了。额吉感激你，真心实意为你考虑，你孝顺、善良、年轻、漂亮……可额吉是土埋到脖梗儿的人了，额吉不能不为你的后半生着想，怎么会赶你走呢？"

军兵把这件事禀报给武梁，武梁一愣，老夫人乌梁氏劝巴云氏改嫁，嫁给谁？可不能让别人捷足先登。

武梁放下手中的公务，他在衙门里来回踱着，上次我直接找巴云氏，遭到巴云氏的冷遇。巴云氏到底是怎么想的？女人的心难以琢磨，她喜欢，往往说讨厌；她说讨厌，往往是表示喜欢。巴云氏一定透露出了改嫁的意思，不然，老夫人怎么会提这件事呢？莫不是巴云氏对我动了心？可能！很可能！武梁照了照镜子，看我这脑形，长得多正；看我这张脸，长得多好看；看我这身材，多么强壮。这么帅的男人，她到哪里去找？没准是巴云氏看上我了。

武梁正想着，军兵来报，说巴云氏出了家门，奔布氏家去了。

武梁两手一拍，有了！

武梁来到后宅乌梁氏的屋中，使女给他倒上茶，武梁先跟乌梁氏套近乎："老人家，听说您姓乌梁氏，我叫武梁，乌梁和武梁发音一样，只是写法不同而已，冥冥之中，注定了我们的缘分。"

武梁说了些不着边际的话，乌梁氏见武梁绕来绕去，不知所云，就问："武大人，有什么事吧？"

武梁看了使女两眼，乌梁氏会意："都是家里人，你说吧。"

武梁"扑通"跪在乌梁氏面前："听说巴云氏要改嫁，武梁不才，愿入赘巴家，和巴云氏一同在您老人家膝下尽孝，希望您老人家成全。"

老夫人心头一喜。其实，乌梁氏心里是矛盾的，她既希望巴云氏找个好男人，又不希望巴云氏离开自己。有人愿意入赘巴家，媳妇的终身有了依靠，自己还能天天看到媳妇，这不是两全其美吗？

乌梁氏让武梁平身站起，老夫人面带笑容："这的确是好事，可是，我已经劝过媳妇了，她没有改嫁的意思。"

武梁恭恭敬敬："这么说，您老是答应了？"

乌梁氏未置可否："只要媳妇同意，我没意见。"

武梁心花怒放，有老夫人这句话，这件事就成了！

第九章

巴家没有靠山，也不知武梁是什么背景，但武梁是满人，满人在大清高人一等。如果任由武梁上告，一旦世袭章盖被免，那我可是上对不起祖先，下对不起儿孙。

多尔济想找个男孩"带子"，他死乞白赖地求巴云氏把儿子"借"给他一个，见多尔济可怜兮兮的样子，巴云氏想到了布氏。布氏有三个儿子，如果能从她那里过继给多尔济一个，也就了了多尔济的心愿。

按照清朝"三出一，五出二"的规定，布氏三个儿子，必须有一个出家当喇嘛。出家当喇嘛侍奉神佛是很荣耀的事。不过，巴云氏想，巴家男人太少，人丁不旺，庙里那么多喇嘛，也不差一个。巴云氏来到布氏家，妯娌两个说了一会儿闲话，巴云氏渐渐地把话题引到多尔济身上。

布氏心直口快，一听巴云氏劝自己把儿子过继给多尔济，她有点着急。儿子献给神佛，那是佛前弟子，神佛可以保佑巴氏家族；可过继给胆小鬼多尔济当儿子，那我儿子不成小胆小鬼了吗？

布氏反过来劝巴云氏："三姐吉，你就别操这份心了，这事管好了好，管不好落一辈子埋怨。就像我，本来出于好心，想让老九巴鲁收回休书，和他九婶好好过日子。可一巴掌把人家打跑了，老九一去就没了音信。不管巴鲁怎么喝酒，他不走那是一个完整的家，他这一走，他九婶守了活寡，我这肠子都悔青了。对了，我正想去看看他九婶呢，三姐吉，咱们一起去吧。"

布氏这么说，巴云氏也就无话可说了。

一对玉佩，如今只剩了孤零零一块，穆氏坐在炕上，看着玉佩，眼泪掉了下来。门"吱呀"开了，布氏和巴云氏走了进来，穆氏忙把玉佩放到贴身内衣里。她擦去眼泪，刚要相迎，布氏已经到了她面前。

布氏很是愧疚："他九婶，又哭了？"

"没，没有。"穆氏摇了摇头，"眼睛里进了个小飞虫……"

巴云氏道："他九婶，你五姐吉一直想着你，我刚到她家，没说几句，她就拽我来看你。"

布氏对穆氏说："是我不好，五姐吉对不起你。"

布氏这么一说，穆氏的眼泪又下来了："不怪五姐吉，他的心已死了，不然他也不会写那份绝情的休书。"

巴云氏开导穆氏："他九婶，巴鲁是个有情有义的人，等他回来，我们大伙再好好劝劝他。"

布氏连声道："对对对，我们一定好好劝劝巴鲁。巴鲁是个爷们儿，也是个好男人，他对朝廷不满，又没办法，才借酒浇愁。"

话是一把开心锁。在巴云氏和布氏的劝说下，穆氏脸上的愁云逐渐散去，不知不觉，红日西坠，天要黑了。

巴云氏刚到家，武梁就来叩打门环。老仆开了门，武梁要直奔巴云氏的房间，使女拦在武梁面前："大人，夫人内宅，不得擅入。"

武梁换成一副笑脸："啊，那，那我到客厅里等，你去跟夫人说一声，就说本官有要事跟夫人商量。"

巴云氏不想见武梁，可是，武梁死磨硬缠，就是不走，巴云氏只得步入厢房客厅。

客厅里的烛光静静地燃着，使女立在巴云氏身边，巴云氏也没让使女上茶，她对武梁道："大人有什么话就说吧。"

武梁皮笑肉不笑："此事关系重大，我想跟夫人单独谈谈。"

巴云氏想了想，对使女道："你先下去吧，有事我叫你。"

使女离去，武梁把门关上，他转过身，一把抓住巴云氏的手："夫人，自从我见到你那天，我就喜欢上了你，你嫁给我吧……"

巴云氏大惊，她猛地把手拽出来："武大人，你太放肆了!"

武梁装出一副诚恳的样子："我不是放肆，我是太激动，太喜欢你了。老夫人已经同意把你嫁给我了，你就答应了吧!"

巴云氏根本不相信："武大人，明确地告诉你，我不同意!"

武梁"扑通"跪倒："夫人，我对天发誓，我是真心的，只要你嫁给我，我就入赘巴家，和你一起孝敬老夫人，抚养孩子……"

巴云氏后退了两步，话语铿锵："我立志为亡夫守节，你就死了这条心吧!"

武梁跪爬几步抱住巴云氏的腿："夫人，嫁给我吧，我一定对你好，对你的孩子好，对老夫人好，你就答应我吧!"

巴云氏惊叫："放开我! 放开我!"

使女从外面跑了进来，她想拉开武梁，可武梁是行伍出身，她哪拉得动。

使女吓得大叫："你干什么? 放开夫人! 放开夫人! 来人，来人哪……"

人影一晃，一个人飞脚踹在武梁脸上，武梁仰面倒在地上。

使女一看，是二少爷巴图尔。

巴图尔身形一纵，骑在武梁身上，他两手掐住武梁的脖子。武梁也不示弱，刚才事出突然，他没有防备，吃了个亏。武梁身子一团，两脚夹住巴图尔的脖子。

巴图尔毕竟只有十四岁，他的劲儿比武梁差着一大截。武梁身子一翻，巴图尔倒在地上。武梁眼露凶光，两腿一使劲儿，巴图尔就觉得呼吸困难，眼前金星乱窜。

巴云氏扑上去，歇斯底里地大叫："放开我的孩子!"

一听巴云氏呼叫，武梁这才发现眼前这个少年是巴图尔。武梁想，我要娶巴云氏，不能和她儿子闹僵。武梁一个鲤鱼打挺立在屋中央。巴图尔也站起身，他上下齿一咬，露出两颗虎牙，怒不可遏，举拳照武梁面门就打。

巴云氏大叫："冤家，还不住手！"

与此同时，门外又冲进一个少年，这个少年"啪"地抓住了巴图尔的腕子。

清朝初期，包头是巴氏家族的户口地，后来晋陕汉人走西口逃荒来到这里。随着汉人不断增加，包头由村建镇。草原实行蒙汉分治，包头镇的汉人归属萨拉齐厅，包头镇的蒙古人归属沙尔沁。这种"一镇两制"的状况一直延续到新中国建立初期。

萨拉齐厅的上级衙门是归绥道，归绥道设在归化城（今呼和浩特）。归化城也是"一城两制"，汉人事务由归绥道管理，蒙古人事务由归化城副都统衙门管理，绥远将军衙署直接领导归化城副都统衙门，以及周边的满八旗、蒙古八旗和汉八旗军兵。

归绥道是 1741 年（乾隆六年）八月设置。归绥道全称是"山西总理旗民蒙古事务分巡归绥兵备道"。"旗"是八旗，即满人；"民"专指汉人。因此，归绥道是山西省全权处理满人与汉人、汉人与蒙古人之间纠纷的机构。并不是说满人与汉人、汉人与蒙古人发生冲突由归绥道全权处理。归绥道只代表山西省，涉及满人的案子，归绥道要与绥远将军衙署会审；涉及蒙古人的案子，归绥道要与归化城副都统衙门会审；涉及满、汉、蒙古三个民族的案子，就是三堂会审。

巴雅尔和巴图尔在包头召跟随哲旺喇嘛读书练武，上次巴雅尔和巴图尔回家，与武梁发生不快。哲旺喇嘛想，武梁要给巴家的官宅上瓦，也不能说有歹意。巴家世代信佛，佛家讲的就是缘，缘就是与人为善。巴雅尔还有两年才能承袭章盖，两年时间，说长不长，说短不短，巴家还是应该和武梁友好相处。

哲旺喇嘛叫弟兄俩买点礼物，回去看看武梁，以缓和双方的关系。

包头召背倚大青山，南视黄河，左挽博托河，右抚一望无际的大草原。包头召与包头镇商业中心只有几百步之遥。近年来，内地先是太平军起义，接着捻军造反，加之土匪横行，动乱不断，地处塞外的包头相对平静，内地客商纷至沓来。

最初，人们只在包头做皮毛生意，后来，一些资金雄厚的商家，如大盛魁、山西祁县的乔家都在包头设立商号，包头的商业如火如荼。

巴雅尔和巴图尔都不喜欢武梁，因此，兄弟二人在包头镇转了半天，好的东西不想送给武梁，不好的东西又拿不出手。眼看太阳要落山了，弟兄俩方拎着礼物，骑上马，赶往沙尔沁。

巴雅尔和巴图尔一进院就听到使女的惊叫，巴图尔把马的缰绳一扔，向客厅跑来。见武梁对自己的母亲不恭，巴图尔上去就是一脚。

巴图尔要跟武梁拼命，巴雅尔拉住弟弟："巴图尔，不得无礼！"

"大哥，这狗官欺负咱额吉，我非打死他不可！"巴图尔直喘粗气。

"冤家，住手！"巴云氏呵斥巴图尔。

巴图尔停住手，胸脯剧烈起伏。

武梁半边脸都麻了，嘴里又咸又腥，抹了一把嘴角，血！武梁大怒，他张牙舞爪，迎面就是一拳，巴图尔一低头，这拳走空了。

巴图尔火往上撞，他就势挣脱哥哥巴雅尔，拽出腰间的匕首，照武梁前胸就刺。武梁急忙闪身，可躲得还是慢了点，"噗"，这刀扎在武梁的胳膊上，鲜血一下子就下来了，武梁疼得"嗷"的一声。

巴雅尔忙抱住巴图尔："巴图尔，八爷爷让我们回来不是打架的，你还嫌事小吗？"

巴图尔挣扎着："大哥，你放开我，这狗官太狂妄了！"

见武梁脸和胳膊都在流血，巴云氏吓坏了，她大声呵斥巴图尔："冤家！还不住手！"

巴图尔愤愤地收起刀，不再作声了。

武梁想讹巴云氏："你儿子仗势欺人，行刺朝廷命官，你纵子杀人，我要告你，我要告你！"

巴云氏忙向武梁赔罪："武大人，武老爷，小孩子不懂事，冒犯了大人，您大人不记小人过，千万别往心里去。"

巴云氏吩咐使女回上房拿药，她呵斥巴图尔给武梁下跪认错。

巴图尔梗着脖子："不！我没错，他欺负额吉，他不是人！"

巴云氏急了："你难道要气死额吉吗？"

巴雅尔一拉巴图尔："二弟，额吉的话你也不听了吗？快！给武大人赔罪。"

巴图尔只得跪在武梁面前，他看着武梁，恨不能眼睛里射出两把刀来。

见母子三人都服软了，武梁来劲儿了，大江大河我不知过了多少，今天竟然在小河沟里翻了船。这个亏我不能白吃，我要好好教训教训这小子，武梁举手就是一巴掌。

这下正打在巴图尔头上，巴图尔脑袋"嗡"的一声响，他的火又撞了上来，他拔出匕首，刺向武梁，武梁见势不好，往后一撤步，这刀没扎着。

巴图尔站起身，还要扑向武梁。这时，老夫人乌梁氏进来了："住手!"

巴图尔对乌梁氏说："奶奶，这狗官欺负我额吉。"

一见老夫人，武梁有点后悔，我要得到巴云氏，占有章盖巴家的家产，怎么跟个小崽子一般见识。

武梁把火压了压："老人家，你孙子踹我一脚，扎我一刀，你看我这脸，你看我这胳膊。"

老夫人乌梁氏想骂巴图尔，一回头，巴图尔不见了。老夫人只得向武梁赔情："武大人，孩子不懂事，千错万错都是老身的错，请你看在老身的薄面上饶了孩子吧。"说着，老夫人以手抚胸，向武梁深鞠一躬。

武梁的火消了一些："那，那我这伤怎么办?"

老仆搬过椅子，巴雅尔虽然恨武梁，但还是把武梁扶在椅子上，乌梁氏一个劲儿地说好听的。

使女拿过药箱，要给武梁包扎，武梁一扬手："不用你!"

使女怯怯而退。

武梁眼睛瞄着巴云氏。巴云氏一想，武梁抱我大腿，向我求婚，并没把我怎么样，巴图尔这个冤家却下手这么狠。看武梁这意思，是想让我给他包扎，常言道：子不教,父之过。他阿爸不在了，那就是母之过。谁让巴图尔闯下这么大的祸呢! 我就给他包扎吧。

"武大人，我来。"巴云氏撸起武梁的袖子，见武梁的伤口翻着，血流不止。巴云氏把伤口处理一下，敷上药，用纱布包好，又用纱布蘸清水，擦去武梁脸上的血迹。

巴云氏给武梁包扎，武梁盘算，这说明她害怕了。既然如此，我何不以此要挟。

武梁道："老夫人，夫人，巴图尔要把我置于死地，我大小也是朝廷命官，你们说这件事怎么办吧？"

老夫人看着巴云氏，巴云氏望着老夫人，婆媳俩暗觉不妙。

老夫人乌梁氏道："依武大人之见，此事当如何？"

武梁眼珠一转："有两个办法：一个是私了，一个是公了。"

老夫人问："公了怎么了？"

武梁板着面孔："公了就是我写张状纸，状告章盖巴家纵子行凶，刺杀朝廷命官，你们家的世袭章盖就到头了！"

婆媳二人暗自吃惊，巴云氏想，巴家原本是世袭都统，先祖巴桑时，世袭都统被免，降为世袭章盖，为此，先祖巴桑忏悔一辈子。巴家没有靠山，也不知武梁是什么背景，但武梁是满人，满人在大清高人一等。如果任由武梁上告，一旦世袭章盖被免，那我可是上对不起祖先，下对不起儿孙。

巴云氏问："那私了呢？"

武梁看了看巴云氏，狡诈地一笑，"私了嘛，就是我们成为一家人。如果我们成了一家人，那就是家务事了，家务事还不好商量吗？"

巴云氏的心"怦怦"乱跳。

老夫人乌梁氏心中也是一紧，这个武梁太卑鄙了，如果接受他，那巴家还好得了吗？此事不但关系到儿媳的后半生，也关系到全家人的幸福。老夫人乌梁氏思量再三道："武大人，此事非同儿戏，待我和媳妇商量之后再作答复。"

婆媳二人好说歹说，总算把武梁糊弄走了。

巴云氏回到自己屋中，她叫老仆把巴图尔叫进来："冤家，你给我跪下！"

巴图尔跪在巴云氏面前。

巴云氏骂道："你这么小就敢拿刀伤人，长大还了得？"

巴图尔辩道："武梁那狗官不是人，他就该杀。"

"你还敢犟嘴！"巴云氏抄起鸡毛掸子，照巴图尔的屁股就打。这是盛夏季节，人穿的衣服很少，鸡毛掸子打在身上特别疼。

"啪啪啪……"巴图尔一动不动，任由巴云氏抽打。

巴雅尔忙过来劝阻，巴云氏打在巴图尔身上，疼在自己心里，她扔下鸡毛掸子，放声大哭。

见母亲哭得如此伤心，巴图尔跪爬到巴云氏脚下："额吉，我错了，我错了，额吉别哭……"

巴云氏把孩子搂在怀里，哭得更厉害了。

深夜，巴云氏躺在炕上翻来覆去睡不着，丈夫沙津的一举一动，甚至一个眼神都在她心中挥之不去。大清国倡导女人为夫守节。受这种思想的影响，巴云氏认为女人为男人守节天经地义。男人的报国方式是杀敌立功，女人的报国方式是为捐躯的男人守节。如果一个男人前脚阵亡，女人后脚就改嫁，那九泉之下的将士该多么伤心！男人们谁还愿意报效国家！可是，狗官武梁苦苦相逼，自己如何是好？

第十章

练武讲的是冬练三九，夏练三伏，早起晚睡。前院衙门里的鼓声把二人惊醒，巴雅尔和巴图尔弟兄俩一趟拳还没练完，就听前院传来武梁杀猪般的号叫声。

巴云氏想为丈夫殉情，可上有老，下有小，自己死了，扔下上了年纪的婆母，还有两个没有成年的孩子，他们怎么活呀？唉！人都说寡妇门前是非多，看来，一点不假。

然而，三天时间，武梁来过四次，扔下一句话，到底是公了还是私了，明天晚饭之前必须答复。

巴云氏正在唉声叹气，"腾腾腾"，外面传来沉重的脚步声，她抬头一看，见是布氏，巴云氏强打精神坐了起来。

布氏是带着长子巴音孟克来的，巴音孟克平时也在包头召跟八爷爷哲旺喇嘛读书练武。巴音孟克没来上房，他从小跟巴图尔合得来，一进院就到西厢房找巴图尔去了。

听说武梁逼婚，布氏来打听打听。在布氏再三追问下，巴云氏只得把事情的经过如实相告。当说到巴图尔用刀扎伤武梁时，布氏一拍大腿："好小子！有出息！是圣主成吉思汗的子孙，是巴家的后代！"

听布氏夸赞巴图尔，巴云氏眼睛红红的："巴图尔闯了大祸，那狗官武梁不依不饶。"

布氏逼视巴云氏："别管他饶不饶，三姐吉，我问你，你想不想嫁给武梁？要是想，咱们有想的办法；要是不想，咱们有不想的办法。"

巴云氏态度坚决："我立志为他阿爸守节，誓死不嫁！"

布氏把手一挥："这就得了，你放心，我给你摆平。"

巴云氏心头一喜："怎么摆平？"

布氏道："听说过两天，绥远将军福兴要来沙尔沁巡查，我替你告状，就说那狗官要霸占忠良之妻，欺负你们孤儿寡母。"

巴云氏有些失望："他五婶，福兴和武梁都是满人，何况还是咱家孩子伤了人家，武梁说巴图尔刺杀朝廷命官，说我纵子行凶，武梁还要告咱们呢！我担心这件事一旦闹大，朝廷把巴家的世袭章盖也免了，要是那样，我有何颜面到九泉之下见他阿爸……"巴云氏嘤嘤而泣。

布氏挠了挠脑袋，可也是，自己是有点鲁莽，这件事还真不好办。

巴云氏怪丈夫沙津走得早，要是沙津活着回来，武梁怎么可能来到沙尔沁？巴云氏又怪长子巴雅尔长得慢，要是现在巴雅尔就能承袭章盖，哪会有这事？她还怪次子巴图尔下手太狠，伤了武梁，惹下祸端。这真是万般皆是命，半点不由人哪！

巴云氏暗想，实在不行，我就一死了之！我死之前，写封遗书，让家人拿我的遗书状告武梁逼死人命。这样，巴家就占理了，就可告倒武梁。

巴云氏拿定主意，心中豁然开朗，脸上也有了笑容。

见巴云氏瞬间破涕为笑，布氏愣了，怎么回事？难道三姐吉要改嫁武梁？布氏一时猜不透巴云氏的心思。

巴音孟克来到巴图尔的房间，他见巴图尔又是拧眉，又是瞪眼，又是咬牙，巴音孟克问："二哥，还在为狗官武梁生气呢？"

巴图尔攥着拳头："我非杀了狗官不可！"

巴音孟克连连摇头："二哥，杀人是要偿命的，而且，你把他宰了，不但自己赔进去，家里人也跟着受牵连。"

巴图尔知道巴音孟克鬼点子多，他望着巴音孟克："你有什么主意？"

巴音孟克嘿嘿一笑："二哥，你没听说绥远将军福兴要来沙尔沁吗？

咱们何不这么办……"

巴音孟克把他的想法一说，巴图尔刮了一下巴音孟克的鼻子："好主意!"

沙津阵亡，朝廷调集重兵剿捻，捻军寡不敌众，除麻政和等几支小股人马突出重围，绝大部分战死。近来，麻政和有向包头镇和沙尔沁一带逃窜的迹象。清廷敕令绥远将军衙署密切关注麻政和的动向，一经发现立刻予以剿灭。

绥远将军衙署是掌管西北军政的最高权力机构。绥远将军不但统领满、蒙古、汉八旗驻军，还管理伊克昭盟、乌兰察布盟和土默特左右两旗境内的蒙古王公和民众。绥远将军属清廷一品封疆大吏，相当于内地的总督。绥远将军福兴接到敕令，马上到沙尔沁一带巡查。

武梁之所以逼巴云氏答复就是因为绥远将军福兴要来。武梁是一员武将，被一个孩子刺伤，实在不光彩；他打巴云氏的主意，讹诈章盖巴家，也无法摆到桌面上。如果被福兴知道，福兴要是在这件事上做文章，再次提出娶他妹妹，武梁也很难办。可是，一直等到晚上，也没有巴云氏的回话。

福兴很快就到，一品大员，随从不少，章盖衙门里住不开，武梁命军兵支帐篷，布置床榻，准备盥洗之物，也就顾不上巴云氏了。

太阳从东方升起，章盖衙门前的树影越来越短。武梁知道福兴喜欢喝凉茶，他亲手沏了一壶铁观音放着。武梁又来到衙门最大的一间屋，他让军兵收拾出来，重新换上铺盖。一切都安顿好了，武梁对着镜子看了看自己的脸，脸上的肿已经消了，他算计一下时间，然后换上官服，长长的马蹄袖遮住胳膊上的伤。武梁只留两个军兵看守衙门，他带领衙门里其他的人出沙尔沁十里迎接福兴。

武梁走了，前院静悄悄的，巴图尔一手拎着布袋，一手拿着钥匙，他悄悄打开月亮门，从后院"哧溜"进了前院衙门……

武梁把福兴接到沙尔沁章盖衙门已是午时。福兴的随从在外面帐篷休息，武梁把福兴和他身边的戈什哈请进官衙。

戈什哈是清朝高级官员的侍卫。

章盖衙门的衙役把武梁沏的那壶茶提来，武梁接过壶，给福兴倒了一茶碗。

福兴端起茶碗，茶刚入口，就觉得味道不对，"噗"地喷了出来，他一皱眉："这是什么茶，怎么一股尿臊味？"

武梁以为福兴找他毛病，忙赔笑："将军，这茶是下官衙门里最好的铁观音，平时下官舍不得喝，是专门孝敬将军的。"

福兴面沉似水："这么好的茶，还是你喝吧。"

福兴把他的茶碗推给武梁，武梁端起茶碗，喝了一口，吧嗒吧嗒嘴，确实有股尿臊味。这明明是自己临行前沏的，怎么会有尿味呢？武梁提着壶给福兴看："将军请看，壶里的茶叶是上品铁观音，可能是这茶泡的时间长了……"

福兴打断武梁："铁观音八天也泡不出这种味来！我说武梁，你不是给本将军喝尿吧？"

武梁"扑通"跪倒："将军，下官就是天胆也不敢！"

福兴冷笑："那就好……"他一指壶，"这壶茶你喝了吧。"

武梁不想喝，可福兴有令，如果他不喝，福兴不是更怀疑这壶茶是尿了吗？武梁只得憋一口气，"咕嘟咕嘟……"他越喝越难喝，越喝越像尿。

武梁喝了一半就喝不下去了："将军，下官，下官喝饱了。"

福兴斜眼看着他："你的上品铁观音怎么能浪费呢，都喝了吧。"

武梁忍着尿臊味把这壶茶喝了下去，不禁一阵阵恶心。

武梁让人换了一个茶壶，重新给福兴沏上。茶很热，福兴想凉一凉再喝，见武梁的案头放着公文，他走到武梁的官椅前，慢慢往下坐，可屁股刚挨到椅子面，福兴触电般地跳起。

福兴大骂："大胆武梁，你要谋害本将军吗？"

武梁不知发生了什么事，他再次跪倒："下官不敢，下官不敢。"

福兴眼睛瞪得溜圆，吩咐身边的戈什哈道："把武梁拉过来，让他享受一下。"

两个戈什哈把武梁拽到椅子前，往下就摁，武梁"嗷"的一声蹦了起来。武梁拎起椅子坐垫，见坐垫的夹层被拆开了，里面塞进好几根一尺多长、筷子粗细的刺槐，上面的刺尖尖的，跟锥子一般。

武梁顾不上疼痛，他磕头如同鸡啄米："将军，下官该死，下官该死，这，这，这可能是有人跟下官开玩笑，绝不是针对将军，请大人明察。"

见武梁这副可怜相，福兴心里稍感安慰，他端起茶碗，却想到了武梁的妹妹，福兴用碗盖拂了拂茶碗里的茶叶："本官相信你，如果是你有意为之，你妹妹那么善良，她也不会答应，你说是吗？"福兴拉着长声。

福兴突然提到武梁的妹妹，武梁心一颤："是是是……"

"起来吧。"福兴说了一句。

晚上，武梁准备了一桌丰盛的酒宴。武梁如惊弓之鸟，酒菜上来之前，他都先尝一遍，确保没有异味，再请福兴食用。

酒席散罢，武梁在福兴下榻的屋里又查看几遍，方才请福兴进屋。

福兴见屋里干干净净，桌上摆着各种水果和点心，柜子里挂着崭新的睡衣，他走到床边，用手摁了摁床，床上铺得很厚，软软乎乎。福兴又掀开床上的被褥看了看，他很满意。

塞外的夏季白天虽热，太阳落山之后，天就凉爽了。福兴躺在床榻上，很是惬意，不一会儿就睡着了。

人老觉轻。不知过了多长时间，福兴耳边传来一阵"窸窸窣窣"的声音。福兴越不想听，却听得越清楚。他心中不快，对外面道："来人！"

一个戈什哈提着灯笼走了进来："将军。"

福兴道："屋里好像有耗子，你找找。"

戈什哈找了半天，什么也没发现。

福兴想，难道是我耳朵有毛病，听错了？福兴再次躺下，过了好半天终于合上眼，迷迷糊糊，似睡非睡，"窸窣"声又出来了，福兴火往上撞："来人！来人！"

戈什哈又进来了，福兴怒道："这屋里肯定有耗子，给我找！"

戈什哈挪箱子，搬柜子，找了半天，果然找到一只小耗子。

中老年人有个共同特点，夜里一旦被惊醒，再想睡就很困难。福兴让戈什哈把灯笼放在屋中，他坐起来，望着灯笼，想着麻政和，但愿麻政和不来我的辖区。

福兴又躺下了，翻来覆去折腾了近一个时辰，好不容易睡意袭上心头，"窸窣"声第三次响起，福兴睁开眼睛，借着灯笼的光亮一看，竟然有三只小耗子啃他的鞋。

福兴大怒，他抓起枕边的茶碗打了过去，"啪"，茶碗碎了，耗子吓跑了。

戈什哈跑了进来，福兴胸脯一起一伏："给本将军更衣！"

戈什哈给福兴穿上官服，戴上官帽。福兴吩咐一声："击鼓升堂！"

"咚咚咚……"鼓声一响，福兴的随从和武梁都被惊醒。人们望了望天，星光之下，东方还没发白。人们不知发生了什么事，各自穿戴整齐来到章盖衙门大堂。

福兴进了大堂，他先用手摸了摸椅子上的坐垫，上面没有发现刺槐，福兴坐下。福兴的随从以及沙尔沁章盖衙门里当值的军兵鱼贯而入，人们齐刷刷地站成两排。

武梁往上一看，见福兴满脸怒气，两眼通红，两个人的目光碰到一起，武梁吓得一哆嗦。

武梁暗叫不好，肯定是自己哪里安排不周，使福兴大发雷霆。福兴位高权重，我的小命就在他手里攥着，只要他一句话，我就可能见阎王。怎么办？昨天福兴提到了自己的妹妹，看来，妹妹不能嫁给王爷、贝勒了，火烧眉毛，只能顾前眼。

武梁来到福兴近前，低声道："将军，我妹妹久慕将军威名，一直想为将军执帚铺床，如果将军不嫌弃，下官愿择吉日把妹妹送到府上。"

武梁以为此举能使福兴转变态度，哪知福兴的怒气丝毫没有减轻："本将军怕你们兄妹害死于我！"

武梁心惊肉跳："下官不敢，下官不敢……"

"啪"，福兴把虎威一拍："来人！把武梁拿下，重打四十军棍！"

什么是虎威？虎威就是一块半尺来长的木头。不过，这块木头得分谁用，皇帝用的叫龙胆，娘娘用的叫凤匣；武将用的叫虎威，文官用的叫惊堂木；和尚、私塾先生用的叫镇尺，说书人用的叫醒木。虽然是同一种东西，不同地位的人使用叫法也不同。

武梁当时就傻了："将军息怒！将军息怒！下官身犯何罪呀？"

福兴怒发冲冠："大胆武梁，本将军刚到沙尔沁你就把尿当茶给本将军喝，这是戏弄本将军；本将军查看你的公文书案，你却在椅垫里放了刺槐，这是陷害本将军；晚上你让一窝耗子与本将军同住，这是羞辱本将军！本将军岂能饶你？拉出去，狠狠地打！"

巴雅尔和巴图尔这几天没回包头召，弟兄俩担心武梁来找麻烦，母亲吃亏，两个人就在家里读书练武。练武讲的是冬练三九，夏练三伏，早起晚睡。前院衙门里的鼓声把二人惊醒，巴雅尔和巴图尔弟兄俩一趟拳还没练完，就听前院传来武梁杀猪般的号叫声。

巴图尔喜上心头，他收招定式："大哥，你听。"

巴雅尔一边练拳，一边问："听什么？"

巴图尔十分得意："听武梁那狗官的惨叫声啊！"巴图尔一拉巴雅尔："大哥，走。"

弟兄俩出了院门来到衙门前，见武梁趴在地上，两个军兵高举军棍，一边打，一边数数——

"……十四。"

"十五。"

"十六……"

武梁哀号："将军，冤枉，我冤枉啊……"

巴雅尔道："走吧，走吧，打人有什么看的。"

巴图尔特别开心："大哥，这多过瘾哪！再看一会儿，再看一会儿。好！好！打得好！"巴图尔跳着脚叫好。

四十军棍下去，武梁被打得皮开肉绽。福兴一扬手："罢去武梁的官职，把这个奸人给本将军轰出去！"

两个戈什哈上来，把武梁架出衙门，扔到街上。武梁爬都爬不起来了。

巴图尔走到近前，用脚踢了一下武梁："狗官，什么叫罪有应得你知道不？这就是罪有应得！"

武梁勉强抬起头，他似乎明白了："原来是你加害我？"

巴图尔心满意足："狗官，你知道就好！"

武梁咬着牙："小子，将来有一天你犯到我手里，我非剥你的皮不可！"

巴图尔毫不示弱："狗官，小爷等着你！"

武梁被免，福兴又派一个人代理章盖。巴图尔跑到巴音孟克家，他照巴音孟克肩窝就是一拳："你的主意太好啦！"

巴图尔把武梁的事详细说了一遍，两个小兄弟抱在一起，又蹦又跳。

光阴似箭，一晃两年过去了。在哲旺喇嘛的培养下，十八岁的巴雅尔"五经""四书"无一不通，刀枪剑戟无一不能。绥远将军福兴把巴雅尔的情况上奏朝廷，只等朝廷批文，巴雅尔就要继任沙尔沁章盖了。

外面天寒地冻，屋里却是暖意如春，跳动的烛光，映红了巴雅尔和巴图尔兄弟的脸。想着哥哥巴雅尔很快就是章盖了，兄弟俩既高兴又激动。他们坐在灯下，谈过去，说现在，话将来。

突然，房门"咣"地被撞开了，一个人倒在地上。

巴雅尔和巴图尔弟兄俩吓一跳，走上前一看，见此人上身没穿衣服，光着膀子，下身是一条破棉裤，脑袋上流着血，脸也肿了，鼻子也青了，倒在地上一动不动，手跟冰一样凉。

数九寒冬，他居然光膀子！这到底是怎么回事？

第十一章

　　从那时起，巴图尔和巴音孟克就偷偷地练接柳叶。这些年来，巴图尔和巴音孟克已经练得炉火纯青了。巴图尔和巴音孟克心花怒放，这回八爷爷输定了，我们终于可以杀捻子了。

　　巴雅尔伸手在这个人的鼻孔上一试，还有气，弟兄二人把他抬上炕。这个人的身子跟冰一样冷，炕挺热，巴雅尔拉过被子盖在他身上。

　　过了半个多时辰，这个人慢慢睁开眼睛。

　　巴雅尔问："这位大哥，你这是怎么了？"

　　这个人掀开被子坐起，巴图尔忙从柜子里把自己的棉袄拿出来，穿在这个人身上。这个人未曾说话，眼泪掉了下来："二位小爷，我叫李生，是个雁行人，家住山西河曲县，去年走西口，来到包头，好不容易在后营子揽了个长工，想挣点钱回家团聚，正打算明天动身，几个强盗闯进我的窝棚，抢走了我的血汗钱，剥去了我的皮袄，烧了我的窝棚，幸亏我跑得快，不然命就没了。"

　　雁行人是当时包头流行的词汇，是指走西口的晋陕汉人像大雁一样，春天来到塞外包头，年关之时，把挣的钱带回老家，全家人过个团圆年，来年开春再到塞外，周而往复。

　　李生给人干了近一年，攒下一千二百钱。李生老家没有地，日子很苦，一家六口就等着他拿钱回去。一千二百钱相当于一两二钱银子，这对于章盖巴家来说，只不过九牛一毛，可对于走西口的人来说，这就是很大的数。

后营子在包头召北面三里之外，以前是清军营盘，那里修了些土墙，清军撤走，就成了残垣断壁。

李生说完，要给巴雅尔和巴图尔磕头，巴雅尔忙道："李大哥，不必如此，不必如此。"

巴图尔不屑地说："不就几个钱吗，男子汉大丈夫哭什么？"

巴图尔从小生在世袭章盖家，家道富足，他哪里知道民间的疾苦。中原人的传统观念是两亩地，一头牛，老婆孩子热炕头。如果日子能过得下去，谁也不会撇下父母妻儿，远到包头找活干。何况走西口是要走的！从河曲到包头五六百里，要一步一步地走，饿了啃两口窝头，渴了喝几口凉水，通常十几天甚至二十多天才能到达。李生挣这点钱，太不容易了。

巴图尔打开箱子，把一串钱塞给李生："我给你两吊，行了，别哭了。"

一吊是一千个大钱，合一两银子。

李生连连摇头："这位小爷，你们救了我的命，我已经感激不尽了，这钱我不能要。"

巴图尔很感动，这个李生人穷志不短，巴图尔就喜欢这样的人，李生越是不要，巴图尔越给。

巴雅尔也说："李大哥，拿着吧。"

李生执意不收："我凭力气挣钱，我不要你们的钱。"

巴图尔更佩服了："这钱算我借给你的，这还不行吗？"

正说着，哲旺喇嘛走了进来："阿弥陀佛……"

哲旺喇嘛总是那么严肃，很少有笑容，尤其是对巴雅尔和巴图尔这样的晚辈。李生并不了解，见哲旺喇嘛脸绷得很紧，以为自己连累了巴雅尔和巴图尔。

李生向哲旺喇嘛作了个揖："大师，您别怪二位小爷，我这就走。"

说着，李生把棉袄脱了下来，虽然身在屋中，可他还是打了个哆嗦。

哲旺喇嘛把棉袄又给李生披上了，语气中带着关切："天这么黑，外面这么冷，你光着膀子哪受得了。施主还是住上一晚再走吧。"

见李生头上有伤，脸上有淤血，哲旺喇嘛吩咐巴雅尔打来热水，又让巴图尔取来治跌打损伤的药。哲旺喇嘛给李生清洗伤口，又敷了药。李生万分感激，没想到这位不苟言笑的老喇嘛对人这么和善。

李生住下了，第二天清早，巴图尔叫李生吃饭，李生刚走几步，身子一软瘫在地上。

李生嘴唇干裂，两颧通红，巴图尔用手一摸，他的额头烧得跟火似的。

李生遭劫，连冻带吓，急火攻心，一病不起。哲旺喇嘛给他开了几服药，巴雅尔和巴图尔给李生熬药，半个月后，李生的身体才逐渐好转。

这半个月来，连下了几场大雪，雪把路都封住了。李生望了望天，对巴雅尔和巴图尔说："大少爷，二少爷，巴家的大恩我永世不忘，今年我就不回老家了，你们能不能给我找个营生？"

巴雅尔和巴图尔点点头，这么大的雪，五六百里路，李生确实无法回去。巴雅尔说："要不，你就住在庙里吧？"

李生摇了摇头："我已经给你们添了不少麻烦。我想找个活干，二位少爷，能不能帮帮我？"

巴雅尔和巴图尔毕竟年龄还小，跟外界交往不多，兄弟俩把李生带到禅房。哲旺喇嘛双手合十："阿弥陀佛，我佛慈悲。李施主，复盛公马掌柜刚开了一家草料场，你就到他那里干吧。"

李生喜上眉梢："谢谢大师！谢谢大师！"

李生把两吊钱捧给巴图尔："二少爷，我不回老家了，这钱我也用不着，您说借给我，我现在还给您。"

见李生态度坚决，巴图尔推辞不过，只得收下。巴雅尔和巴图尔对李生更加佩服，兄弟二人站在庙门外，目送李生离去。

望着李生的背影，巴图尔对哥哥巴雅尔说："真是个好人哪！"

这时，章盖巴家的老仆骑着马跑来，他来到巴雅尔、巴图尔兄弟近前跳下马。老仆眉飞色舞："大少爷，二少爷，双喜临门！双喜临门哪！大少爷承袭章盖的圣旨下来了，还有，朝廷表彰贞节烈女，土默特左右两旗只有老夫人一位！"

贞节和烈女是两件事。贞节是指妻子对丈夫感情专一，丈夫死后，妻子终身不改嫁他人；烈女是抗拒强暴或为夫殉情而死的女子。

元明清三代，对贞节烈女的表彰都很隆重。一些事迹突出的贞节烈女，朝廷还要为其建"贞节牌坊"和"烈女祠"。雍正皇帝曾诏告天下：国泰民安尤其取决于妇女们的忠贞，一个年轻的妇女失去丈夫，如果她能守寡二十年，或者一个妇女为了保持贞操，受到逼迫不屈而死，不管在什么条件下，都要报告地方官。地方官核实后，奏报朝廷，朝廷下拨银两，为其树碑立传。

可是，1840年（道光二十年）之后，清朝内忧外患不断，先是鸦片战争，接着是太平天国，太平天国还没灭，第二次鸦片战争又起，英法联军火烧圆明园。好不容易把太平天国灭了，捻军又席卷北方各省。国家存亡都成了问题，谁还想着表彰贞节烈女？近几年，捻军销声匿迹，清廷似乎有了喘息之时，表彰贞节烈女重新提起。

在清朝，守寡二十年以上的妇女才有资格参评为贞节。

腊月十六这天，章盖衙门被围得里三层外三层，沙尔沁周围数十里的蒙汉百姓纷纷来看热闹。

今天的巴雅尔头戴红缨帽，上置青金石顶子，身着八蟒五爪官服，下衬江牙海水，胸前绣着猛虎，脚下穿着一双黑色皂靴，精神饱满，器宇轩昂。巴家上上下下也都换上新衣新帽。

绥远将军福兴首先宣布巴雅尔承袭沙尔沁章盖之职，他手捧圣旨，高声念道："奉天承运，皇帝诏曰：沙津为国捐躯，忠勇可嘉。其长子巴雅尔现已成人，着袭封章盖之职，即刻赴任。钦此。"

巴雅尔跪在前面，后面依次跪着老夫人乌梁氏、巴云氏以及巴图尔等人。

巴雅尔双手接旨："臣巴雅尔领旨谢恩，吾皇万岁！万岁！万万岁！"

巴雅尔站起，老夫人乌梁氏、巴云氏以及巴图尔等人一一平身。

福兴宣布完巴雅尔的任命，又道："下面，本将军还要宣布另一件喜事，这就是章盖巴家的老夫人乌梁氏被朝廷旌表。”

巴云氏和两个使女已经给老夫人乌梁氏戴上凤冠，穿上霞帔（pèi），胸前别上大红花。

福兴捧出第二道圣旨：“乌梁氏接旨。”

老夫人乌梁氏跪在前面，后面跪着巴云氏，巴云氏的右边是巴雅尔，左边是巴图尔。

福兴宣读：“奉天承运，皇帝诏曰：巴门乌梁氏，为夫守节三十七载，玉洁冰清，万世流传，今授‘甲操冰霜’匾一块，钦此。”

周围掌声雷动，叫好之声响彻云霄。

两个戈什哈把匾抬过来，福兴高声道：“乌梁氏二十六岁为夫守节，如今整整三十七年。一年两年容易，十年八载也不算难，可三十七年如一日，这是常人难以做到的。当年有人劝乌梁氏再嫁，媒婆一个接一个，乌梁氏为了躲避这些好心人，不惜装病，至今仍被人们传为佳话。本将军把乌梁氏的事迹上奏朝廷，满朝无不感动。”

说着，福兴揭开匾上面的红布，露出“甲操冰霜”四个金色大字。福兴解释说：“‘甲操’就是说乌梁氏品行堪称一流，‘冰霜’就是说乌梁氏心地洁白无瑕！”

老夫人乌梁氏眼中含泪：“谢主隆恩！”

场上又爆发雷鸣般的掌声。

老夫人乌梁氏为夫守节的事被收录在《绥远通志稿》中，这块匾被章盖巴家珍藏了一百多年，直到“文化大革命”，这块匾才不知去向。除了这块匾，巴家还有三块，此是后话，暂且不提。

巴雅尔设宴款待绥远将军福兴。

土默特蒙古人招待客人最隆重的礼节是“放五茶”。蒙古人认为：“没有羽毛，多宽大的翅膀也不能飞翔；没有礼貌，再好看的容颜也会被耻笑。”五茶就是献哈达，喝奶茶，尝鲜奶，摆羊背子，敬美酒。

主人迎送客人或是晚辈拜见尊长，都要献哈达，以表达对客人或长辈的崇高敬意。献哈达时，主人双手捧起，躬身举过头顶，然后恭恭敬敬地呈上。对方接过哈达后向主人还赠哈达，主人以磕头方式向对方致意。哈达的面料有布的，也有丝织的，颜色主要是白、蓝、黄三种，黄色是敬献佛祖和皇帝的，白色和蓝色是献给尊贵的客人或长者的。

开席之前，主人在红漆小桌上摆满黄澄澄的酥油、洁白的奶酪、半指厚的奶皮子，以及炒米、红糖、油炸食品等。客人入席，主人用小木勺把炒米盛进碗中，沏上滚烫喷香的奶茶，请客人畅饮。这是喝奶茶。

尝鲜奶是主人把鲜奶倒入银碗，双手献给客人，客人用右手无名指在银碗里蘸三蘸，弹三弹。第一次弹向天，以示敬天；第二次弹向地，以示敬神、祭灶；第三次则自己品尝。尝鲜奶表达的是蒙古人祈求平安、六畜兴旺的心愿。

摆羊背子是五茶中最隆重、最讲究、最壮观的。羊背子被蒙古人称为"餐中之尊"。羊背子通常摆在一个长方形的红漆木制托盘里，由羊头、羊身、肩骨和四肢拼成。进餐时，主人手持短刀，把肉割成肉条献给客人。客人不能用筷子夹，也不能用碗接，而是捧在手心里，用嘴入口中。

羊背子端上餐桌后，主人便按辈分或职务高低依次敬酒。客人接过酒碗，主人为客人唱歌助兴，以示对客人的欢迎和尊重。

不过，五茶之俗传到今天已经简化了许多。

福兴喝得正高兴，一个戈什哈匆匆走进大厅。戈什哈在福兴耳边低声说了几句，福兴脸色为之一变，他放下酒碗，神情严峻地对巴雅尔道："巴雅尔，本将军现有紧急公务，马上就得走。沙尔沁本将军就交给你了，你一定给我看好，切记，千万不能让捻子麻政和钻了空子。"

巴雅尔郑重地应道："请将军放心，巴雅尔恪尽职守，死而后已！"

捻军麻政和转战山东、河北、陕西、山西数省，他的人马虽然只有几百，但一直没有被清军剿灭。昨天夜里，麻政和率部突袭了清水河，一把火把清水河的粮草库烧了。

清水河与归化城、萨拉齐、托克托、和林格尔五厅行政上归属山西省归绥道，军事上受绥远将军衙署节制。

福兴走后，巴雅尔把年纪大的、经验丰富的军兵召集到一起，对麻政和严加防范。

然而，麻政和的捻军神出鬼没，一会儿偷袭清水河，一会儿进攻萨拉齐，就连与包头隔河相望的鄂尔多斯地区也遭到了麻政和的袭扰。福兴处处设防，却防不胜防，没办法，他上奏朝廷，请求增兵。清廷命大同总兵马升率汉八旗移防包头，后营子又有了驻军。

塞外的春天来得很迟，时序已经过了立夏，柳叶才长出来。

巴雅尔继任章盖，巴图尔和巴音孟克仍在包头召读书练武，这天夜里，巴图尔睡得正香，突然，街上一阵大乱。

后营子方向惊呼："捻子来了！麻政和来了！"

巴图尔被叫声惊醒。这些年来，巴图尔一直没有忘记杀捻子给阿爸报仇，一听捻子来了，巴图尔推了推身边的巴音孟克："巴音孟克？巴音孟克？"

巴音孟克睡眼蒙眬，他吧嗒着嘴："别闹，别闹。"

巴图尔急道："官军和捻子打起来了，你不想报仇了？"

巴音孟克翻身而起："捻子在哪儿？捻子在哪儿？"

巴图尔往后营子方向一指："你听，好像是捻子偷袭官兵营盘。"

巴音孟克侧耳听了听，果然后营子方向杀声大作。

巴图尔眼中闪出复仇的火焰："走！"

巴图尔和巴音孟克穿上衣服，两个人各提着一把刀，往外就走，可还没出门，巴音孟克却停住了："二哥，光咱们两个不行吧？多叫几个人，人多力量大！"

巴图尔瞪了他一眼："你怎么跟胆小鬼四伯伯一样，人多了八爷爷能让去吗？"

巴音孟克挠了挠脑袋，跟在巴图尔身后。

弟兄二人把兵刃带在身上，穿过天王殿过道，奔庙大门而来。刚到门前，就听有人喝问："你们要干什么？"八爷爷哲旺喇嘛从庙门边走了出来。

巴图尔只得实话实说："八爷爷，捻子已经到了后营子，我们去杀捻子。"

哲旺喇嘛的脸就像天上的残月一样凉："回去！"

巴音孟克嘿嘿一笑："八爷爷，杀捻子是为国立功，让我们去吧。"

哲旺喇嘛断然道:"不行!"

巴音孟克灵机一动,对哲旺喇嘛说:"八爷爷,要不,你再揪一把树叶让我们接?"

七年前,十岁的巴图尔就要领小伙伴去山东杀捻子,为父亲沙津等阵亡的土默特右旗蒙古将士报仇,哲旺喇嘛摘了一把柳叶,老人与巴图尔和巴音孟克抛树叶打赌,使得巴图尔、巴音孟克没能如愿。这件事,巴图尔和巴音孟克一直记在心中。从那时起,巴图尔和巴音孟克就偷偷地练接柳叶。这些年来,巴图尔和巴音孟克已经练得炉火纯青了。

巴音孟克旧事重提,巴图尔眼前一亮,他想将哲旺喇嘛一军:"八爷爷,您老敢抛柳叶让我们接吗?"

哲旺喇嘛轻轻地点了点头,巴图尔和巴音孟克心花怒放,这回八爷爷输定了,我们终于可以杀捻子了。

第十二章

眨眼间，麻政和的枪就到了，"啪"地抽在巴图尔肩上，巴图尔"扑通"摔出七尺多远。巴图尔的左肩一阵剧痛，眼前金星乱窜。

哲旺喇嘛身形一纵，在大柳树上一划拉，揪下一把柳叶。柳叶很嫩，在手中软软的。老人飘然落地："你们两个谁接？"

巴图尔一拍胸脯："我来。"

巴图尔平时练功刻苦，巴音孟克也觉得二哥巴图尔比自己练得好，他当即同意。

哲旺喇嘛一抖手，一把树叶自上而下飞落。月光虽然不是很明亮，但还能看清楚。巴图尔练得真不错，他身子左右晃了几晃，绝大多数柳叶落到了手上，空中只剩了两片。眼看巴图尔就要全部接住了，哲旺喇嘛一皱眉，他站在原地，双掌微微一动，气由掌发，两股罡风袭了过去，两片柳叶倏地飞到一旁，落到地上，巴图尔没接到。

巴图尔和巴音孟克都在看柳叶，谁也没注意八爷爷来这手，兄弟俩只得认输。

巴图尔和巴音孟克回到房中，两个人和衣而卧。可是，后营子方向的杀声一会儿高一会儿低，巴音孟克转过脸："二哥，你想不想出去？"

巴图尔坐起："我当然想了，可是，八爷爷堵在门口，咱们出得去吗？"

巴音孟克嘿嘿一笑："想出去还不好办。"

巴图尔和巴音孟克又从屋里溜了出来，他们哪儿黑走哪儿，哪儿暗走哪儿，两个人来到墙根，巴音孟克蹲在地上："二哥，踩我的肩膀，上去。"

巴图尔踩上巴音孟克的肩，爬上墙头，又把巴音孟克拉了上来，二人跳到庙外，飞快地向后营子方向跑去。

后营子有汉八旗兵五百多人，主将叫王山。王山手下这支人马抽大烟、逛窑子、倒卖军粮、欺负老百姓个个是能手，可打起仗却俩不顶一个。

麻政和深夜突袭，王山毫无防范，他把裤子都穿反了："顶住，给我顶住！"

军兵睡得跟猪似的，哪里顶得住！麻政和的人马就跟进了屠宰场一般，军兵一片哀号，抱头鼠窜。

百余人挤到一堵墙的后面，王山心惊肉跳，他给军兵鼓劲儿："弟兄们，不用怕，捻子没几个人，把弓箭都准备好，要能坚持到天亮，我每人赏二两大烟泡。"

烟泡就是大烟。

一听有烟泡，当兵的来了精神，军兵依托土墙，向捻军放箭，"嗖嗖嗖"，箭似飞蝗，十几个捻军应声而倒。麻政和心疼坏了，他两脚踹镫，马往前蹿，摆动盘龙枪，上护其身，下护其马，眨眼间就到了墙边。

可就在这时，捻军后面大乱。

初生牛犊不怕虎。这话一点儿也不假。巴图尔和巴音孟克把刀抡开了，一通乱砍。

王山听到捻军后面传来喊杀声，他心头大喜："弟兄们，马总兵的救兵来了，杀呀——"

王山咋呼，当兵的也跟着虚张声势："杀呀，别让麻政和跑了——"

麻政和被偷袭，不知身后来了多少人。如果清军前后夹击，我这支人马就有全军覆没的危险，捻军就剩这点火种了，跟官军拼不起。

麻政和吩咐一声："撤！"

麻政和带着捻军向西而去，巴图尔和巴音孟克一人夺过一匹战马，两个人催马就追。

捻军跑出十多里，天渐渐地亮了，麻政和觉得不对，后面虽然传来马蹄声音，但人不像很多，麻政和一带马的丝缰："吁！"

麻政和拨转马头，见后面只有两匹马。巴图尔和巴音孟克由远而近，麻政和仔细一看，原来是两个十六七岁的孩子。

没等麻政和说话，巴图尔用手中刀一指："你可是捻军头子？"

麻政和心中道，这是谁家的孩子？浓眉大眼，威武英俊，长得如此喜人。麻政和望着巴图尔："不错，我就是捻军头领麻政和。小娃娃，你是何人，为何追赶我军？"

巴图尔二目圆睁："告诉你，小爷我是成吉思汗的后代，蒙古巴拉格特氏，你们当年杀了我阿爸，今天我要为阿爸报仇雪恨！"

麻政和脸一沉："你阿爸是何人？"

巴图尔骄傲地说："我阿爸就是当年你们闻风丧胆的蒙古土默特右旗六甲世袭章盖沙津将军。"

麻政和愣了一下："噢，原来你是沙津的后代。嗯，沙津是个英雄，不过很可惜，他给腐败的清廷当了替死鬼！"

巴音孟克把马提了提："嘿嘿，还有我呢！姓麻的，我也是巴氏之后，我阿爸也在冠县被你们杀了，小爷我来要你的命！"

麻政和冷笑："小娃娃，好大的口气。"

巴音孟克嬉皮笑脸："小？秤砣小，压千斤；胡椒粒小，辣人心；酒盅小不小？酒席宴前得摆在前面；你家尿罐子大，什么时候都得放在门后。麻政和，小爷提醒你，甘罗十二岁为相，周瑜十三岁领兵，罗成十六岁拜将。我们哥儿俩比他们大多了，知道不？"

麻政和气乐了："年纪不大，说话还一套一套的。我看你们都是孩子，不忍伤害。但我要告诉你们，当今朝廷昏庸无能，腐败透顶，对洋人卑躬屈膝，对百姓狠如虎狼。两次鸦片战争，洋鬼子不过区区万余人，可清廷却连战连败，先是签订了《南京条约》，没几年又签订了《北京条约》。按照这两个条约，朝廷要向洋鬼子赔偿白银二千九百万两！"

麻政和有些激动："你们知道二千九百万两是多大数吗？中原百姓一户一年的消费也就一两银子，这些银子相当于两千九百万户一年的花销！你们生活在草原，有耕地，有草场，有牛羊，不知道中原百姓的疾苦。你们到中原看看，饿死的到处都是，逃荒的随处可见，他们连粥都喝不起，连裤子都穿不上……"

巴音孟克打断麻政和的话，他似笑非笑："你不是中原人吗？我看你除了脸在外面，也没见你露屁股啊？"

巴音孟克嘲弄麻政和，一个黑脸捻将怒道："混蛋！"

麻政和拦住这个人："他是孩子，不要跟他计较。"

麻政和抑制不住内心的激动，他接着说："我说的句句实情，中原百姓贫困潦倒，大多数人家房没一间，地没一垄，上无片瓦遮身，下无寸土立足……"

巴音孟克又打断了麻政和，他取笑道："上无片瓦遮身？下无寸土立足？像白云一样飘在天上，那不是神仙吗？"

黑脸捻将再也忍不住了，他拽出刀照巴音孟克头顶就劈："小子，我让你抬杠！"

巴音孟克故意气麻政和，麻政和并没有生气，他拦住黑脸捻将，仍耐心地对巴图尔和巴音孟克说："中原苛捐杂税多如牛毛，百姓民不聊生，日子过得太惨了。孩子，但能活命谁愿意冒着杀头危险造反？谁不想跟老婆孩子一起好好过日子？可这腐败的朝廷逼得人实在是没有活路……"

听到这儿，巴图尔的火大了："既然知道洋鬼子把中国欺负成这样，你们却不思报国，不想把洋鬼子赶出去，却向官府开刀，向朝廷开刀，你们这不是助纣为虐、为虎作伥吗？"

麻政和无奈地摇了摇头："你的话跟你父亲当年如出一辙。"

黑脸捻将对麻政和说："麻头领，这两个小兔崽子处处替官府说话，用不了多久，他们又会成为官军，与其让他们成为官军杀咱们，不如现在就宰了他们！"

捻军一起喊："宰了这两个小兔崽子！"

巴音孟克嘿嘿一笑："小兔崽子？小兔崽子在哪儿？在那儿！在那儿！"

巴音孟克说得跟真事似的，他用手往捻军后面指，黑脸捻将以为巴音孟克发现了什么，他回头观瞧。巴音孟克两脚猛地一踹镫，胯下这匹马突然蹿向黑脸捻将。人借马势，马借人威，"咔嚓"一声，黑脸捻将人头落地。

麻政和大惊："娃娃，你好狠毒！"

捻军队伍一阵骚乱，谁也没想到巴音孟克会偷着下手。

一个大块头捻将催马冲了过来："小王八羔子，我要你的命！"

大块头举刀就剁，巴音孟克嘻嘻哈哈："往这儿砍，往这儿砍……"

巴音孟克指着自己的头，大块头奔他头顶"呜"就是一刀，巴音孟克一侧身，大块头的刀走空了。

巴音孟克又比划自己的脖子："来来来，往这儿砍。"

大块头马往前提，"呜"，又奔巴音孟克的脖子而来。巴音孟克暗道，这家伙还真听话，让他往哪儿砍他就往哪儿砍。

巴音孟克一带马的丝缰，又躲开了。

巴音孟克再指自己的胸口："来来来，往这儿砍。"

大块头两刀没砍上，他急了："小王八羔子，你敢戏弄我，招刀！招刀！招刀！"

大块头"刷刷刷"就是三刀，巴音孟克左闪右躲，一刀没还。大块头暗道，连这么一个小毛孩子都收拾不了，我还怎么在弟兄之间立足？恰在此时，两马错镫，就听巴音孟克大喝一声："大王八羔子，你给我下去吧！"

话音刚落，只听大块头胯下那匹马"希溜溜"一声暴叫，两个后蹄子猛地往起一尥，大块头从马脖子上摔了下去。

原来在二马错镫的瞬间，大块头的马屁股和巴音孟克的马头并在一起，巴音孟克一个大转身，刀戳向大块头的马屁股，战马疼痛难忍，尥起了蹶子。这个捻将做梦也没想到巴音孟克会冒这种坏水，摔得他眼睛都蓝了。

巴音孟克把马圈回来，霎时就到了他面前："该小爷我砍你了！"
"噗"，大块头身首异处。

麻政和大惊，他催马就要上前。

一个黄脸捻将杀了出来："狼崽子，你太损了！"

黄脸捻将直奔巴音孟克，巴音孟克刚要还手，巴图尔上下齿一咬，露出两颗虎牙："这个归我！"

巴音孟克连斩两员捻将，巴图尔心里着急，他也想露两手。巴图尔马往前蹿，迎面就是一刀，黄脸捻将的马正往前跑，巴图尔的刀就到了。黄脸捻将急忙往后一仰，人躺在马背上。"刷"，巴图尔的刀紧贴他的鼻子尖擦过，惊得黄脸捻将"咿"的一声。

黄脸捻将刚要坐起来，他的坐骑突然马失前蹄，战马"扑通"倒在地上，把黄脸捻将摔了个嘴啃泥。

巴图尔不知道怎么回事，回头一看，见巴音孟克砍断了黄脸捻将马的前腿。黄脸捻将的双脚还在马镫里，加之马往前冲的惯性，黄脸捻将跌于马下。巴音孟克反手一刀，黄脸捻将当场毙命。

巴图尔不高兴了，他朝巴音孟克叫道："我说这个归我，你怎么把他宰了？"

巴音孟克一龇牙："二哥，我是怕你累着。"

麻政和不忍对巴图尔和巴音孟克下手，可巴图尔和巴音孟克对捻军毫不留情，麻政和被激怒了，他一抖手中盘龙枪，照巴音孟克就刺。

巴音孟克见麻政和来势凶猛，知道他不好惹，巴音孟克一转身，闪在一旁："二哥，这个归你了。"

巴图尔并不知道巴音孟克藏着心眼儿，暗道，这还差不多。巴图尔把手中刀一晃，搂头就剁，麻政和把盘龙枪往头顶一横，"喤——"，火星四射，巴图尔的刀被崩起五尺多高。巴图尔觉得声音不对，一看，见自己的刀被崩出一寸多长的豁口。

爱刀、爱马是蒙古人的天性，巴图尔心疼坏了："麻政和，你赔我的刀！"

巴图尔上一刀，下一刀，左一刀，右一刀，刀刀致命。

死了三位将领，麻政和心如刀绞，见巴图尔刀招如此之狠，麻政和怒火中烧，他把手中盘龙枪抖开了，麻政和的兵刃如同枪雨一般倾泻。巴图尔毕竟年龄小，没有实战经验，也就是十几个回合，巴图尔就觉得身前身后、身左身右都是麻政和的枪尖。

巴图尔眼花缭乱，他心一慌，手中刀又"噔"地碰在了麻政和的枪杆上。巴图尔的心一紧，是不是又把我的刀崩个口子？他正想着，麻政和大枪一点，压在巴图尔的咽喉上："别动！动我就要你的命！"

巴音孟克见巴图尔受制，他眼珠一转，悄悄绕到麻政和身后。巴音孟克刚要捅麻政和的马屁股，哪知麻政和早有防备，他的枪往后一拉，枪镶直刺巴音孟克的前胸。

枪尖是扁的，枪镶是三棱的，练武人枪的两头都能置敌于死地。巴音孟克见势不好，忙用刀往外拨，麻政和的盘龙枪从巴音孟克腰间滑过，巴音孟克吓得出了一身冷汗。

麻政和也不回头，他前把往里拉，后把往外推，说了一声："下去！"

麻政和的枪杆扫在巴音孟克腰间，"扑通"，巴音孟克从马上摔落在地，两个捻兵上前把巴音孟克摁住了。巴音孟克心说，这下算完了，我杀了他们三个人，他们非宰了我不可。

就在麻政和对付巴音孟克偷袭之时，巴图尔见有机可乘，他就势把刀一抢，照麻政和的软肋就砍。可麻政和的枪太快了，"刷"，盘龙枪又回来了，麻政和把枪一立，巴图尔的刀正砍在麻政和的枪杆上。巴图尔用的劲儿太大了，刀"嗖"地就飞了。麻政和一回手，甩枪当鞭，抽向巴图尔肩头。

巴图尔纳闷，麻政和的枪不抽我的头，却抽我的肩，难道他是手下留情吗？不可能，麻政和一定防备我躲，我往后一仰，他的枪杆正好打在我头上，看来，我不能躲了……眨眼间，麻政和的枪就到了，"啪"地抽在巴图尔肩上，巴图尔"扑通"摔出七尺多远。巴图尔的左肩一阵剧痛，眼前金星乱窜。

弟兄两个，被麻政和生擒一对。

有几个捻兵要杀巴图尔和巴音孟克，给死去的三位捻将报仇！麻政和一摆手："先把他们押回山寨，告诉章盖巴家，让他们拿银子赎人。"

麻政和匆匆掩埋了三位捻将的尸体，然后叫人蒙上巴图尔和巴音孟克的眼睛，捻兵把他们往马背上一放，纵马而去。弟兄二人骑在马上，身子一会儿往后仰，一会儿往前倾。巴图尔和巴音孟克知道，这是走在山路上。

如此反复七八次，麻政和这支捻军终于停了下来。

有人把巴图尔和巴音孟克的眼罩摘下，巴图尔一看，面前是一个山洞，里面点着火把。山洞有两丈多高，上面挂着钟乳石，地上铺着干草，旁边有几张石桌，洞壁边摆着刀枪架，不远处的高台上有把椅子，椅子上铺了张虎皮。

捻军解开盔甲开始吃饭，一股肉香在空中飘荡。

闻到肉香，巴音孟克的肚子"咕噜咕噜"直叫。巴音孟克和巴图尔在山洞里，他们并不知道，此时已是夕阳西下，他们从昨晚到现在水米未进。

巴音孟克咽了口唾沫，他叫旁边一个当兵的："哎，哥们儿，肚子饿了，给点吃的。"

这个捻兵上前拍了拍巴音孟克的脸："小子，饿了？"

巴音孟克嘿嘿一笑："饿了。"

捻兵问："想吃？"

巴音孟克又是一笑："想吃。"

捻兵一瞪眼："给你吃个屁！"

巴音孟克仍在笑："你的屁还是你留着自己吃吧，我要吃肉！"

捻兵踢了巴音孟克一脚："小王八羔子，你骂老子，老子有肉喂狗也不给你吃！"

巴音孟克连吵带嚷："你们讲不讲理？盐从哪儿咸，醋从哪儿酸？打南阵我们土默特右旗去了九百多人，只回来我九伯伯一个，我阿爸和我三大爷他们都死在你们手里，你们杀了我们那么多人，我才杀你们三个，算一算你们占了大便宜……哎，给不给吃的？不给我可往石壁上撞了。

我要是一死，我二哥也不能一个人活着。你们不是想让巴家拿银子赎人吗？我们哥儿俩死了，你们一文钱也得不到。给不给？不给我可撞了，我真撞了……"

第十三章

巴图尔醒来时，嗓子跟着了火似的，他想找口水喝，可刚一翻身，觉得身子像是被什么捆着。巴图尔睁开眼睛，见自己缠着纱布。他想挣扎，一阵剧痛袭来，巴图尔出了一身冷汗。

清军剿杀，麻政和这支捻军到处躲藏，最缺的就是钱。麻政和离巴音孟克十几步远，他的话说到了麻政和心里，现在他们还不能死。

麻政和对这个捻兵说："去，给他们拿盘肉。"

这个捻兵把一盘肉放在巴图尔和巴音孟克面前，巴音孟克的手被绑着，他干着急吃不着。巴音孟克又嚷上了："你们绑我的手，让我拿脚吃呀？快快快，赶紧给我解开。"

这个捻兵怒道："把你解开，你趁机逃跑，想得美！"

巴音孟克斥道："废话，你们这么多人看着，我跑得了吗？"

麻政和一想，巴音孟克说得也是，这是山洞，洞门有人把守，洞里都是我们的人，就是放开，他们也跑不了。

这个捻兵解开巴图尔和巴音孟克的绑绳，巴音孟克狼吞虎咽地吃了两口，见巴图尔把脸扭到一边，巴音孟克对巴图尔说："二哥，吃啊，不吃白不吃。"

巴图尔眼睛一闭，既不说话，也不看巴音孟克。

"二哥，你不吃我可吃了？"巴音孟克一边吃，一边说。

巴图尔还是不理巴音孟克。

转眼间，盘子里的肉下去一大半，巴音孟克对巴图尔道："二哥，你吃呀，再不吃就没了。"

巴图尔义正词严："冻死迎风站，饿死腆肚皮。我不像你那么没骨气！"

巴音孟克脑袋一歪，低声说："二哥，你这可不叫骨气，这叫跟自己较劲儿。我才不像你那么傻，先吃饱了再说。"

巴音孟克把剩下的肉都吃了，他打个饱嗝："这肉真是太香了，我怎么从来没吃过这么香的肉。哎，捻子大哥，咱们吃的这是什么肉啊？"

捻兵这个气："敢情你吃了半天，连什么肉都没吃出来？"

巴音孟克龇着牙："啧啧，吃得太急，没尝出来。"

捻兵和巴音孟克斗气："那我再给你端一盘？让你好好尝尝？"

巴音孟克不笑假笑："那可太好了。"

捻兵瞥了他一眼："做梦娶媳妇，想得美！"

捻军杀了半夜，又走了这么远的山路，一个个人困马乏。他们吃饱喝足了，准备睡觉。有人拿过绳子要绑巴音孟克的手脚，巴音孟克连喊带叫："太紧了，太紧了，勒死我了！你们要是把我勒死，可就少了一份赎金，松点，松点，松点……"

捻兵喝道："你咋呼什么！"

巴音孟克一龇牙："嘿嘿，我不是怕你们少得一份银子嘛……"巴音孟克故作神秘，"松点，松点，我让我额吉偷偷地给你塞点银子，松点，松点，嘿嘿嘿……"

这个捻兵觉得巴音孟克既可气，又好笑，他果然绑得不是太紧。

巴图尔刚才被绑了双手，现在双脚也被捆上了。麻政和等人躺在干草上，不一会儿就打起了鼾声。

夜黑沉沉的，残月在云层中穿来穿去。突然黑影一闪，一个人进了山洞，虽然此人脚步很轻，但巴图尔却听得一清二楚，他立刻睁开了眼睛。

黑影蹑手蹑脚地来到巴图尔和巴音孟克面前，巴图尔没敢说话，他用疑惑的目光看着来者，来者向他点了点头。借着火把的光亮，巴图尔见此人清癯的一张脸，没有一点表情。巴图尔似曾相识，却又不知在哪儿见过。来人从背后拽出一把刀，"噌噌"两下，割断了捆绑巴图尔的绳子。

青面人低声道："快走！"

巴图尔的绑绳比巴音孟克紧多了，他两腿发木，根本不听使唤，一迈步，"扑通"一声摔在地上。一个捻兵听到动静，抬头张望。

青面人又挑开了巴音孟克的绑绳。

巴音孟克绑得较松，虽然两脚有点麻，但走路没问题。见巴图尔倒在地上，他搀起巴图尔就跑，青面人紧紧相随。

捻兵大喊："不好了，两个小子跑了！"

麻政和猛然睁开眼睛，高声道："弟兄们，追！"

巴音孟克扶着巴图尔刚出山洞，麻政和就带捻军冲了出来。

青面人拦在麻政和面前，麻政和用枪一指："你是什么人？"

青面人一阵冷笑："麻政和，难道你不认识我了吗？"

有人举过火把，麻政和吃惊道："是你！"他追问，"山东巡抚和泰安、东昌的两个知府是你杀的？"

青面人不置可否："麻政和，你太卑鄙了，抓两个孩子算什么本事？"说着，青面人举刀砍向麻政和，麻政和盘龙枪一拨，两个人打在一起。

巴图尔和巴音孟克跌跌撞撞地往山下跑，一部分捻军给麻政和观阵，一部分捻军追赶巴图尔和巴音孟克。

青面人牵挂着巴图尔和巴音孟克的安危，他虚晃一刀，避开麻政和，身形一纵，跳到那些追赶巴图尔和巴音孟克的捻军面前。青面人手中刀上下翻飞，寒光片片，捻军纷纷后退。

青面人刚逼退捻军，麻政和就到了青面人面前，两个人又战在一处。

巴图尔和巴音孟克对这里的环境十分陌生，弟兄俩跟没头的苍蝇似的乱撞。巴图尔腿脚不便，没跑多远，两个人双双跌倒。两个捻兵赶上前，其中一人举刀砍向巴音孟克，巴音孟克将身一侧，捻兵的刀走空了。

另一个捻兵刺向巴图尔，巴音孟克知道巴图尔腿脚不灵，他心生一计，手一扬："招家伙！"

那个捻兵吓了一跳，忙收刀闪身，可迟疑片刻，什么也没有。

巴音孟克乘机拉起巴图尔就跑。巴音孟克吃了一肚子肉，浑身是劲儿。巴图尔却是腹内空空，没走多远又摔倒了。

两个捻兵追上前，双双把刀举起。巴音孟克又一抖手："招家伙！"

两个捻兵又是一愣，仍然是什么也没有。巴音孟克拉着巴图尔再跑，眼前出现一个山崖。

一个捻兵得意地说："你们不是能跑吗？跑啊？"

这个捻兵抡刀要剁，巴音孟克手又一扬："招家伙！"

捻兵暗笑，什么招家伙？少来这套。可刚想到这，迎面连沙带土飞来，几粒沙子打进了他的眼睛。

人们常说，眼睛里不揉沙子。沙子一进眼中，眼泪"刷"地就下来了。这个捻兵睁不开眼睛，哪还能再追。

另一个捻兵大怒："小兔崽子，你太损了！招刀！"

巴音孟克忙放下巴图尔的手，身子躲开。捻兵没有砍到巴音孟克，他的刀往后一拉，奔巴图尔刺去。巴图尔急忙闪身，由于腿脚麻木，"扑通"摔在地上。这个捻兵往前一近身，又是一刀，巴图尔就地一滚，哪知用力过猛，跌下山崖。

巴音孟克大惊，他跑到崖边一看，下面茫茫一片，什么也看不清。巴音孟克失声大叫："二哥！"

十几个捻军赶来，巴音孟克眼睛都立了起来，他夺过其中一人的兵刃，平时诙谐调侃的巴音孟克跟疯了一般："还我二哥命来！"

一人舍命，万人难抵。巴音孟克玩儿命了，这些捻军难以上前。

青面人听到巴音孟克凄厉的叫声，他猛攻几招跑到巴音孟克身边："怎么了？"

巴音孟克带着哭腔说："我二哥巴图尔掉下山崖了……"

青面人一拉巴音孟克的衣襟，低声道："跟我来！"

听青面人的口气，似乎对这里很熟，巴音孟克不假思索，跟着青面人钻进了树林。两个人走了没多远，一匹大青马跑来。青面人纵身跳上马背，他向巴音孟克伸出手："上马！"

两人一骑，飞驰而去。

黑暗散去，阳光普照大地。山脚下，巴音孟克四下看了看，周围都是山，山坡上长着低矮的灌木，下面是一条小溪。

巴音孟克问："这是什么地方？"

青面人也没给巴音孟克正脸："应该就是巴图尔跌落的地方。"

巴音孟克一愣："你是谁，你怎么知道我二哥的名字？"

青面人背朝巴音孟克："不是你昨晚说的吗？"

巴音孟克无心多问，两个人在山谷之中寻找两个多时辰，巴图尔生不见人，死不见尸。

青面人和巴音孟克两个人抬起头，见远处有一座喇嘛庙，两个人想，巴图尔会不会被庙里的喇嘛救走了？青面人和巴音孟克来到喇嘛庙前，见庙门上写着三个大字——法禧寺。

法禧寺因其处于昆都仑河畔，故俗名昆都仑召。

"梆梆梆"，巴音孟克上前叩打庙门，一个中年喇嘛走了过来。巴音孟克以手抚胸："请问大师，有没有看见一个受伤的少年，年龄跟我差不多，长着一对小虎牙。"

见巴音孟克满脸是汗，身上还有血迹，中年喇嘛双手合十："阿弥陀佛，善哉，善哉，有个少年浑身是伤，昏迷不醒，被两个洋人救走了，不知是不是你说的少年？"

巴音孟克一愣："洋人？什么洋人？"

中年喇嘛道："一个像洋教士，另一个是洋姑娘。"

几十年来，中国人一直被洋人欺辱。在巴音孟克心中，洋人都是红头发、绿眼睛的魔鬼。巴音孟克大惊，他回过头对青面人说："我二哥落到洋人手里了……"

然而，青面人踪迹不见。

包头召里，大大小小的十几个孩子站成两排，他们清一色的骑马蹲裆式，每个人头上顶着两块青砖。

哲旺喇嘛的脸如同罩了一层霜："巴图尔和巴音孟克半夜出走，你们为什么不阻拦？为什么不告诉我？你们都听着，他们两个三天不回来，我就罚你们三天，五天不回来，我就罚你们五天！"

这群孩子里最大的十五六岁，最小的才七八岁。其中一个孩子哭道："八爷爷，我实在受不了了……"

哲旺喇嘛声音不高，但语气坚硬如铁："不行！"

过了一袋烟的工夫，这孩子瘫倒，头上的砖掉在地上。哲旺喇嘛的脸仍绷得很紧，他走到这个孩子近前："站起来！"

这孩子爬了起来。

哲旺喇嘛让这个孩子把砖重新放到头顶，再次蹲起马步。不一会儿，这个孩子又瘫了下去。一连四次，哲旺喇嘛仍然让他蹲马步，顶青砖。

巴音孟克气喘吁吁地从庙外跑了进来，一进院就发觉气氛不对，他的脚步由快而慢，由慢而停，由停而退。哲旺喇嘛虽然背朝巴音孟克，可老人跟后脑勺长眼睛似的："回来！"

哲旺喇嘛声音低沉，却重如千斤。巴音孟克不敢动了。

哲旺喇嘛转过身，两只眼睛盯着巴音孟克："你怎么一个人回来了？巴图尔在哪儿？"

巴音孟克"扑通"跪在哲旺喇嘛脚下，一五一十地把经过说了一遍，然后道："八爷爷，二哥巴图尔本来就受了伤，又跌落山崖，现在落入洋人手里，八爷爷，快想办法救救二哥吧！"

哲旺喇嘛对巴音孟克的话置若罔闻，反而道："其他人可以走了，巴音孟克留下来，骑马蹲裆式，头顶四块砖！"

巴图尔醒来时，嗓子跟着了火似的，他想找口水喝，可刚一翻身，觉得身子像是被什么捆着。巴图尔睁开眼睛，见自己缠着纱布。他想挣扎，一阵剧痛袭来，巴图尔出了一身冷汗。

一个少女欣喜的声音传入耳畔："父亲，母亲，他醒了！"姑娘的汉语说得有点硬，巴图尔一愣，见一个黄头发、蓝眼睛的洋姑娘正望着自己。

一男一女两个中年洋人兴冲冲地走了过来："感谢仁慈的主，你终于醒过来了。"

巴图尔眼睛瞪了起来："洋人？"

姑娘点了点头："我们是比利时人，我叫海伦。这是我的父亲鄂必格先生……"

巴图尔打断了海伦的话，怒道："这是什么地方？我怎么在这里？"

海伦笑眯眯地说："这里是基督教堂。你摔在山下，我和父亲把你救了回来。你已经昏迷两天了。"

巴图尔吼道："不用你们救我！洋人没有一个好东西！"他翻身下床，可两脚刚一着地，"扑通"摔倒了。

海伦惊叫："你的伤还没愈合，你不能动！"

鄂必格夫人惊道："可怜的孩子，这样你会有生命危险的！"

鄂必格解释道："我们完全都是为了救你，没有任何恶意。"

三个人把巴图尔抬到床上，巴图尔已是手无缚鸡之力了。

鄂必格夫人吩咐女儿："海伦，去把熬好的粥端来。"

海伦把一碗热粥端到巴图尔枕边。

鄂必格夫人对巴图尔说："你身体太弱了，喝点粥吧。"

巴图尔声音低沉有力："我饿死也不吃你们洋人的东西！"

海伦皱着眉："你伤得这么重，不吃是好不了的。"

鄂必格夫人耸了耸肩："我不明白，我们做错了什么，你为什么这样恨我们？"

巴图尔冷冷地说："你们洋人欺压中国人，奴役中国人，先是《南京条约》，然后是《北京条约》，你们侵占中国的香港、澳门，掠走几千万两白银，就是因为你们，我们的国家才变得这般贫穷！"

海伦解释说："你说的是英国人和法国人，我们比利时人从来没有侵略中国。我们比利时人一直与大清国友好相处，当年你们的康熙皇帝身边有个洋大臣叫南怀仁，南怀仁先生就是我们比利时人。他教康熙皇帝天文历法、算术几何，康熙皇帝十分信任他，中国与俄国签订《尼布楚条约》时，南怀仁先生还给康熙皇帝出了不少好主意。"

巴图尔也听说过南怀仁，但南怀仁是哪国人巴图尔还真不知道。听海伦这么一说，巴图尔的敌意消失了一半。

鄂必格道："你们中国人把所有的外国人统称洋人，可洋人也分许多国家，各国和各国不一样，就说你们中国人吧，有土匪，也有绅士；有良民，也有无赖；有人很有骨气，像你这样，铁骨铮铮；也有很多人卑躬屈膝，一见洋人腿就发软。"

听鄂必格赞美自己，巴图尔心里挺舒坦。

海伦再次把粥端到巴图尔嘴边，巴图尔没有反抗。

第十四章

巴图尔脱掉袜子，抠着脚丫子。主人终于忍无可忍，他把酒碗一推，拂袖而去，媒婆和巴图尔被晾在炕上。

鄂必格一脸慈善，鄂必格夫人神色诚恳，海伦姑娘柔情可人。

巴图尔四天没有进食，腹内空空，饥肠辘辘，闻到粥香，他更饿了。

海伦一手端着粥，另一只手舀了一匙，她轻轻地吹了吹，然后送到巴图尔嘴边。巴图尔犹豫一下，张开了嘴。

一口粥下肚，巴图尔的心理防线被打开了缺口。海伦一口一口地喂，他一口一口地吃。两个人近在咫尺，巴图尔发现海伦跟自己年龄相仿，黄头发，蓝眼睛，白皮肤，相貌娇美，楚楚动人。巴图尔又看了看一旁配药的鄂必格，人们传说，洋人都是红头发，绿眼睛，这几个洋人的头发、眼睛虽然与传说的不太一样，但跟我们大清百姓也完全不同。

巴图尔年轻，身体强壮，加上海伦姑娘无微不至的照顾，他恢复得很快。海伦总是搭讪着跟巴图尔说话，可海伦问一句，巴图尔答一句，仿佛是法官问案似的。

一场雨过后，阳光温柔地从窗外照了进来。巴图尔刚刚能够下地，他就对海伦说："我欠你一条命，不过，我一定还你。"

巴图尔站起身，往外就走。

海伦忙追上前："巴，你的伤还没有痊愈，不能走的。"

巴图尔态度坚决："不，我不能和洋人在一起!"

巴图尔执意要走，海伦拉住巴图尔的衣襟："可你已经跟我们在一起了。"

巴图尔口气生硬："那是我不能走，现在我可以走了。"

海伦关切地说："可你现在也是不能走远的。"

门开了，巴雅尔和巴音孟克带着几个军兵从门外走了进来，海伦惊问："你们是什么人? 这是教堂……"

巴图尔甩开海伦，踉踉跄跄地迎上前："大哥，巴音孟克，我想死你们了!"

巴雅尔和巴音孟克揽住巴图尔。

"二弟，你没事吧?"巴雅尔问。

"二哥，你让我们好找啊，你怎么样?"巴音孟克问。

见到亲人，巴图尔眼圈一阵发热："还好，还好……"

巴音孟克闻到巴图尔身上的消毒水味，便道："二哥，你真是掉进羊（洋）圈里了，连身上都一股羊（洋）膻味。"

海伦没听出巴音孟克说的是骂人话，她还解释："巴不是掉进了羊圈，是从山上摔了下来，伤得很重，他现在不能走，真的不能走。"

巴音孟克不冷不热："这是我们的家事，不劳你们洋人操心。走，二哥，我们回家。"

海伦拦住巴音孟克："不行，巴的外伤刚刚结痂，内伤还很严重，现在行走会撕裂伤口，尤其是内伤，那是很危险的!"

巴音孟克嘿嘿一笑："洋妞，不是你看上我二哥了吧? 你怎么这么关心他?"

海伦的脸一下子就红了，鄂必格从里面出来为女儿解围："我们是基督教徒，我们关心的是天下人、世界人，当然也包括你们中国人。"

巴音孟克眼睛一眯："你们关心中国人?"

鄂必格夫人跟在鄂必格身后："不错，上帝爱人，甚至将他的独生子赐给世人，让一切信他的不至灭亡，反得永生。上帝关心我们每一个人。"

巴音孟克挖苦道："那你们不关心中国人手中的银子?"

巴音孟克句句带刺,鄂必格却显得很坦然:"我是传教士,是来向中国传播上帝福音的,就像你们的喇嘛僧侣,慈善为本,普度众生。"

巴雅尔一拉巴音孟克,示意他不要多说。

巴雅尔对鄂必格一家人道:"谢谢你们救了我弟弟。"说着,从怀里掏出一锭十两的银子,放到巴图尔的床上。

海伦把银子还给巴雅尔:"我们救人,不收钱。"

巴雅尔没有接,巴音孟克拉着长声说:"这是我们的药钱,我们不欠洋人的情。"

巴雅尔和巴音孟克搀着巴图尔出了教堂。

望着巴音孟克的背影,海伦摇了摇头:"中国人真是莫名其妙。"

哲旺喇嘛罚巴音孟克蹲马步,可蹲了一会儿,巴音孟克就扔掉头上的青砖跑到八爷爷哲旺喇嘛的禅房。他把自己与巴图尔闯入后营子追杀捻军,后来双双被擒,青面人出手相救,巴图尔掉落山崖的经过如实地告诉给哲旺喇嘛。哲旺喇嘛眉头紧皱,他让巴音孟克带着几个兄弟出去寻找,可是,找了两天,也没有找到。

巴图尔生不见人,死不见尸,哲旺喇嘛的心悬了起来,这么大事,不能不告诉巴云氏。巴云氏得知巴图尔跌下山崖,眼泪当时就下来了,巴雅尔立刻带人出去寻找。经过一番打听,终于找到了鄂必格这家基督教堂。

巴图尔伤成这样,不能回包头召了。巴雅尔一边给八爷爷哲旺喇嘛送信,一边把巴图尔送回家。

巴云氏不敢对老夫人乌梁氏说,连日来,她除了吃饭、睡觉、上茅房,就是念佛。仆人来报,说巴图尔回来了,巴云氏趿拉着鞋来到西厢房巴图尔房间。

巴图尔从炕上下地,因缠着纱布,很不方便。

"别动!别动!"巴云氏本想责骂巴图尔几句,见巴图尔这个样子,她眼泪流了下来:"冤家,你都把额吉吓死了。你逞什么能?练了几天把式就不知自己是谁了,居然连你八爷爷的话都不听。那捻子都是些亡命徒,万一你有个三长两短,你让额吉怎么向你奶奶交代……"

巴图尔安慰母亲："额吉，我没事，既没伤筋，也没动骨，只是一点皮外伤，不疼，真的不疼。"说着，巴图尔要给巴云氏磕头。

巴云氏急忙阻拦："行了行了，冤家，你快好好躺着吧。"

巴图尔的伤逐渐痊愈，巴云氏一想，巴图尔翅膀硬了，他八爷爷也管不了他了，看来只有给他成亲，有了媳妇，就不会惹是生非了。巴云氏跟老夫人乌梁氏商量，老夫人这才知道巴图尔和巴音孟克兄弟俩追杀捻子的事，乌梁氏也是一阵后怕，但老人即便泰山崩于前也不惊慌，是该给巴图尔娶媳妇了。

巴云氏托了个媒婆，媒婆很快就找到一家姑娘。巴云氏把婚事跟巴图尔一说，巴图尔脑袋摇得跟拨浪鼓似的："不要，不要，我不要。"

巴云氏脸一沉："不要也得要，明天就让媒人带你去相亲。"

"咣当"，门关上了，巴图尔想出去，可两个老仆立在门外，根本不让他迈出房门一步，巴图尔急得团团转。

天黑了，望着烛光，巴图尔一筹莫展。

就在这时，巴音孟克来了。

自从找到巴图尔之后，巴音孟克就没回包头召，一来他怕八爷爷哲旺喇嘛罚他，二来他想投军，把捻子斩尽杀绝，为阿爸报仇，为国家出力。布氏哪里舍得，自己守寡多年，好不容易把儿子拉扯大，还指望他娶妻生子，接续巴家的香烟呢！布氏连哄带劝，巴音孟克才没去当兵。听说三娘把巴图尔关了起来，他眨了眨眼，我得去看看二哥。

两个老仆拦住了巴音孟克："巴音孟克少爷，二少爷已经歇下了。"

巴音孟克嘿嘿一笑："二位老人家，辛苦辛苦，哎呀，天都这么晚了，你们还站在这儿。我这个二哥也真是，人家说，做梦娶媳妇，尽想美事。他不做梦，我三娘就要给他娶媳妇。美事全都找他，可他却不同意。二位老人家，你们说说，这不是缺心眼儿吗？要是我，给我娶三个才好呢！"

巴音孟克把两个老仆都说乐了。

巴音孟克又说："我是来劝我二哥的。别看我三娘说他不听，我劝，一劝一个准儿。二位老人家，怎么样？要不让我劝劝我二哥？"

两个老仆相互对视一下，夫人只让我们看着，不准二少爷出去，并没说不让人劝他。如果巴音孟克能劝二少爷娶媳妇，也省得夫人操心，这不是好事嘛！于是，两个人把巴音孟克放了进去。

一进屋，巴音孟克嘻嘻哈哈："二哥，恭喜恭喜啊！"

一听这话，巴图尔头都大了："恭喜个屁！我都要愁死了。"

巴音孟克似笑非笑："哎，二哥，你可是身在福中不知福啊，我早就想成亲，可我额吉就是不让，你应该高兴才对，干吗愁啊？"

巴图尔的心一动："你真想成亲？那你就替二哥相亲去呗？"

巴音孟克本想拿巴图尔开心，没想到弄巧成拙。不过，巴音孟克反应的确很快，他眨巴眨巴眼睛："二哥，这种玩笑可不是随便开的。人家都说朋友之妻不可欺，何况你相亲的姑娘很可能就是我二姐吉，咱们蒙古人已经没有收继婚的陋习了，我怎么能……哎，二哥，你这不是陷我于不义吗？"

"得得得，就你的理儿多！"巴图尔有点不耐烦。

巴音孟克神秘地一笑："二哥，不是有心上人了吧？"

巴图尔绷着脸："什么心上人？"

巴音孟克诡异地说："比如，那个金发蓝眼、白白净净的洋姑娘……"

巴音孟克提到海伦，巴图尔一拳打在他的肩窝上："你还拿我取笑！"

见巴图尔确实着急，巴音孟克压低声音问："二哥，你真不想成亲？"

"那还有假？"巴图尔道。

"果然不想……"巴音孟克还想调侃几句。

"烦不烦？你让我说几遍？"巴图尔转过头去。

巴音孟克绕到巴图尔面前，他眼珠转了转："你要真不想，那我就有办法了。"

巴图尔一把抓住巴音孟克的手："什么办法？"

巴音孟克把他的主意一说，巴图尔一咧嘴："这也太，太不像话了……"

巴音孟克假装不高兴："我说二哥，你到底想不想成亲？你要是不想就照我说的来，你要是想，就当我没说。"

巴图尔忙道："我不想！真不想！"

巴音孟克一龇牙："那你就这么做，包你满意。"

巴图尔又是吧嗒嘴，又是挠脑袋。

明朝时期，土默特蒙古人过着游牧生活，男女青年接触很平常，谈婚论嫁无需媒婆，只要两个人看对眼儿，双方父母没意见，就可成亲。成亲的当天新娘不露面，而是躲进一个蒙古包里。入夜，新郎找到新娘，新娘骑马而去，新郎纵马而追，追上之后，双双回来拜天地、入洞房。

到了清代，尤其是清末，土默特蒙古族受满人和汉人的共同影响，婚俗有了很大改变。但有一点仍保留着蒙古民族的传统，这就是男女双方相亲时必须见面。汉人讲的是父母之命，媒妁之言，不允许男女青年私会。只有入了洞房，才知道对方长的什么模样。有的父母为贪图男方家的高额彩礼，把好端端的女儿嫁给歪嘴、斜眼、满脸麻子，甚至嫁给常年患病的，这都不新鲜。那时，没有离婚之说，要想解除婚姻关系，只能是男人休女人，女人没有权利休男人。就算女人对男人一万个不满意，也只能委委屈屈过一辈子，这就是嫁鸡随鸡，嫁狗随狗，嫁条扁担抱着走。由此可见，蒙古人的婚俗比中原地区要人性化得多。

巴图尔随媒婆来到女方家，女方家是中原式的四合院，正房五间，中间开门。一进屋就见客厅对面挂着成吉思汗像，像下面的供桌上燃着香，摆着供品。显然，这是受汉文化影响很深的蒙古族家庭。

姑娘的父母见巴图尔身材魁梧，相貌出众，十分高兴。姑娘也很满意，女方家准备酒宴，那意思就想把亲事定下来。

姑娘把一张红漆方桌放在炕上。炒米、奶茶、奶皮、奶酪、肉干、面点等一一端了上来。这是蒙古民族招待客人的风俗，在酒宴之前，首先请客人尝尝自家的食品。

巴图尔也没等女方的父母相让，他爬上炕，拿过一只木碗，抓一把炒米放在碗中，然后倒入滚烫的奶茶，他旁若无人，张嘴就喝，可奶茶刚一入口，"噗"地喷到地上。

巴图尔舌头在嘴边来回晃动："烫死我了，烫死我了。"

巴图尔低下头，在碗边吹了吹，接着又喝，听起来"吸溜吸溜"十分刺耳。

主人愣愣地看着巴图尔，媒婆也有点瞧不下去了，她为巴图尔开脱：

"早上出来太匆忙，二少爷连一口水也没喝，我都有点渴了。"

主人连连点头："啊，啊……喝吧，喝吧。"

酒肉摆上，香气萦绕，没等主人入席，巴图尔爬到炕里，一屁股坐在正北的位置。蒙古人对座次特别讲究，正北位置是主座，通常是主人或长者坐的地方，客人只能坐在主人两边，尤其是年轻人，有年长者在，那是不能坐正位的，何况这还是相亲。

主人脸色发黯，却没说话。媒婆暗中向巴图尔摆手，巴图尔跟没看见一样，他面南背北，悠然自得。

这时，羊背子端了上来。

蒙古民族吃羊背子是有讲究的，要由主人手持短刀，把肉割成肉条献给客人。可巴图尔揪过一只羊腿，张嘴就啃。媒婆一个劲儿地给巴图尔使眼色，巴图尔旁若无人。一口肉下肚，巴图尔抄起酒壶，也不往外倒，而是对着壶嘴"咕嘟咕嘟"地喝了起来。主人一家愣愣地看，媒婆十分尴尬。

主人还没上桌，巴图尔已经吃饱喝足了，可再一看，巴图尔简直成了花脸猫，鼻子、嘴角甚至额头都沾着肉。

媒婆还在为巴图尔开脱："二少爷饿坏了，我们早晨出来时水米没打牙。对了，昨晚二少爷肚子疼，没吃饭。"

主人讪讪地点头："啊，啊，能吃好，能吃好……"

巴图尔虽然吃完了，可他仍坐在正位上不动，主人和媒婆只得分坐两边。几碗酒刚下去，忽然一股酸臭味袭来，主人低头一看，见巴图尔脱掉袜子，正抠脚丫子呢！

主人终于忍无可忍了，他把酒碗一推，拂袖而去，媒婆和巴图尔被晾在炕上。

媒婆哪还吃得下去，她一拉巴图尔，没好气地说："走吧！"

回到家中，巴图尔跟没事人似的，他往炕上一躺，倒头便睡。媒婆把经过一说，巴云氏气坏了，她把巴图尔叫到自己房中。

"跪下！"

巴图尔不敢正视母亲，他跪在地上。

巴云氏拿起鸡毛掸子就打："冤家，你气死我了！气死我了！"

巴图尔不躲不闪，任凭母亲抽打。

巴图尔没怎么着，巴云氏却累得气喘吁吁。

巴雅尔见弟弟挨打，忙过来相劝："额吉，别打了，打也打不疼他，您老人家干生气。我看，二弟不愿意成亲就算了，要是硬逼他，就算给他娶了媳妇，今天吵，明天闹，您和奶奶更操心。"

巴云氏把鸡毛掸子往地上一扔，无可奈何："冤家，我怎么生了你这么个活冤家……"

见母亲喘着粗气，巴图尔上前搂过巴云氏的脖子："额吉，我不是不想相亲，我是想给额吉娶个天下最好的媳妇，让她过了门就侍候你，就像你侍候奶奶一样，每天给你洗脚，给你端水倒茶，给你捶腿捏肩。"

巴云氏听着挺舒服，气也消了一些："你就糊弄你额吉吧。"

巴图尔一本正经地说："额吉，我说的是真的。"

巴雅尔一旁帮腔："二弟这话我信。"

巴云氏被哄高兴了，她关切地问巴图尔："儿子，刚才额吉打疼你了吧?"

"没有没有。"巴图尔摇了摇头。

"来，让额吉看看。"巴云氏一副心疼的样子。

"不用看，没事……"巴图尔闪在一旁，不让母亲看。

"吱呀"门开了，穆氏一脸阴郁地走了进来。

巴云氏与穆氏打招呼，巴雅尔和巴图尔相继给九婶请安，穆氏未曾说话，眼泪掉下来。巴云氏心中不解，他九婶又怎么了?

第十五章

　　一听如此粗俗的话，巴图尔勃然大怒，他上下齿一咬，露出两颗虎牙。胖大汉子正在叫板，"啪"，巴图尔一鞭子抽在他脸上，胖大汉子脸上顿时起了一道血印子。

　　汉朝建立，汉高祖刘邦在洛阳南宫举行盛大宴会，酒过三巡，菜过五味，他向群臣提出一个严肃的问题："你们知道我为什么能取得天下，项羽为什么失去天下吗？"群臣这个说刘邦赏罚分明，那个说刘邦礼贤下士，刘邦却说："夫运筹帷幄之中，决胜千里之外，吾不如子房；镇国家，抚百姓，给饷馈，不绝粮道，吾不如萧何；连百万之众，战必胜，攻必取，吾不如韩信。三者皆人杰，吾能用之，此吾所以取天下者也。"

　　子房，就是张良，张良，字子房。张良、萧何、韩信，这是刘邦开国的三大功臣。

　　成吉思汗统一草原，建立了横跨欧亚的蒙古帝国，他在开国时也有类似刘邦的感言。《元史·别里古台传》载，成吉思汗曾说："有别里古台之力，哈撒儿之射，此朕之所以取天下也。"

　　哈撒儿也音译为哈萨尔，他是成吉思汗的二弟。相传哈萨尔有四十多个儿子，哈萨尔死后，儿子们把哈萨尔生前的遗物放在五顶白色的帐篷中，摆上哈萨尔的灵位，四时祭奠。百年过后，哈萨尔的后代形成了科尔沁部落联盟。

蒙古民族按方位可分：漠东蒙古，主要是科尔沁部；漠南蒙古，主要是土默特部；漠西蒙古，主要是准噶尔部；漠北蒙古，主要是喀尔喀部，即外蒙古。自清太祖努尔哈赤以来，漠东科尔沁部代代与清廷联姻，清廷对科尔沁部最为信任，所谓满蒙一家，说的就是科尔沁。可是，对漠南的土默特部、漠西的准噶尔部、漠北的喀尔喀部，清廷都防之又防，尤其是漠南的土默特部。明朝中期，土默特部曾打到北京，清初的土默特部虽然衰弱了，但清廷还是担心土默特部与漠西、漠北联合。

于是，清政府把漠东科尔沁部中的茂明安和四子王两支部众迁来，安插在漠南与漠北之间；把漠东的科尔沁部中的乌拉特部众迁来，安插在漠南和漠西之间。自此，漠南土默特部被压缩在呼和浩特和包头之间东西175公里，黄河北岸到阴山山脉南北205公里境内。而土默特部鼎盛时期，控制着东到山海关，西达青海湖，南抵榆林，北接外蒙古，其势力曾一度达到新疆和西藏。

乌拉特部从东北的科尔沁大草原迁到土默特右旗西部，清朝把乌拉特部一分为三，设置了乌拉特东、中、西三个旗，史称乌拉特三公旗。三个旗都与土默特右旗相邻，土默特右旗沙尔沁章盖与乌拉特西公旗以西脑包为界。

脑包即敖包，是不同时期的音译。

博托河是南北走向，河的东西五里各有一座敖包，河东的叫东脑包，河西的叫西脑包。西脑包也叫查干敖包。查干就是白色，查干敖包，就是白色敖包。

敖包其实就是石头堆，一般位于山岭或大道旁。敖包是蒙古人最神圣的地方，以前蒙古人祛病、祈福、禳灾都要祭敖包。平时路过敖包也必须下马，向敖包跪拜，然后按照顺时针方向绕敖包转三圈，绕的同时，捡几块石头恭恭敬敬地摆上去，以示对敖包的敬畏。

敖包大致分三种：一种是用来祭祀天神的，称神敖包；一种是表明地域分界的，称界敖包；还有一种是作为路途标志的，称路敖包。

博托河两岸一直是巴氏家族的户口地，几百年前，巴家的先人土默特部首领阿拉坦汗就在这一带活动。乌拉特迁来时，当地人烟稀少，为了给过路人指明方向，乌拉特西公旗建了一座"路敖包"，就是这座西脑包。

虽然这座敖包建在土默特右旗沙尔沁章盖辖区，但宽容、善良的土默特人认为这是方便行人的好事，不但没有阻拦，还出人出力，帮乌拉特人建起了这座敖包。

然而，时过境迁，随着汉人大量涌入，一些草场变成农田，土地升值，牧场越来越少，土默特右旗和乌拉特西公旗都说敖包周围的牧场是自己的，双方的冲突日益加剧。

穆氏家的户口地就在西脑包附近。以往，这里的地界不是很清楚，土默特人和乌拉特人都在这里放牧，可后来，乌拉特西公旗派人把这片草场看护起来，不准沙尔沁的牧民把牲畜赶到这里。当年，沙津继任沙尔沁章盖之前，双方就有些不快，但还是比较克制。沙津剿捻，绥远将军衙署相继派来三任章盖，这三个人都是临时代理，谁也不管这事。如此一来，乌拉特人就更加理直气壮了。

巴鲁出走七年，杳无音信，穆氏和十三岁的儿子乌木尔相依为命。穆氏生活勤俭，以前是穆氏带着乌木尔放羊，捡牛粪。牛粪是普通蒙古人家最好的燃料，用牛粪生的火没有烟，火旺，几块牛粪就能做顿饭。

乌木尔一天天长大，穆氏就不再跟儿子一起放羊了。昨天，乌木尔把羊群赶到西脑包附近吃草，几个乌拉特少年飞马而来，说那是他们的草场，不准乌木尔在此放羊。乌拉特少年驱赶乌木尔的羊群，乌木尔与几个人争辩，结果被打得鼻青脸肿，四十六只羊，被乌拉特少年赶走了十八只。

巴图尔对西脑包的情况并不了解，他说："那片草场到底是谁的？要是人家的地盘咱们就离那儿远点；要是咱们的，就把草场要回来！"

巴云氏想了一下说："你阿爸在世的时候说过，那片草场是咱们祖先留下的，但查干敖包是他们主张建的，据说敖包里还放着乌拉特人的什么东西，所以，他们咬定那片草场是他们的。"

穆氏一副委曲求全的样子："我不想把事闹大，能把我那十八只羊要回来就行，我们孤儿寡母就指望着这些羊过日子……"说着，穆氏哭了。

巴图尔怒道："这不是把我们的善良和宽容当成软弱可欺吗？我去看看。"

巴云氏立刻阻拦："回来！你去算干什么的？"

巴图尔不服气："我跟他们讲理呀！"

巴云氏斥道："这个理讲了几十年都没讲明白，你能讲明白吗？"

巴雅尔对巴图尔说："行了，你在家陪额吉和九婶，我去看看。"

巴雅尔骑上马，带着几个军兵来到西脑包。几个乌拉特牧羊人正在放牧，巴雅尔没有立刻上前，而是跳下马，带着军兵一起跪在地上向敖包磕了几个头，然后，站起来又按顺时针方向绕敖包转了三圈。

巴雅尔身边的一个军兵来到几个乌拉特人面前："你们是乌拉特人吗？"

有个乌拉特人硬邦邦地说："是啊，怎么了？"

军兵听着有点不舒服："怎么了？你们赶走了我们的羊，还问我们怎么了！"

见双方都有火气，巴雅尔阻止军兵，他向几个乌拉特人一笑："几位，放羊呢？"

几个人上下打量巴雅尔，见巴雅尔头戴红缨帽，身着海蓝色的官服，威风凛凛，气度不凡。对方见巴雅尔胸前绣的猛虎，知道他是四品武官，几个人还算客气："啊，大人，您是……"

巴雅尔很谦虚："我是土默特右旗第六甲沙尔沁章盖衙门世袭章盖巴雅尔。"

几个人点点头："噢，原来是巴大人。"

巴雅尔道："有件事我想跟你们打听打听，昨天有个十几岁的孩子在这边放羊，回去时丢了十八只，不知你们看见没有？"

几个人相互对视一下，其中一个小个子道："大人，我看见了。"

巴雅尔问："羊在何处？"

小个子犹豫一下说："我们的几个孩子见有个少年越界放羊，几个孩子让那少年离开，那少年不听，几个孩子就把少年的羊赶走了一些。"

巴雅尔不急不躁："我们的这个少年家境贫困，就靠这些羊过日子，你们能不能看在本官的薄面上把羊还给他？"

小个子思忖道："大人，把羊还给他也行，不过这块草场是我们乌拉特人的，以后你们土默特人不能再来放羊了。"

巴雅尔未置可否："那就谢谢你了。"

不一会儿，小个子从山梁后面赶过一群羊。巴雅尔一数，只有十三只，便问："好像还差五只吧？"

没等小个子说话，他身后一个胖大的汉子不高兴了："我们也不是给你们看羊的，哪知道那五只？"

巴雅尔的军兵要与他理论，巴雅尔向军兵一摆手，对胖大汉子说："你们打了我们的人，还不如数还我们的羊，这可就是你们的不对了。"

胖大汉子一听就火了："我们不对？你们把羊赶到我们的草场上，吃了我们几十年草，算一算，把这十八只羊都赔给我们也不够。当官的，你可不能仗势欺人！"

巴雅尔的那个军兵怒道："你说谁仗势欺人？谁欺负你了？"

胖大汉子根本没把这个军兵放在眼里："你横什么横？你们的羊吃了我们的草，你还有理了？"

军兵辩道："这是我们土默特人的草场！"

小个子也过来帮腔："军爷，你说这是你们的草场，有什么证据？"

小个子这么一问，军兵迟疑道："我们土默特人世世代代生活在这里，你们是从科尔沁迁过来的，这就是证据。"

小个子冷笑："军爷，我们是从科尔沁迁过来的，可这是朝廷划给我们的草场，难道你想对抗朝廷吗？"

小个子用朝廷压人，军兵一时语塞，但片刻就反应过来："朝廷明确，土默特和乌拉特以西脑包为界，西脑包是我们的，我们为什么不能来放羊？"

胖大汉子不相让："你说是你们的，那我问你，敖包里面藏着什么？"

军兵无言以对。

巴雅尔新官上任，他很想有一番作为，但跟几个老百姓吵吵闹闹，有失自己的身份，有理我到绥远将军衙署讲去。巴雅尔叫住自己的军兵，把羊先赶了回去。

巴雅尔回到家，巴图尔听说只赶回十三只羊，他"噌"地就站了起来："那是咱们的草场，怎么成他们的了？大哥，九伯伯下落不明，九婶带着乌木尔过日子多不容易，我找他们评理去！"

巴雅尔怕巴图尔与乌拉特人发生冲突，他劝阻了二弟，第二天就去了绥远将军衙署。巴雅尔把这件事报告给绥远将军福兴，福兴派人调查此事，可乌拉特人并不买账，他们认定查干敖包是他们的，乌木尔那五只羊也不给。

巴图尔觉得心中堵得慌，他出了屋，天色灰蒙蒙的，但空气很干燥。巴图尔一个人信步而行，不知不觉走到沙尔沁村外，见乌木尔骑着马，正在把羊群往东赶。

巴图尔上前："乌木尔，你不去西脑包放羊了？怎么把羊往东赶？"

乌木尔跳下马，目光黯淡："二哥，西脑包草好，羊一去就看不住。前几天咱们这边有几群羊被乌拉特人撵得到处跑，好几个羊倌被打。乌拉特人说，土默特人再把羊赶过去，就别想回来。乌拉特人咱惹不起，我额吉就让我把羊赶到东边放。"

巴图尔眉毛立了起来："他们又打了我们的人？那后来怎么样了？"

乌木尔噘着嘴："打就打了呗，还能怎么样？"

巴图尔的火撞了上来："我就不信这个邪！乌木尔，走，赶上你的羊，我倒要看看他们能怎么样！"

乌木尔后退两步："二哥，我头上的伤刚好，我可不去。"

巴图尔瞪了他一眼："你怎么跟胆小鬼四伯伯一样？"

乌木尔想辩解，但张了张嘴又低下了头。

巴图尔拉过乌木尔的马："把你的马给我，我去找乌拉特人说理去！"

没等乌木尔答应，巴图尔跳上马，飞奔而去。

巴图尔来到西脑包，见一个乌拉特人骑马放羊，他催马来到一个人面前："哎，你是乌拉特人吗？"

此人正是前些日子那个胖大汉子，听巴图尔说话挺冲，他也不示弱："我是乌拉特人，怎么了？"

巴图尔用马鞭一指："怎么了？这是我们的草场，我让你把羊赶回去！"

胖大汉子大怒："嘿，谁的裤裆没夹住，把你露了出来？"

一听如此粗俗的话，巴图尔勃然大怒，他上下齿一咬，露出两颗虎牙。胖大汉子正在叫板，"啪"，巴图尔一鞭子抽在他脸上，胖大汉子脸上顿时起了一道血印子。

巴图尔骂道："小爷倒要看看，你是从哪里露出来的！"

胖大汉子急了："小杂种，你敢打我！"

胖大汉子从腰间拔出短刀，照巴图尔前胸就刺，巴图尔往旁一闪，抓住他的腕子，用力一拧，胖大汉子的刀掉在地上，巴图尔抬脚把他踹到马下。

胖大汉子哪肯服输，他向远处高喊："弟兄们，土默特这个小杂种不讲理，还打人，都过来呀！"

他这么一喊，跑过来四五个人。这些人一下子把巴图尔围了起来。几天前的那个小个子乌拉特人也在其中，他拎着一把刀，照巴图尔就砍。巴图尔鞭子一晃，鞭梢缠在小个子刀柄上。巴图尔往回一带，小个子的刀就飞了。

小个子一愣神，巴图尔的鞭子又到了，"啪"，小个子被抽得"嗷"的一声。几个乌拉特人一拥齐上，巴图尔摇着鞭子，忽左忽右，忽前忽后，"啪啪啪……"眨眼之间，几个人都摔于马下，再没有人敢上前了。

胖大汉子用手一指："小子，有种你在这儿等着！"

巴图尔冷笑："小爷就没有逃走的习惯，把你们的人叫来，小爷一锅都给你们烩喽！"

胖大汉子飞身上马，一溜烟儿跑了。小个子几个人远远地望着巴图尔。

也就是一盏奶茶的时间，胖大汉子带来三十多人，这些人见巴图尔年龄不大，没人把他放在眼里。

胖大汉子一指巴图尔，对身边的黑大个儿说："大哥，就是这个小杂种。"

黑大个儿提马来到巴图尔面前："是你打了我们的人？"

巴图尔面无表情说："是我。"

黑大个儿喝问："为什么打人?"

巴图尔目光冷峻："因为他们打了我们的人,赶走了我们的羊,我要讨个公道。"

黑大个儿绷着脸："你们在我们草场上放羊就公道吗?"

巴图尔怒目而视："我们的先祖几百年前就生活在这里,什么时候成了你们的草场?"

胖大汉子气壮如牛："你眼睛瞎了?没看见查干敖包吗?"

巴图尔嗤笑："我看得很清楚,可那不是界脑包,那是路脑包。当年建这个脑包是给行人指路的,而且也不是你们独自修的,是土默特和乌拉特一起建的。"

黑大个儿一摆手,他示意胖大汉子不要说话,他道："你是个孩子,我不想跟你争,你走吧。"

巴图尔觉得自己有理,他说："让我走也可以,不过,你们必须让出这片草场,归还抢走的羊!"

黑大个儿脸沉了下来："我要是不答应呢?"

巴图尔上下齿一咬,露出两颗虎牙："那我就教训教训你!"

黑大个儿很是不屑,觉得巴图尔年纪不大,口气不小。他一指旁边的短衣汉子："去!陪他练练。"

第十六章

　　马上一颠，巴图尔就觉得头越来越重，脖子越来越软，他不由自主地趴在马背上。这匹马似乎发现了主人的异常，它渐渐地慢了下来。巴图尔正走着，路边有人拉住巴图尔的马……

　　短衣汉子催马来到巴图尔面前，他举起一条大铁棍，照巴图尔的头顶就砸。巴图尔把马往旁一带，"呜"，短衣汉子的铁棍走空了，巴图尔鞭子一扬，"啪"，缠在短衣汉子的脖子上。

　　巴图尔把鞭子猛地往怀里一拉，短衣汉子从马上"扑通"掉了下去。只是一个照面，短衣汉子就败下阵来，在场的乌拉特人目瞪口呆！

　　黑大个儿对身边的几个人一努嘴："嗯！"

　　几个人各持兵刃把巴图尔围在当中，巴图尔持鞭在手，上来一个抽一个，上来两个打一双，片刻，几个人全倒下了。

　　黑大个儿有点挂不住了，他吩咐一声："你们一起上！"

　　二十几个人一拥齐上。胖大汉子依仗人多势众，举刀就劈。巴图尔舞动手中的鞭子，"啪""啪""哎哟""哎哟""扑通""扑通"……就跟下饺子似的，一会儿的工夫，这二十多人从马上摔下十七八个。

　　黑大个儿火往上撞，他喝道："一群饭桶，都退下！"

　　这些人低着头，立在一旁。

黑大个儿身上挎着腰刀，可他想，对付一个孩子我还用刀，那不是有失自己的身份吗？黑大个儿也把他的马鞭抄了起来，一催马，鞭子抽向巴图尔的脖子，巴图尔头一低，反手一鞭。黑大个儿身子一歪，鞭子擦头而过。

　　两条鞭子上下翻飞，眨眼间二十几个回合过去了，两个人势均力敌。黑大个儿心中暗道，我的人跟他打了这么长时间，他居然还能和我斗成平手，这要是等他长大了，那还了得！

　　又是十几个回合，黑大个儿并没占上风。黑大个儿有点着急，心说，如果连这么个娃娃我都打不过，我在乌拉特西公旗还怎么立足？可是，怎么才能赢了这小子呢？有了，我何不这么办？就在这时，巴图尔的鞭子到了黑大个儿面门，黑大个儿身子往后一仰，左手抓住巴图尔的鞭梢，右手的鞭子"呜"地抽向巴图尔。

　　见对方抓住自己的鞭子，巴图尔的头一侧，手一抬，也抓住了黑大个儿的鞭梢。

　　黑大个儿心中得意，抓得好！你毕竟是孩子，你能有多大劲儿？黑大个儿猛地往怀里拉："你下来！"

　　巴图尔也攒足力气："你下来！"

　　黑大个儿想把巴图尔拉下马，然而，他想错了，别看巴图尔年龄小，劲儿可不小。黑大个儿连拽了几拽，巴图尔稳如磐石。黑大个儿脸憋得跟猪肝似的，巴图尔的脸也是由青变紫，两匹马"嗒嗒嗒嗒"直转圈。

　　胖大汉子心想，不好，这个土默特的小杂种不但武艺高强，劲儿也这么大，现在不把他整残废了，以后哪还有我们的好？

　　胖大汉子蹦过来一把抓住巴图尔的鞭子，他和黑大个儿一起拉。

　　对付黑大个儿一个人，巴图尔已经有点吃力了。胖大汉子一上，巴图尔就觉得对方不是两个人，而是两头牛。巴图尔在马上坐不住了，心说，我别跟他们较劲儿了，再较劲儿我非掉下去不可。巴图尔松开了自己的鞭子。

　　胖大汉子不知用了多大劲儿，他"噔噔噔"后退几步，一屁股坐在地上。胖大汉子抓住巴图尔的鞭子不放，黑大个儿没来得及松手，"扑通"，他被胖大汉子拽下马。

黑大个儿摔下马，他也把巴图尔拽了下去。巴图尔一个"鲤鱼打挺"跳起来，纵身骑在黑大个儿身上，抢拳就打。

这下黑大个儿可吃亏了，"啪"，左脸挨了一拳，"啪"，右脸挨了一拳……眨眼之间，黑大个儿的脸变成茄皮色。胖大汉子见黑大个儿被压在下面，他爬起来，拔出一把匕首，照巴图尔的后心猛地刺了过来。

巴图尔打得正来劲儿，胖大汉子的刀就到了，巴图尔听到恶风不善，身子一歪，躲得稍慢了点儿，"噗"，这刀正扎在巴图尔的后背上，巴图尔从黑大个儿身上倒了下去，血如泉涌。

黑大个儿气急败坏，他爬起来，再也不顾什么脸面了，一把拽出腰刀，举刀劈向巴图尔。巴图尔哪还顾得上伤痛，他往旁一滚，就势一脚，黑大个儿的刀飞了。

巴图尔翻身而起，一伸手，把飞在半空中的刀接在手中。巴图尔一步步逼向黑大个儿，黑大个儿连连后退。

胖大汉子见黑大个儿要吃亏，他向那群人大叫："快！保护大哥。"

这三十多人各持兵刃扑向巴图尔，巴图尔把手中刀抖开了，就跟受了伤的雄狮一般，只听得"噼哩扑哧""哎哟""哎哟"……

黑大个儿吃了巴图尔的一通拳，眼睛只能睁开一条缝，可把他气坏了。黑大个儿在一旁"嗷嗷"直叫："把这小杂种给我宰了！"

然而，黑大个儿这帮人实在是不经打，一会儿的工夫，三十多人，趴下一大半，剩下的人都不敢上前了。

胖大汉子手里拿着刀，对身边的人叫："上，上……"

巴图尔身形一纵，跳到那胖大汉子面前，寒光一闪，一个秋风扫落叶，斜劈胖大汉子的头，胖大汉子身子往下一蹲，一块头皮被削了下来，鲜血"刷"地就下来了。巴图尔手中刀一晃，刀尖顶在他的咽喉。

可把胖大汉子吓坏了，他"扑通"一声跪在地上："小爷饶命，小爷饶命……"

巴图尔不想杀人，他一抬脚，那胖大汉子飞出五尺多高，巴图尔又一脚，胖大汉子飞出八尺之外。

巴图尔知道黑大个儿是当头的，他又奔黑大个儿去了。黑大个儿从两个眼皮缝隙间发现巴图尔，他想跑，可还没等转过身，巴图尔的刀已经压在他肩上。

巴图尔喝道："别动！动我就要你的命。"

黑大个儿连声道："有话好说，有话好说……"

巴图尔喝问："我问你，你们打伤我们多少人？"

"好像，好像有七八个……"黑大个儿支吾道。

"到底多少个？"巴图尔喝问。

"……八个。"黑大个儿战战兢兢。

"我再问你，你们抢了我们多少羊？"巴图尔又道。

"有，有一百三十多只。"黑大个儿道。

巴图尔一脚踹在黑大个儿的胸前："欺人太甚！"

还没等黑大个儿爬起来，巴图尔踩住他的胸口。黑大个儿连气都喘不上来了，他挣扎着："好汉饶命，好汉饶命……"

"哼！让我饶你也可以，这西脑包是我们土默特人的，从今以后，你们乌拉特人不得到这里放羊，能做到吗？"

"……能，能。"

"还有，把抢我们的羊都赶回来，一只也不能少。"

"我，我……"

黑大个儿犹豫一下，巴图尔的脚在他胸上一踮："不答应我就踩死你！"

黑大个儿的肋骨都要断了："我答应，我答应……"

巴图尔放开黑大个儿，黑大个儿让胖大汉子从羊群中分出一百三十多只给巴图尔。巴图尔这才把脚抬起来，黑大个儿上了马，带着他的人，一溜烟儿地跑了。

巴图尔心中高兴，他骑上马，赶着羊群奔向东而来，几个沙尔沁牧羊人迎了上来——

"二少爷，你怎么了？"

"二少爷，你后背流血了。"

巴图尔装作若无其事的样子："我没事。你们看看，这里有没有你们家的羊？"

"有我家的！"

"也有我家的……"

巴图尔似乎忘记了伤痛，他志得意满："是你们的归你们，不是你们的，你们先看着，等有人认领再还给人家。"

"谢二少爷！谢二少爷！"

几个牧羊人赶着羊走了，巴图尔觉得头一阵阵发晕。他信马由缰，晃晃悠悠地往包头镇方向走去。

包头镇地理位置优越，南面与鄂尔多斯隔黄河相望，北面翻过大青山通向库伦（今蒙古国乌兰巴托），沿黄河往西可达后套和宁夏，东面与归化和绥远毗邻。一些商贾看中了包头这块风水宝地，他们将内地的商品运到这里，再将包头周边的皮毛货物贩往内地。一些人因此发了大财。

街上人群熙攘，买卖店铺门前车水马龙。巴图尔走在街道上，眼前金星乱窜，全身无力。巴图尔在马上里倒外斜，仿佛跟喝醉酒一般，他努力坚持着，又往前走了没多远，眼前一黑，从马上"扑通"一声掉了下去。

爱看热闹是中国人的特性。见有人倒在地上，卖货的也不卖了，买货的也不买了，人们都围了过来。

"这是谁呀？"

"不知道。"

"哪来的？"

"不清楚。"

海伦从人群中挤了进来，她低头一看，惊道："巴！"

见巴图尔眼睛闭着，脸色蜡黄，嘴唇发青，海伦抱起巴图尔的头，发现巴图尔背后血流不止。海伦向人群呼唤："父亲？父亲？是巴！他受伤了，流了很多血。"

鄂必格分开人群来到中间，他俯下身，用手在巴图尔鼻孔前试了试，鄂必格惊道："快！把他抬回教堂。"

鄂必格和女儿海伦把巴图尔放在马背上，人们闪出一条路。

基督教堂里，巴图尔被侧放在床上。鄂必格换上白大褂，鄂必格夫人麻利地把一个盛有医疗器皿的托盘端了过来。海伦解开巴图尔的衣服，发现了巴图尔后背的伤口，鲜血仍在往外流。海伦打开一个玻璃瓶，用镊子从中取出酒精棉，她轻轻地擦拭巴图尔背上的血迹。

　　鄂必格为巴图尔做了必要的检查，海伦焦急地问："父亲，巴的伤怎么样？"

　　鄂必格神色凝重："幸好没有伤到内脏，不过，他流血过多，急需补血药品，这一点，我们西医是不如中医的。海伦，你快去找一个中医药店，买一些补血的药品回来。"

　　当时，输血技术还没有应用到医学上。最先把输血技术应用到医学是奥地利的病理学家兰士台纳。1901年，他发现了人类的不同血型和输血方法，为现代输血技术提供了生理学基础。在以后的20年里，西方医学又逐步建立了血液抗凝和交叉配血技术，输血成为一种常规治疗方法，广泛应用于临床，兰士台纳也因此获得了1930年的诺贝尔医学奖。

　　海伦匆匆而去。

　　鄂必格缝合了巴图尔的伤口，又给巴图尔上了些西药，再用纱布缠了几道。

　　海伦买来补血中药，熬完之后给巴图尔灌了下去。一个时辰过去了，巴图尔微微地皱了皱眉，眼睛慢慢睁开了，可是，眼前模模糊糊。

　　海伦惊喜："巴，你醒了！"

　　巴图尔听出了海伦的声音，他声音不大，口气却很硬："是你！"

　　海伦耐心地解释："是我。你受了伤，流血过多，倒在街上……"

　　巴图尔"呼"地坐了起来，他朝海伦吼道："我不用你们洋人管！"

　　巴图尔站起身，踉踉跄跄地往外走。

　　海伦忙上前搀扶巴图尔："巴，你的伤很重，你是不能走的！"

　　巴图尔一甩手："放开我！"

　　海伦一个趔趄，差点摔倒。

　　鄂必格夫妇听到争吵，从里面走了出来。

　　"巴，你流血太多，需要静养，现在是不能动的！"

巴图尔扔出一句话："我不欠你们洋人的情!"

巴图尔撞开了门,见自己的马在外面,他抬起脚,好不容易踩上马镫,可使出全身的力气才坐上马鞍。

海伦想阻拦:"巴,我们不用你领情,我们只想治好你的伤。"

巴图尔看也不看海伦,冷冷地说:"这是你们第二次救我,我会加倍报答你们的。"巴图尔纵马而去。

马上一颠,巴图尔就觉得头越来越重,脖子越来越软,他不由自主地趴在马背上。这匹马似乎发现了主人的异常,它渐渐地慢了下来。

巴图尔正走着,路边有人拉住巴图尔的马,这个人轻声呼唤:"二少爷!二少爷!"

巴图尔微微睁开眼睛,见面前站着一个人:"你,你是谁?你,你怎么有两个脑袋?"

"二少爷,我是李生啊,去年冬天,你和大少爷……对了,现在是章盖老爷,你们兄弟救过我的命,难道二少爷不认识我了吗?"

巴图尔呼吸急促:"原来是李大哥。"

"是我,是我!"李生想把巴图尔抱下马,可一碰巴图尔的伤,巴图尔不由得倒吸了一口凉气。

"二少爷,受伤了!"李生叫过几个伙计:"快!把二少爷抬进咱们复盛公。"

伙计七手八脚地把巴图尔抬进屋,放在炕上。李生端来热水,巴图尔接过碗,可手一个劲儿地抖。李生捧着碗,巴图尔喝了两口:"李大哥,我求你一件事。"

李生郑重地说:"二少爷,我的命是巴家给的,我的今天也是巴家给的,有事您只管吩咐,千万别提'求'字。"

一年前,李生因遭遇歹人,他住的窝棚被烧,辛苦一年的血汗钱被抢,就连身上的羊皮袄也被人剥去了。巴雅尔和巴图尔救了他,哲旺喇嘛把李生介绍给复盛公马掌柜。李生到了复盛公,眼勤、腿勤、手勤,马掌柜见他聪明能干,为人老实,就让他协助自己管理复盛公的日常琐事,如今的李生已经是个小头目了。

巴图尔道："李大哥，你到包头召找巴音孟克，叫他马上回一趟沙尔沁，告诉我奶奶和额吉，就说，就说我有点事，过几天就回去，千万不要说我受伤了，也不要说我在你这儿。"

李生点点头："二少爷，你放心吧，我这就去。"

李生对身边的几个小伙计说："你们好好照看二少爷，我一会儿就回来。"

第十七章

巴图尔和巴音孟克是杀了几个捻子，可他们只有十七岁，都
是孩子，马升一下子就给他们八品官，这可能吗？巴云氏越想越
不对劲儿，一种不祥之兆袭上心头。

一进包头召，便是天王殿，四大天王分列两旁，他们手持法器，脚踩
四怪，气冲斗牛，十分威武。手持琵琶的是东方持国天王，他用音乐普度
众生；手执宝剑的是南方增长天王，他保护佛法，令众生增长善根；手执
绢索的是西方广目天王，他用净眼观察世界，用绢索捉拿恶人；手执宝幡
的是北方多闻天王，他用伞降魔，造福众生。

天王殿与主殿相对应。主殿是上下两层楼，二楼供奉释迦牟尼佛和护
法诸神，两侧陈列刀枪剑戟、钟鼓铙钹等法器。一楼是经堂，正中是藏传
佛教格鲁派始祖宗喀巴大师的神像，他头戴黄色尖顶帽，手捧法轮，下坐
莲花台，神态慈善安详。宗喀巴左右各有两尊塑像，左边的是一世达赖根
敦朱巴，右边的是一世班禅格雷贝桑。经堂之中有两排经床，可供几十个
喇嘛念经。墙壁四周都是彩绘，画的是释迦牟尼成佛和宗喀巴创立黄教的
故事。

院中有一尊近两米高的香炉，香炉里烧着香。

自从李生当了复盛公的小头目，他不时来包头召敬香，庙里的人对他

很熟悉。

巴音孟克提出投军，他的母亲布氏舍不得，布氏把他又送回了包头召。

李生进入包头召，又犹豫起来，我是不是应该先跟哲旺喇嘛打个招呼？可又一想，我见了哲旺喇嘛，他一定会问为什么让巴音孟克回沙尔沁。二少爷巴图尔不让我说，哲旺喇嘛对我有恩，我又不能不说。算了算了，我还是不见哲旺喇嘛，直接找巴音孟克。

李生把巴音孟克叫到庙外，他把巴图尔的话捎给巴音孟克，巴音孟克一惊："我二哥在哪儿？"

李生没有回答，而是说："巴音孟克少爷，天不早了，你快去沙尔沁送信吧，不然，老夫人和夫人见不到二少爷该着急了。"

巴音孟克似笑非笑："可我不知道我二哥在哪儿，大奶奶和三娘问我，我怎么说呀？"

按辈分，巴音孟克称乌梁氏为大奶奶。

李生道："你就随机应变吧。"

巴音孟克嘿嘿一笑："李大哥，是不是我二哥出事了？"

李生摇了摇头道："巴音孟克少爷，我已经答应了二少爷，我不能食言。"

巴音孟克还要问，李生跳上马，鞭子一扬，走了。

上次巴音孟克和巴图尔偷偷地跑出包头召追杀麻政和，八爷爷哲旺喇嘛罚巴音孟克顶四块青砖蹲马步，巴音孟克想，如果再私自离开包头召，八爷爷说不定让我顶八块。顶砖蹲马步那滋味太难受了，可是，我跟八爷爷说，八爷爷要问起二哥巴图尔，我怎么回答呢？

巴音孟克直挠脑袋，眼看天色将晚，再不走，天就黑了，从包头召到沙尔沁还有三十里路呢。巴音孟克硬着头皮来到禅房，哲旺喇嘛果然问巴图尔发生了什么事，巴音孟克把李生的话原原本本地告诉给八爷爷，出乎巴音孟克的意料，哲旺喇嘛没有多问。

巴音孟克骑着马走在回沙尔沁的路上，八爷爷这关算是过了，可大奶奶和三娘问起二哥巴图尔，我怎么回答？二哥巴图尔不想让大奶奶和三娘担心，怎么才能不让两个老人担心呢？

一弯月亮高挂在天上，夜风轻拂，远处不时传来狗叫。

回到沙尔沁，天已经定更了，巴音孟克也没编出个圆滑的说法。就在这时，沙尔沁村前的大榆树下出现两个人影，旁边拴着一匹马。见两个人影鬼鬼祟祟，巴音孟克跳下马，蹑手蹑脚地跟了过去。那两个人影说了两句话，就走向那匹马。

借着月光，巴音孟克认出其中一个，那不是四大爷多尔济嘛！另一个腰身有点像女子，但却穿着男人的衣服。

多尔济把那个人抱上马，他随后也跳上马背，两个人一马双跨，走了。

巴音孟克心中疑惑，难道是四大爷在跟哪家女人私会？四大爷绰号胆小鬼，他有那么大胆吗？

巴音孟克站在大树边胡思乱想，忽听身后有人叫道："是巴音孟克吗？"

巴音孟克回头一看，见是额吉布氏。

巴音孟克嘿嘿一笑："额吉，是我。"

布氏上前拉过巴音孟克的手："儿子，你回来得正好，快回家，额吉告诉你一个好消息。"

巴音孟克心中有事，他不经意地问："什么好消息？"

布氏本想回家再告诉巴音孟克，听巴音孟克这么一问，她有点忍不住了，眉飞色舞地道："额吉正想找你，你就回来了。额吉给你找了个媳妇，那姑娘跟你同岁，长得跟朵花似的，可漂亮了……"

没等布氏说完，巴音孟克连声道："额吉，额吉，我还有点儿事，我一会儿回去，我一会儿就回去……"巴音孟克上了马就跑。

布氏在后面喊："儿子，儿子，额吉还没说完呢……"

巴音孟克回头道："我不要！"

布氏叫道："额吉已经托了媒人，过两天就相亲！"

巴音孟克应道："你去相吧，我不去——"

布氏在后面跳着脚骂："小兔崽子，你给我回来……"

巴音孟克来到章盖巴家，巴云氏正在为巴图尔未归而着急，听巴音孟克说巴图尔过几天就回来，巴云氏骂道："这个冤家，一点儿也不让我省心，他跑哪儿去了？"

巴音孟克信口胡诌："三娘，这回巴图尔可出息了。"

巴云氏一愣："出息了？出息什么了？"

巴音孟克一拍脑门，我说什么不好，我怎么说"出息了"？现在三娘问我"出息什么了"，我，我怎么回答？

"他，他，他那个啥……"巴音孟克支支吾吾。

"哪个啥？"巴云氏追问。

"就是那个啥，那个啥，那个啥嘛……"巴音孟克仍说不出所以然来。

"你这孩子，怎么说话吞吞吐吐的，是不是巴图尔又在外面惹事了？"巴云氏急切地问。

"没，没有……"巴音孟克抓耳挠腮，一时编不出恰当理由。巴音孟克心中叫苦，他暗自埋怨，二哥呀二哥，你这不是害我吗？我可怎么向三娘解释？

"到底是怎么回事？"巴云氏沉着脸，一副打破沙锅问到底的表情。

巴音孟克没笑挤笑："那个啥，就是那个啥……三娘，我二哥他，他，他不让我跟您讲。"

巴云氏更着急了："什么？他居然不让你跟我讲？"

巴音孟克头上汗津津的："三娘，既然您一定要问，那我就不瞒您了。是这么回事，大同总兵马升不是在修包头城吗？"

"是啊。"

"捻子不是经常来袭扰吗？"

"啊，对。"

"我二哥巴图尔和我不是进过捻子的营盘吗？"

巴云氏急不可耐："是是是，我都知道。我在问你，巴图尔到底怎么了？"

巴音孟克灵机一动，主意来了，他压低声音说："三娘，马总兵把我们哥俩请去了，他要把我们哥儿俩留下。马总兵让我和二哥巴图尔带他去捣毁捻子的窝点，把捻子一网打尽。我二哥怕您不放心，先让我回来送个信。"

巴音孟克撒的这叫弥天大谎，马升修包头城不假，麻政和的捻军袭扰包头也是真。1870年（同治九年），朝廷命大同总兵马升率兵进驻包头，一方面征剿残余捻军，一方面修筑包头城。三年后的1873年（同治十二年），包头城建成。

巴音孟克连马升的衙门朝哪边开都不知道，竟说出这样的瞎话。巴音孟克很是得意，他暗自佩服自己的撒谎能力。

巴云氏紧张起来："那多危险！"

巴音孟克一撒上谎，就收不住了："不危险，马总兵只是让我们俩带路。马总兵说了，先给我和二哥八品委署骁骑尉，要能把捻子灭了，就让我和二哥当从六品骁骑校。"

巴云氏大喜："这是马总兵亲口说的?"

巴音孟克说得跟真的一样："三娘，这还有假吗? 我糊弄谁也不能糊弄您呀? 我告诉您吧，我二哥巴图尔不让说，他怕家里人把这件事传出去，万一捻子跑了，我们俩的六品官就当不成了。"

巴云氏激动得眼泪都下来了："你们长大了！都长大了！出息了！都出息了！"

巴音孟克故弄玄虚："三娘，这可关系到灭捻大计，关系到给我三大爷、给我阿爸、给所有在南阵阵亡的将士报仇，也关系到我和二哥的前途，您可千万不要对别人说。"

巴云氏连连点头："三娘知道轻重，三娘不说，你放心吧。"

离开章盖巴家已经快二更了，巴音孟克回到自己家中。

布氏家三间砖房，中间开门，布氏住西屋，巴音孟克和弟弟住东屋。巴音孟克怕额吉再提亲事，他悄悄地推开门，往炕上一躺，衣服也没脱就钻进了被窝。

布氏一直没睡，听见房门有动静，知道巴音孟克回来了。她穿上衣服，走进东屋，巴音孟克假装打呼噜。

外面的月光柔柔地照进屋中，就像母亲的手，爱抚着自己的孩子。

布氏站在炕前，一把揪住巴音孟克的耳朵："我让你装睡！"

巴音孟克装作很疼的样子，他叫道："哎呀，哎呀……额吉，额吉，我没装睡，我睡着了。"

布氏斥问："你一进屋就打呼噜，不是装睡是什么？"

巴音孟克嘟囔道："我不是累了吗？三更半夜的，觉也不让人家睡，还拧人家耳朵。"

布氏放开手，脸上又露出笑容："累了？行，那你就躺着听，额吉跟你说的那姑娘是你七婶的娘家侄女，不但长得好，心也灵，手也巧……"

巴音孟克打断了母亲的话："我才十七，你着急给我娶什么媳妇？我不要！"

布氏两手叉腰："不要也得要！你阿爸十七岁娶了我，十七还小吗？"

巴音孟克分辩道："二哥巴图尔比我还大呢，人家不也没成亲吗？"

布氏眼睛一瞪："小子，没看出来，长脾气了？敢和额吉顶嘴了！"布氏掀开被窝要掐巴音孟克，巴音孟克忙告饶："额吉，额吉，你先别掐，你先听我说，我有大喜事告诉你，大喜事……"

布氏放开了手："大喜事？什么喜事比娶媳妇还大？"

巴音孟克坐了起来，他眨了眨眼："额吉，这件喜事比娶媳妇可大多了……"

巴音孟克把对三娘巴云氏撒的谎又添油加醋地说了一遍，布氏一拍大腿："哎哟，儿子，这么大的喜事你咋不早说呢？"

巴音孟克一副委屈的样子："我一回来你就拧我耳朵，不让我睡觉，我怎么说呀？"巴音孟克嘿嘿一笑，"额吉，你说我刚刚步入仕途，就凭你儿子的本事，说不定被哪位王爷、贝勒看中，弄不好就兴许被招个驸马什么的。额吉，你现在给我成亲，这，这不是误了我的大好前程吗？"

布氏心里比吃了蜂蜜还甜，但嘴上却骂道："瞧你那德性，还想当驸马……"

巴音孟克又躺下了："我困了，睡觉。"

布氏看着儿子，心里别提多高兴了。见巴音孟克没脱衣服，关切地说："穿衣服睡不解乏，把衣服脱了睡吧。"

在李生的精心照顾下，没几天，巴图尔脸上就泛起了红光。复盛公的生意越做越大，准备明年开春进入库伦市场，马掌柜想把旅蒙驼队交给李生。可是李生不会蒙古语，他心里很着急。巴图尔在复盛公养伤，没事可做，他主动教李生蒙古语。巴图尔热心教，李生努力学。

这天巴图尔正在教李生蒙古语，门开了，巴音孟克从外面走了进来："二哥，原来你躲在这儿啊，大奶奶和三娘都要急死了。"

巴图尔信以为真："真的？你也没跟我奶奶和额吉撒个谎？你可真笨！"

巴音孟克眼睛往天花板上看："你也不是不知道，我这么诚实，哪会撒谎啊！"

巴图尔下地要走："我得马上回去。"

李生放心不下："二少爷，你的伤还没好，再养几天吧。"

巴音孟克惊道："二哥，你受伤了？"

"伤得很重……"李生把巴图尔与乌拉特人恶斗的经过说了一遍，他还要往下说海伦救巴图尔，可被巴图尔拦住了。

巴音孟克一挑大拇指："好！干得好……哎，二哥，这么大事你咋不叫上我呢？"

巴图尔心不在焉："你在包头召，八爷爷管得那么严，我哪敢？"

巴音孟克指着巴图尔："八爷爷管得严不严是一回事，你告不告诉我又是一回事。二哥，我可告诉你，下次可不能把我忘了。"

巴图尔道："行行行，以后再说，我得赶紧回沙尔沁。"

巴音孟克问："回沙尔沁干什么？"

巴图尔的心跟着了火似的："我奶奶和额吉急成那样，我能不回去吗？"

巴音孟克却坐在炕沿儿上："你的伤不是还没好吗？等好了再回去吧。"

巴图尔一边穿衣服，一边往外走："不行，我不能再让奶奶和额吉操心了。"

巴音孟克站了起来，两手交叉抱在胸前："不用了，我已经把大奶奶和三娘安排明白了。"巴音孟克把他撒的弥天大谎原原本本地告诉给巴图尔。

巴图尔呆呆地看着巴音孟克:"巴音孟克,你这谎撒得太大了吧?"

巴音孟克嘿嘿一笑:"不大,不大。二哥你想,马总兵在修包头城,麻政和那帮捻子隔三差五地就来偷袭,马升能不想办法灭捻子吗?他要灭捻子,少得了咱们哥们儿吗?"

巴图尔不以为然:"你以为你是谁呀?马升手下那么多军兵,难道就缺我们两个?"

巴音孟克拉着长声:"二哥——马升手下是有不少人,可他们都没进过捻子的山洞,进过捻子山洞的只有我们哥儿俩,他不找我们找谁?"

巴图尔觉得也有道理,李生把巴图尔又留下了。

老夫人乌梁氏多日不见巴图尔,便询问巴云氏。巴云氏就把巴音孟克的谎言当成真事告诉给老夫人。老夫人点点头,巴图尔在马升总兵的营里当了委署骁骑尉,品级虽然不高,可这刚刚开始,孩子毕竟只有十七岁。等麻政和一灭,巴图尔就是骁骑校了,骁骑校比内地的县太爷官还大呢!

婆媳二人正说着,多尔济来了,乌梁氏和巴云氏都不想张扬,也就不再提巴图尔了。多尔济给老夫人乌梁氏请了安。见老夫人有点累,巴云氏就离开婆母的房间,多尔济跟了出来。

进了巴云氏的房间,使女端上奶茶,多尔济没喝,他赔着笑脸:"三姐吉,巴图尔在家不?"

巴云氏摇了摇头,没有多做解释。

多尔济从腰间取出鼻烟壶,打开盖,他闻了闻鼻烟,说:"三姐吉,巴图尔把乌木尔的马骑走二十多天,乌木尔天天放羊,一天要走几十里路,鞋都磨坏了,让巴图尔把乌木尔的马还了吧?"多尔济仿佛在为乌木尔鸣不平似的。

巴云氏纳闷:"巴图尔骑乌木尔的马?我们家里有十几匹马,他骑乌木尔的马干什么?"

多尔济道:"前些日子,乌木尔不是被乌拉特人打了吗?还被抢走十八只羊,巴雅尔出面要回十三只,乌木尔他额吉就不再让他到西脑包放羊了。那天乌木尔骑马放羊，路上碰见了巴图尔，乌木尔说，咱们又有人被乌拉特人打了，谁也不敢到西脑包放羊，巴图尔当时就骑上乌木尔的马走了。"

巴云氏神色惊慌："巴图尔去哪儿了？"

多尔济嗫嚅道："好像，好像，好像是找乌拉特人评理去了……"

巴云氏大惊，巴图尔好打抱不平，到处惹是生非，他去找乌拉特人评理？绥远将军福兴都解决不了，他能评出什么理？巴音孟克不是说，他们两个被马升请去当委署骁骑尉了吗？……不对！巴音孟克还在家中，他没到马升的营里去呀！巴图尔和巴音孟克是杀了几个捻子，可他们只有十七岁，都是孩子，马升一下子就给他们八品官，这可能吗？巴云氏越想越不对劲儿，一种不祥之兆袭上心头。

巴云氏的心都提到嗓子眼儿了，他问多尔济，是不是巴图尔跟乌拉特人打起来了？多尔济当然不知道，巴云氏又吩咐使女，让她到前面衙门把巴雅尔叫来。

巴雅尔一进客厅巴云氏就问："巴图尔在哪儿？"

巴雅尔不知发生了什么事："二弟不是在马总兵的营里当差吗？"

巴云氏怒道："当什么差？肯定是他在外面惹事不敢回来了。"

正说着，门一开，巴图尔走了进来。

一见巴图尔，巴云氏厉声道："冤家，给我跪下！"

第十八章

　　乌拉特人在敖包里放了一匹白马和蒙古文的《平安经》。多尔济和巴图尔都说敖包是土默特的，可拿不出有力证据。理藩院要来打开敖包查验，一旦敖包中如乌拉特人所说，这场官司巴家就输定了。

　　巴图尔跪在地上，神色坦然。

　　巴云氏探身道："我问你，你骑乌木尔的马干什么去了？"

　　巴图尔理直气壮："找乌拉特人要羊去了。"

　　巴云氏问："要什么羊？"

　　巴图尔往西方一指："他们乌拉特人抢走咱们沙尔沁一百三十多只羊，我向他们要这些羊啊。"

　　巴云氏喝问："你这些天不回来，是不是跟人家打架了？"

　　巴图尔见巴云氏一脸怒容，他嘟囔道："嗯……额吉，你是不知道，那些乌拉特人不讲理，他们三十多人打我一个，我能挺着让他们打吗？"巴图尔有些得意，"结果他们被我打得连滚带爬，抱头鼠窜……"巴图尔说着站了起来，"他们之中有个黑大个儿，是个当头的，我骑在他身上，左一拳，右一拳，他眼睛都成烂桃了……"

　　"住口！"巴云氏大喝："冤家，谁让你站起来了？跪下！"

巴图尔又跪下了，兴奋的心情仍难以自制。

巴云氏怒道："我再问你，给马总兵当差是怎么回事？"

巴图尔挠了挠脑袋："那，那是巴音孟克瞎说的。"

巴云氏怒不可遏，拿过鸡毛掸子，照巴图尔的后背就打："冤家，你跟人打架，还让巴音孟克回来撒谎，我打死你，我打死你……"

多尔济上前拉巴云氏，巴云氏道："他四伯伯，你别管，这冤家不打不行，他居然撒这么大谎。"

"啪啪啪……"鸡毛掸子抽在巴图尔身上，巴图尔一动不动。

自从巴图尔不愿过继给多尔济，还叫了多尔济的外号胆小鬼，多尔济就对巴图尔心存芥蒂。这小子，就得他额吉收拾他。巴云氏不让他拉，他就坡下驴，站在一旁看热闹。

巴云氏打了十几下，巴雅尔发现巴图尔的后背洇出血来，他忙上前拉住巴云氏："额吉，不要打了，血！"

一见血，巴云氏的手停在半空。巴云氏慌了，她想把巴图尔扶起来，可是巴图尔已经站不起来了。

巴图尔的脸跟白纸一般，巴雅尔把巴图尔抱到椅子上："二弟，你怎么了？你怎么了？你说话呀！"

多尔济也着急了："这是怎么了？怎么会这样？"多尔济反倒埋怨巴云氏，"不是我说你，三姐吉，你下手也太重了，打孩子哪有下这么重的手？"

巴云氏又爱又怜，又恨又悔，她眼泪下来了。巴云氏解开巴图尔的衣服，见巴图尔后胸有一处刀伤。伤口虽然愈合，可都是嫩肉，巴云氏一顿鸡毛掸子，伤口被抽开了，血流不止。

巴云氏扔掉鸡毛掸子："冤家，你怎么不躲，怎么就硬挺着挨打，你真是气死额吉了……"

巴图尔如释重负："我想让额吉打几下出出气。"

巴云氏哭得更厉害了："你这冤家，你伤得这么重，额吉还出什么气呀……"

巴图尔安慰母亲："额吉，我没事，真的没事。"

使女拿过药来，巴云氏亲自给巴图尔敷药，包扎好了之后，她又严厉起来："冤家，你给我听着，从今天起，你哪儿也不能去！"

话音刚落，外面传来一阵脚步声，有人接过话茬道："他哪儿也不能去，跟我走！"

一个身着官服，胸前绣着大雁，头带蓝顶子的人走了进来，后面跟着几个军兵，军兵一个个挎着腰刀，七个不服，八个不愤，趾高气扬。老仆追在这些军兵的后面："大人等等，大人等等，我去通禀，我去通禀……"

这群人根本不听，门帘一挑，就进了屋。

清代分文官和武官，文官用鸟来表明官阶：一品仙鹤，二品锦鸡，三品孔雀，四品大雁，五品白鹇，六品鸬鹚，七品鸳鸯，八品鹌鹑，九品练鹊。武官用兽来表明官阶：一品麒麟，二品雄狮，三品豹子，四品猛虎，五品黑熊，六品彪，七品、八品犀牛，九品海马。无论文官还是武官，帽子上都配有顶珠，也叫顶子或顶戴。一品红宝石，二品红珊瑚，三品蓝宝石，四品青宝石，五品水晶，六品砗磲（chēqú），七品素金，八品镂花阴文金顶，九品镂花阳文金顶。

此人胸前的绣雁和头上的顶子表明他是个四品文官。

巴云氏定睛一看，呆了，这不是武梁嘛！武梁曾打过自己歪主意，他怎么来了？当年他在沙尔沁代理章盖时是五品武官，现在怎么成了四品文官？而且，武梁当时被绥远将军福兴免了官职，几年的时间，他居然从武官阶跨到了文官阶？

巴雅尔、巴图尔、多尔济都愣了。

武梁挑衅地一笑："怎么，不认识我了？在下武梁，当年曾在沙尔沁代行过章盖之职啊，现在本官是理藩院四品郎中了。"

自隋朝始设六部，各朝代都延续下来。到了清朝，又增加了一个管理蒙藏及各少数民族的衙门——理藩院。理藩院下设旗籍、王会、典属、柔远、徕运和理刑六个司。理藩院与吏、户、礼、兵、刑、工六部规格相同，都是从一品。

武梁东山再起，多亏了他那位奇货可居的妹妹。武梁被免时，一连数日寝食难安，一个月里，他瘦了三十多斤。武梁思索再三，除了当官，我什么本事也没有，我必须当官。

不久，理藩院尚书满仁来绥远巡查，武梁暗想，把妹妹嫁给王爷、贝勒是不可能了，干脆嫁给满仁吧。可满仁是当朝一品，武梁是一介百姓，根本靠不上边。武梁眼珠一转，他连夜请人给妹妹画了一张像，第二天，武梁不惜倾家荡产，花银子把这张画交给满仁的戈什哈，请戈什哈献给满仁。满仁一看，眼睛就直了。当天晚上，武梁的妹妹就被送进了满仁的公馆。武梁的工夫没有白费，满仁回京仅一个月，武梁就被调到理藩院，满仁给了他一个从四品郎中。

按照清朝的规定，官阶低的要向官阶高的打千儿行礼。巴雅尔和武梁官阶相同，他向武梁抱了抱拳，武梁也向巴雅尔抱了抱拳。

武梁洋洋自得："巴大人，本官不才，受理藩院尚书满大人之命来沙尔沁捉拿一个人……"武梁从怀里拿出理藩院的官文，巴雅尔接过一看，上面写着要带巴图尔进京打官司，下面盖着理藩院的大印。

武梁环视一下众人，目光在巴云氏脸上停了一下，巴云氏没有看他，武梁又转向巴图尔："乌拉特人状告巴图尔强占他们的草场，打伤他们的人，抢走他们的牲畜，我是来带巴图尔的。"

巴云氏和多尔济大惊失色。

武梁以怨言的方式炫耀："人都说，为人不当差，当差不自在，风里也得去，雨里也得来。本官没办法，只得从京城赶到沙尔沁，还望各位见谅。"武梁走到巴图尔面前，"二少爷，跟本官走一趟吧？"

巴雅尔和巴图尔都是巴云氏的心头肉，武梁要带走巴图尔，巴图尔刚刚愈合的伤口又被巴云氏的鸡毛掸子抽开了，巴云氏挡在巴图尔面前："不行！不能去！"

武梁沉下脸："怎么着？夫人要跟朝廷作对吗？"

巴云氏不知所措。

巴图尔却不以为然，乌拉特人占了我们的草场，打伤了我们的人，赶走了我们的牲畜，用刀捅伤了我，现在还倒打一把，把状子告到京城，我跟他们好好理论理论。

巴雅尔也很气愤，西脑包那片草场本来就是我们土默特的，乌拉特人占了几十年，现在又要据为己有，这不是把我们的宽容当成软弱可欺吗？

巴雅尔解开巴图尔的衣服，露出刀伤："大人请看，这刀伤就是乌拉特人干的。"

武梁扫了一眼巴图尔的伤："巴大人，这些道理你们得向满大人讲，我只是奉命拿人。"

巴图尔声音洪亮："不就是打官司嘛，有理走遍天下，我跟你去！"

巴云氏拉住巴图尔的衣襟，她对武梁说："武大人，你也看见了，我儿子伤得这么重，要打官司，我替他去。"

武梁一脸邪气："本官也想带夫人走，可惜呀，这官文上写的是巴图尔，不是夫人。"

巴雅尔想去，但他是章盖，官身不由自主，他离开沙尔沁要上报绥远将军衙署批准，否则就是擅离职守，是要受到惩处的。

一旁多尔济开口了："是可忍，孰不可忍！三姐吉，巴雅尔，我跟巴图尔一起去！"

往日，多尔济很是猥琐，现在他腰板也直了起来，胸脯也挺了起来，一副英雄出征的气概。这大大出乎巴云氏、巴雅尔母子的意料。

巴云氏心中豁然开朗，可转瞬间她的目光便黯淡下来："他四伯伯，你还是别去了。"

多尔济一拍胸脯："怎么，三姐吉，你还真把我当成胆小鬼了？"

多尔济这么一说，巴云氏倒不好回答了："我，我不是这个意思。"

多尔济大义凛然："不管你是啥意思，我一定去！"

多年来，武梁对巴图尔耿耿于怀，自己在沙尔沁代理章盖，巴图尔不但用刀刺伤过他，还因为巴图尔使坏，福兴罢了他的官。武梁脸上带着笑，可那是笑里藏刀，他恨不能一下子把巴图尔踩死！对于多尔济，武梁听说过，此人表面看上去像个绅士，内心胆小怕事，三杠子也压不出一个屁来，这两个人进京打官司，倒是称了我的心愿。

多尔济和巴图尔去了北京，然而，官司一打就是半年多。

客厅之中，老夫人乌梁氏、巴云氏、布氏、穆氏、巴雅尔、巴音孟克等巴氏族人坐了一屋子，人们七嘴八舌——

"老辈子人不知怎么想的，凭什么让乌拉特人把敖包建在咱们的草场上？"

"就是，这要换成别的部落，早就把乌拉特人赶走了。"

"也不能这么说，巴家世代礼佛，佛祖讲的就是宽容。"

"咱们宽容，可人家骑在你脖子上拉屎……"

人们正议论着，老仆跑了进来："四爷多尔济回来了！"

巴氏族人都迎了出来，巴云氏急切地问："他四伯伯，巴图尔怎样？官司怎样？"

多尔济直摇头，不说话。

布氏是个急性子，她嗓音又尖又亮："胆小鬼，你聋了？"

多尔济咽了口唾沫，翻了翻眼："我说他五婶，好歹我也是你四哥，你不叫四哥我也不挑你，总不能一见面就叫我外号吧？"

布氏手一扬："得得得，算我不对，你快说，官司到底怎么样了？"

穆氏把一碗热腾腾的奶茶端给多尔济，多尔济接过奶茶眉头紧锁："难哪！这官司难赢啊。"

这个官司首先要认定敖包的归属问题，然后才断打人的事。乌拉特人认定西脑包草场是他们的，说当年建敖包时，乌拉特人在敖包里放了一匹白马和蒙古文的《平安经》。多尔济和巴图尔都说敖包是土默特的，可拿不出有力证据。理藩院要来打开敖包查验，一旦敖包中如乌拉特人所说，这场官司巴家就输定了。

蒙古人在建敖包时，通常要在敖包里放祭天之物。据说，只有这样，敖包才有灵性，才能与天神相通。祭天之物通常是活着的牛、马、羊或骆驼。最早也有放活人的，活人不是普通人，必须是"毛人"。毛人就是脸上布满络腮胡子，胸、腹、腿都长黑毛的人。建敖包时要留个小门，等敖包建完了，把毛人用酒灌醉，从小门将其放入敖包之中，然后再用石头把小门封死，毛人就算献给天神了。一个活生生的人，就被困死在敖包之中。多年以后，敖包中只剩一堆白骨。

明朝后期，土默特部首领阿拉坦汗称雄塞外，他赐封了第一位达赖喇嘛，蒙古草原引入藏传佛教格鲁派。此后，建敖包严禁用毛人祭天，全部以牲畜替代，不但如此，包里还要放喇嘛教的经书。因此，乌拉特人在建敖包时放进了一匹白马和《平安经》。

巴云氏无可奈何："西脑包是我们祖先留下的草场，天下人人皆知。难道他们放匹白马和经书就成了他们的吗？这还讲不讲理？"

多尔济摇着头："这年头还讲什么理？有美女就有理，有银子就有理。武梁把妹妹献给理藩院尚书满仁，就能扶摇直上；乌拉特人给满仁送了银子，理藩院就向着他们。理是什么？理就是一泡牛粪，说它有用，汉人用它种地，蒙古人用它烧火；说它没用，看一眼都恶心半天。"

布氏双手往腰上一叉："要是输了官司，我就跟乌拉特人拼命！"

穆氏柔声细气说："五姐吉，拼不是办法，要真打起来，肯定是两败俱伤……"

布氏嗓音提高八度："宁可让乌拉特人打死，也不能让他们欺负死！"

穆氏不再反驳，她目光转向巴雅尔："巴雅尔，你是章盖，你说该怎么办？"

巴雅尔一直皱着眉："事已至此，除了使银子，还能有什么办法？"

老夫人乌梁氏手中不停地捻着佛珠："我看银子就不要使了，佛祖释迦牟尼能割肉喂鹰，舍身饲虎，我们巴家世代礼佛，应该把宽容和忍耐放在第一位。"

相传，释迦牟尼成佛之前是几世修行的大善人，其中有一世他曾遇到一只鹰捕捉鸽子，鸽子飞到释迦牟尼身旁，释迦牟尼为救鸽子向鹰求情。鹰说："你觉得鸽子可怜，可我吃不到鸽子，我就会饿死，我就不可怜吗？"释迦牟尼思索再三说："那你就吃我的肉吧。"于是，他把自己身上的肉割下来，一块一块地喂鹰。还有一件事，释迦牟尼兄弟三人看见一只瘦骨嶙峋的母虎带着两只小虎崽。两只小虎崽纠缠母虎要吃奶，母虎觉得自己的奶水连一个虎崽也喂不饱，它想吃掉一只虎崽，以增加奶水喂养另一只。释迦牟尼就把两位哥哥支走，他脱去衣服，躺在地上让母虎吃他。母虎有了奶水，两个虎崽都活了下来。这就是佛经上说的释迦牟尼割肉喂鹰和舍身饲虎的故事。

老夫人乌梁氏这么一说，大家都默不作声了。

巴音孟克眼珠一转，他来到老夫人面前："大奶奶，您这么大年龄了，就别操这份心了，我扶您回上房休息。"

巴音孟克把老夫人送回屋，他又跑到客厅，全族人都像被霜打的草一般，低着头不说话。

巴音孟克捅了一把多尔济，又拽了一把巴雅尔："四大爷，大哥，别这样啊，官司不是还没输吗？"

没有人理巴音孟克。

巴音孟克嘿嘿一笑，诡秘地说："我有个主意，保证能赢这场官司。"

巴氏族人都抬起了头——

"什么主意？快说！"

巴音孟克故意卖了个关子，他摇头晃脑："这主意嘛，我现在不能说。"

布氏急了，她一把揪住巴音孟克的耳朵："小王八羔子，上次你糊弄我，说马总兵让你和巴图尔去当什么委署骁骑尉，我还没找你算账呢，现在全族人都在为官司着急，你却拿大伙开心，我把你耳朵拧下来！"

巴音孟克连连求饶："额吉，额吉，我没拿大伙开心，我是真有主意，我有好主意……"

一听巴音孟克这么说，大家都来劝阻布氏。布氏放开手，愤愤地看着巴音孟克，巴音孟克揉了揉耳朵，说出了他的想法。人们都觉得这主意虽好，可就是有亵渎天神之嫌。

多尔济喜上眉梢："天神是主持正义的。这片草场本来就是我们的，等官司打赢了，咱们再杀牛宰羊，向天神谢罪！"

第十九章

巴音孟克猛然想起那次从家庙包头召回来，见多尔济在大榆树下和一个身着男装的女了一马双跨，难道那个女子就是汉人？如此看来，四大爷胆子不小嘛！

清朝时期，几乎每个蒙古旗都有一座喇嘛庙，也称旗庙。个别大的家族，比如像本书中的巴氏家族也修自己的家庙。旗庙也好，家庙也罢，都是藏式的，而且，都是用藏语诵经。乌拉特西公旗的旗庙是梅力更召，如今，这座寺院已经划归包头市九原区。梅力更召很特殊，这座召庙把藏文的经卷翻译过来，用蒙古语诵经。

因为这层关系，乌拉特西公旗和土默特右旗共同建西脑包时，乌拉特人放进了蒙古文的《平安经》。蒙古民族崇尚白色，他们认为，白马和白骆驼可通天神，在重大仪式上，都少不了白马和白骆驼。所以，在放蒙古文《平安经》的同时，乌拉特人还放进了一匹白马。这座敖包毕竟几十年了，白马应该早就化成一堆尸骨了，但马毛的颜色、马头和马蹄肯定能分辨出来。

理藩院尚书满仁把土默特右旗和乌拉特西公旗相关人员召集到一起，双方来到西脑包前，准备打开敖包。

满仁的脸阴沉着，打着官腔："如果敖包里面是白马尸骨和蒙古文

《平安经》，这片草场就归乌拉特西公旗所有，土默特右旗不得再踏入这片草场半步，你们都听明白了吗？”

乌拉特人声音清脆："听明白了。"

多尔济道："大人，我们土默特右旗的老辈人说了，西脑包里是一匹白骆驼和藏文《平安经》，不可能是白马和蒙古文《平安经》。"

乌拉特人信心十足："不可能！我们乌拉特西公旗的老辈人也说了，他们亲眼看见放进去的是白马和蒙古文《平安经》。"

巴音孟克似笑非笑："现在争这个问题已经没有意义了，打开敖包一看便知。刚才大人说了，如果是白马和蒙古文《平安经》，西脑包的草场就归你们乌拉特西公旗，我们土默特右旗无论男女老少，绝不踏进半步。可要是白骆驼和藏文《平安经》呢？"

满仁的脸扭向乌拉特人，乌拉特人胸有成竹："如果是白骆驼和藏文《平安经》，这片草场就归你们，我们也是无论男女老少，绝不踏进半步！"

巴音孟克嘿嘿一笑："空口无凭！"

乌拉特人道："立字为证！"

满仁点点头："好！"

官吏写好了文书，双方都签了字，画了押，然后向敖包焚香祷告，磕头跪拜。宗教仪式进行完了，人们拆石头，开敖包。

石头被一块块搬开，渐渐地露出一副尸骨，乌拉特人齐声道："大人请看，那是马头，那是白马的毛。"

多尔济道："不对，那是骆驼头，是白骆驼毛。"

"不是白骆驼，是白马！"

"不是白马，是白骆驼！"

满仁眼睛一瞪："肃静！这分明就是白马。"满仁怒视着多尔济等人，"你们为什么说是白骆驼？"

巴音孟克嘿嘿一笑："大人，是骆驼是马，看头骨看毛色不容易分辨。只要一看蹄子不就清楚了吗？骆驼蹄子是分瓣的，是偶蹄；马蹄子是不分瓣的，是奇蹄。大人请看，这具尸骨的蹄子可是分瓣的，难道有人想指骆驼为马吗？"

听巴音孟克这么一说，人们恍然大悟，马蹄和骆驼蹄有天壤之别，双方定睛一看，可不是嘛，那就是骆驼蹄子。

乌拉特人有点急了："看经书！看经书！"

巴音孟克早就把敖包里的经书捧在手里，他翻了翻，对满仁道："大人，乌拉特人又错了，这是藏文的《平安经》！"

乌拉特人高叫："你胡说，不可能！"

有人过来要抢经书，巴音孟克喝道："你们要干什么？满大人在此，我看你们谁敢放肆！"巴音孟克以满仁来威吓乌拉特人。

满仁一伸手："把经书呈上来！"

巴音孟克把经书交给满仁，满仁从头翻到尾，也没找出一个蒙古文字母。

巴音孟克往满仁面前一跪："大人，乌拉特人目无官府，欺瞒大人，罪不可恕，请大人明断！"

多尔济等土默特右旗人也都跪下了："请大人明断！请大人明断……"

乌拉特人也跪下了："不对！大人，这一定是土默特人拆开了敖包，他们把白马尸骨和经书调了包。"

巴音孟克没笑挤笑："调包？亏你们想得出来。要找几十年前的经书不难，可要找这几十年前的骆驼尸骨，你们告诉我，哪儿有？哪儿有？哪儿有啊？"

乌拉特人被问得哑口无言。满仁只得把西脑包这片草场判给土默特右旗。不久，朝廷派人在西脑包路旁筑起一面大照壁。大照壁用青砖垒成，南北长约十二米，东西宽约一米五，高六米左右，上面是绿色琉璃瓦封顶。从此，土默特右旗和乌拉特西公旗以大照壁为界，东面归土默特右旗，西面归乌拉特西公旗。如今大照壁已被确定为包头市重点保护文物，西脑包已经演化为一条街道的名字。

官司打赢了，巴图尔从京城放了回来，巴氏全族来到西脑包，摆上丰盛的祭品，献上一条条哈达，祭祀天神。

回到沙尔沁，章盖巴家杀牛宰羊，人们开怀畅饮。大家都十分高兴，多尔济却是心事重重，他端着酒碗来到老夫人乌梁氏面前："大婶，我敬您老人家一碗。"

乌梁氏居中而坐，她脸色总是那么平和，高兴时老人也不眉开眼笑，烦恼时也不愁眉苦脸。老夫人接过酒，轻轻地抿了一口。

多尔济对老夫人道："大婶，为了这个官司，我跑前跑后，苦没少吃，罪没少受，白眼没少挨，您老是不是得给我点奖赏？"

老夫人乌梁氏淡淡一笑："嗯，说吧，你要什么奖赏？"

一旁的巴云氏一阵紧张，多尔济一直想把巴图尔过继给他，这回他为全族立了大功，他该不会又想抢我的儿子吧？

多尔济刚要往下说，巴音孟克站了起来，他打断了多尔济的话："四大爷，要说功劳，那得说我最大。要不是我略施小计，咱们的官司就输定了。要赏也得先赏我。"

乌拉特人猜得没错，西脑包里的马骨和蒙古文《平安经》确实被调了包，那里的骆驼尸骨和藏文经书都是巴音孟克从东脑包里搬过去的。东脑包是土默特右旗自己建的，东西两个敖包建的年代差不多，所以，从骆驼尸骨上看不出任何问题。

多尔济正要反驳，布氏伸手揪巴音孟克的耳朵："我来赏你，我来赏你……"

巴音孟克吓得直往后躲："额吉，你要干什么？"

布氏双手叉腰："你有个屁功？你最多是将功折罪。"

巴音孟克辩解："我有什么罪？"

布氏骂道："你个小王八羔子，你二哥巴图尔打了乌拉特人，你却说你们两个被马升招去当了委署骁骑尉，你把全章盖的人都骗了，这罪还轻吗？"

巴音孟克咽了口唾沫，眼睛眨了眨，他满满地倒了一碗酒，端到布氏面前："嘿嘿嘿，额吉，那我敬你一碗，就算我给你老人家赔罪还不行吗？"

布氏笑了："这还差不多。"她接过酒，悄悄地在巴音孟克耳边小声斥道："你四大爷看上了一个汉族姑娘，他求你大奶奶答应，你跟着瞎掺和什么！"

巴音孟克猛然想起那次从家庙包头召回来，见多尔济在大榆树下和一个身着男装的女子一马双跨，难道那个女子就是汉人？如此看来，四大爷胆子不小嘛！

几年也没有笑容的穆氏，见这对母子这般亲昵，她露出了笑脸："你们母子俩嘀咕啥呢？也让大伙听听呗！"

布氏有些孩子气地望着穆氏："这是秘密，没到时候不能说……"

"这又是好酒，又是好肉，巴家是提前过年了？"外面有人扯着大嗓门道。

声音刚落，门开了，一个大汉带着四个军兵走了进来。大汉四十多岁，身材高大，膀阔腰圆，两只环眼，一脸络腮胡子。见他头戴红缨帽，上镶珊瑚宝珠，身着蓝色官服，下衫江牙海水，胸前绣的是雄狮补子。

此人的顶子和补子表明，这位是二品武官。

巴雅尔不由得一愣，这不是坐镇包头的大同总兵马升嘛！

巴雅尔起身相迎，他按朝廷规定的礼节给马升磕头："土默特右旗第六甲沙尔沁章盖巴雅尔叩见马总兵。"

马升拉住巴雅尔的胳膊，把巴雅尔拽了起来："巴大人，起来起来。"

马升环视一下客厅，见老夫人乌梁氏居中而坐，他粗声粗气地问："老人家，您是南阵阵亡的沙津沙将军的母亲吧？"

老夫人乌梁氏见马升向自己问话，忙站了起来："我是沙津的额吉，大人，请坐……"

马升紧走几步，一撩官袍跪在乌梁氏面前："当今天下，我就佩服沙将军，那才是一条汉子！是一条铁骨铮铮的汉子！我娘死得早，您老人家是沙将军的娘，那就是我的娘。娘啊，我给您磕头了。"

马升摘下红缨帽，给老夫人乌梁氏"梆梆梆"磕了三个响头，老夫人以手虚搀："马总兵，快快请起，你是当朝二品，我老太婆受不起，受不起啊！"

"受得起，受得起。"马升站了起来，"娘啊，来得早不如来得巧，我也讨碗酒喝，行不？"

乌梁氏连声道："总兵大人能光临巴家，我求之不得。快快快，给马大人和几位军爷准备碗筷。"

天也热点儿，马升也随便点儿，他把官衣官帽一脱，解开白色衫衣，胸前的护心毛露在外面："娘啊，可不是'求之不得'，我是求您老人家来了。"

马升奉命在包头筑城，两年来，麻政和的捻军常常袭扰，一些土匪也跟着起哄，筑城的钱粮不时被劫，马升几次带兵征剿。可马升一出动，麻政和就跑；马升一回去睡觉，麻政和又来了，气得他天天骂娘。后来，一个部将告诉他说，有两个人到过捻军营寨。

马升正在气头上，他开口就骂："混蛋！那还不快把这两个人抓来？"

这个部将忙解释："总兵大人，你误会了，这两个人不是通捻，而是杀捻子的。"

这个部将把麻政和偷袭后营子，王山被杀得龟缩在土墙后不敢出来，巴图尔和巴音孟克袭击捻军的事简单地讲给马升。

马升一挑大拇指："好！有种！后来怎么样了？"

部将道："后来，他们被麻政和抓走了。"

马升又骂："混蛋！被麻政和抓走了说这个还有屁用？"

部将习惯了马升的说话方式，他赔着笑："后来听说这两个人又跑回来了。"

马升粗中有细，两只环眼转了转："你是说把这两个人找来，让他们带路，咱们杀进麻政和的营寨，把捻子一窝端了？"

部将说的就是这个意思，马升精神大振："你快说，这两个人叫什么名字？家住在哪儿？"

部将道："听说这是两个半大孩子，一个是沙津的儿子，另一个是沙津的本家侄子。"

马升一拍桌子："原来是沙津的儿子和侄子，我说怎么有这么大的胆子，这真是虎父无犬子，我可得好好看看这两个孩子。"

就这么着，马升带人来找巴图尔和巴音孟克。

桌上摆的都是蒙古人平时喝酒的小银碗，马升拿过一个大碗，他倒上酒，"咕嘟咕嘟"先喝了一碗，然后对老夫人乌梁氏说明了来意，老夫人叫巴图尔和巴音孟克过来给马升施礼。

马升看了看巴图尔，又瞅了瞅巴音孟克，他出口就是粗话："真他娘的有种！两个毛孩子竟敢追杀捻子，少年英雄！少年英雄啊！成吉思汗的孙子就是不一样，哪像我手下那些兵，一个个干啥啥不行，吃啥啥不剩。"马升说话不拐弯，他又面向乌梁氏："娘啊，我跟您要这两个孩子来了，让这两个孩子跟我走吧，我先让他们当委署骁骑尉，等灭了捻子，我就给他们晋升骁骑校。"

巴音孟克的谎言竟成了现实！人们又惊又喜。布氏和巴云氏都乐出眼泪了，特别是巴图尔和巴音孟克，两个人差点蹦起来。只有老夫人乌梁氏脸上仍是那般平和。

马升跟到自己家一样，他把大嘴一张："今天我高兴，来来来，都把酒满上，满上。"

老仆倒上了酒，马升正准备干，他低头一看，见巴图尔、巴音孟克和一些女眷仍是小银碗。

马升嚷了起来："都换上大碗！都换上大碗！"

巴云氏忙解释说："总兵大人，我们女眷不胜酒力。"

马升对巴云氏还挺尊重："嫂夫人，女眷不胜酒力是可以的。"他一指巴图尔和巴音孟克，"可他们是爷们儿，我可听说了，蒙古人会走路就会骑马，会说话就会唱歌，会喝水就会喝酒。这点酒算什么，换大碗，都倒满。"

马升的军兵给巴图尔和巴音孟克都换上了大碗，又满上了酒。

马升把碗端了起来："我先干，你们也干！"

马升跟喝水似的，满满一碗酒一滴没剩，巴图尔也随之干了。

巴音孟克不胜酒力，见这么大的碗就有点发晕，他只喝了一半，就喝不下去了。

马升见巴音孟克没喝完，他不高兴了："人说酒壮英雄胆，想当年老子八岁时就喝过三坛子酒，一醉就是七天七夜。我就不信，你小子连捻子都不怕，还怕这点酒？喝！"

巴音孟克似笑非笑："总兵大人，我，我不爱喝酒，这东西实在是不好喝……"

马升眼睛一瞪："怎么不好喝？天底下最好喝的就是酒。给老子喝了！"

马升说话就带零碎，布氏的火被激了上来："巴音孟克，你是咱家的爷们儿，是巴家的爷们儿，就是毒药你也喝下去！"

母亲布氏说了这话，巴音孟克只得眼睛一闭，把剩下的半碗酒喝了下去。

布氏的话带着火药味，马升不但没恼，反倒哈哈大笑："好好，这话老子爱听……"

他的话还没说完，布氏"咚咚咚……"倒了六大碗酒，本来她嗓音又尖又亮，现在声音直刺耳："总兵大人，我敬你三碗，你敢不敢？"

听布氏向自己叫板，马升站了起来，毫不在乎："我喝，你喝不喝？"

双手叉腰是布氏的习惯动作，她道："总兵大人喝，我当然喝！"

"好！"

两个人同时端碗，同时举碗，同时干掉。

两人各干了三大碗，马升见布氏没有什么反应，他豪性大发："刚才你敬我三碗，我也要回敬你三碗，来来来，满酒！"

布氏把头发一甩："满酒！"

马升没喝完，布氏先干了。

布氏把酒碗重重一蹾："再来三碗！"

马升也不服气："来就来！再来三碗！"

布氏和马升连喝了二十多碗，马升头重脚轻，里倒外斜，四个当兵的扶着马升，马升舌头发短，说话发硬："倒，倒，给老子倒……"

说着，马升身子一软，趴在桌子上，鼾声如雷。

布氏也喝多了，她像揪巴音孟克的耳朵一样，揪马升的耳朵："马大人，马大人，我还没喝够，咱们再喝，再喝三大碗。"

巴云氏和穆氏的心都提了起来，马升是二品大员，布氏居然敢揪他的耳朵，这胆子也太大了！乌梁氏也担心发生意外，她忙叫巴云氏和穆氏妯娌二人把布氏送回家。

马升在章盖巴家睡了一夜，第二天醒来就悄悄地问身边的军兵布氏在不在，军兵说昨晚就回去了。马升如释重负，他叫人带上巴图尔和巴音孟克，逃也似的离开了章盖巴家。

第二十章

麻政和飞身跳上马，转身就走，巴图尔撒腿就追。他哪能追得上，眼看两个人之间的距离越来越远。巴图尔急了，他把手中刀举了起来，照麻政和的背后就飞了过去。

巴图尔和巴音孟克来到马升营中，马升说到做到，果然给了两个人八品委署骁骑尉。马升整顿人马，由巴图尔和巴音孟克带路，亲率大军杀向麻政和驻扎的那个山洞。可到山洞一看，洞口布满蜘蛛网，地上的干草已经发霉。原来早在巴图尔、巴音孟克逃脱之后，麻政和就转移了。

走在包头街上，巴图尔和巴音孟克情绪有些低落。

皮货市场里，人群攒动，巴图尔怆然道："咱们寸功未立，就当了这委署骁骑尉，我总觉得比人矮三分。"

巴音孟克点点头："所以咱们得想办法，早点打探出麻政和的巢穴，然后报告给总兵大人，将其一网打尽。"

巴图尔扫视街上的行人："但愿我们能有个好运气。"

不知不觉，两个人来到一家裁缝店前。时序仲秋，天气变凉。包头的秋天比较短，说冷很快就会下雪。因此，店里挤满了做皮袄的顾客，人们都在准备过冬的衣服。

巴音孟克在店前停了下来，他眼睛左右直转。

巴图尔心中纳闷，不知巴音孟克在想什么。

巴音孟克面露诡秘之色，他把巴图尔拉到一旁，巴图尔见巴音孟克的表情，立刻紧张起来，他手按刀柄："你看见什么了？"

巴音孟克一龇牙："嘿嘿，看见做衣服的。"

巴图尔心中这个气："你有病啊？见到做衣服的也神秘兮兮的？"

巴音孟克低声说："不是。二哥，我看见捻子了！"

巴图尔眼睛又瞪了起来："捻子在哪儿？"

巴音孟克一指裁缝店："在那儿。"

巴图尔拽出弯刀，迈步要往店里闯，巴音孟克一把拉住了巴图尔："别别别，捻子还没来呢。"

巴图尔莫名其妙："你，你到底在说什么？"

巴音孟克似笑非笑："嘿嘿嘿，二哥，虽然捻子现在没来，可这几天一定会来。"

巴图尔挖苦道："你成仙儿了？能掐会算了？"

巴音孟克洋洋自得："那当然，一切都在本仙儿的掌握之中。"

巴音孟克从裁缝店得到了启示，他想，捻子在山里钻来钻去，一年下来，衣服不知要被剐破多少。冬天很快就要到了，捻子肯定要准备过冬的衣物，只要把包头镇的裁缝店都看住了，就一定会发现麻政和的行踪。

巴图尔一下子把巴音孟克抱了起来："巴音孟克，你怎么这么聪明！"

巴音孟克头一歪："那是当然，我是谁？我是前知八百年，后知五百载，诸葛亮、徐茂功转世。"

巴图尔推了巴音孟克一把："得得得，说你胖，你还喘起来了。"

巴图尔和巴音孟克换上便衣，带上官文，二人把包头镇所有的裁缝店彻查一遍，并告诉他们，只要有定做五件衣服以上的，必须上报。

巴图尔和巴音孟克张网以待。

这天，弟兄俩牵着马正在街上闲遛，见洋姑娘海伦出现在面前。巴图尔想绕开海伦，可是，巴图尔往东，海伦转到东面；巴图尔往西，海伦转到西面，无奈，巴图尔只得停住脚步，他冷冷地问："你要干什么？"

海伦注视着巴图尔："中国人讲：受人滴水之恩，当以涌泉相报。我两次救你，不图你的回报，可我不明白，你为什么对我这么冷漠？”

巴图尔面沉似水：“你真想知道吗？”

海伦闪着明亮的蓝眼睛：“我当然想知道。”

巴图尔道：“那我就告诉你，因为你是洋人。”

海伦耸了耸肩：“洋人怎么了？”

巴音孟克把话接了过去：“洋人没一个好鸟！道光二十年以来，你们洋人把我们中国欺负苦了。”

海伦解释说：“那是英国人和法国人，而我是比利时人。”

巴音孟克冷笑：“比利时人就不是洋人吗？”

巴图尔一拉巴音孟克的手：“我们走。”

海伦在后面叫：“巴，巴……”

巴图尔头也不回，两个人转过一个墙角停了下来。巴图尔突兀地问巴音孟克：“你知道南怀仁吗？”

巴音孟克摇了摇头：“南怀仁？他是干什么的？”

两个人正说着，一个人慌慌张张地跑来，此人一边跑一边回头，巴图尔正在扭脸问巴音孟克，这个人却跟巴图尔撞了个满怀。巴图尔一看，原来是一家裁缝店的伙计。

伙计一见巴图尔和巴音孟克，他连声道：“巴图尔大人，巴音孟克大人，小人该死，小人该死！我太着急了，没有看见二位大人。”

“你急什么？”

“我们裁缝店里来了三个客商，说要定做三十床棉被，三十件皮大衣。”

巴图尔一阵激动，他立刻要把那三个人抓起来。巴音孟克阻止巴图尔，他想，捻子都是亡命徒，就算把他们抓起来，一时半会儿也问不出什么口供。麻政和早就成了惊弓之鸟，如果一天两日见不到这几个人，他一定会转移到他处。巴音孟克认为，现在不能打草惊蛇，要放长线，钓大鱼，等他们的衣服做好提货时再动手。

一会儿的工夫，又有两家裁缝店的伙计来报，说那三个客商在他们各自的店铺里也订了一些过冬衣物。巴图尔更加佩服巴音孟克了。

十天之后，那三个人果然又来了。三个人表情从容，他们付了钱，把几家裁缝店订制的衣物打成包，装在一辆马车上，鞭子一摇向西而去。

巴图尔和巴音孟克两个人骑上马，偷偷地跟在这辆车后面。出了包头镇，马车向北，前面是一片空旷的大草原，一群羊在吃草。突然，车停了下来，巴图尔和巴音孟克忙带住马，假装放羊。马车上跳下两个人，他们围着车转了几圈，仿佛马车出了什么毛病。

那两个人查看了半天才上车，车又向西去了。

巴音孟克对巴图尔说："二哥，我断定他们就是麻政和的人。这样，我跟着他们，在沿途留下记号，你马上回去禀报总兵大人，请大人速发人军。"

巴图尔摇了摇头："不，跟踪捻子太危险，你回去，我跟踪他们。"

巴音孟克说："主意是我出的，我跟踪他们。"

巴图尔耐心地说："巴音孟克，不要争了，我的武艺比你好，一旦被他们发现，我也可以多抵挡一阵子。你快走吧。"

巴音孟克一想，可也是，在家庙包头召练功时，巴图尔就肯吃苦，他的功夫的确比我高一些。

巴音孟克还想跟巴图尔贫几句话，可话到嘴边没说出来。现在不是开玩笑的时候，抓麻政和要紧，不然，我们哥儿俩的骁骑校就没了。

巴音孟克扬鞭打马，片刻就不见了。

前面那辆车不紧不慢，一会儿拐向南，一会儿拐向西，一会儿拐向北。巴图尔远远地跟着，并不时在地上留下标记。

又走了十多里，天渐渐地黑了下来，一座大山出现在面前，车上的人鞭子一摇，车突然加快，转眼间，消失在深山中。

巴图尔两脚一踹镫，马飞快地进了山。巴图尔一边跑一边寻找那辆车，可山路弯弯，两边的树挡住了视线。他心里着急，使劲儿抽打胯下这匹马，这匹马四蹄蹬开，急速向前。巴图尔正跑着，眼前突然拉起一条绳子，他的马"扑通"被绊倒，巴图尔滚落在地。巴图尔刚要起身，两旁蹿出三个人，一下子把他摁在地上。

一把尖刀顶在巴图尔咽喉："别动，动我就宰了你。说！你为什么跟踪我们？"

巴图尔目光在这三个人脸上移动着，三个人也在看巴图尔，其中一个人惊道："这不是上次从咱们山上跑的那小子吗？"

他这么一说，另外两个人也想了起来："小兔崽子，还真是你。"

三个人把巴图尔捆起来扔到车上。车继续往前走，到了半山腰，树后闪出两个捻兵："三位头领回来了？"

"回来了。"

"过冬的衣物都拉回来了？"

"不但都拉回来了，还拉回一个人。来来来，把这小子押进洞中，交给麻将军发落。"

早有人禀报给麻政和，麻政和上前一看，不禁道："又是你，你的胆子也太大了！"

巴图尔把头往旁一扭，什么也不说。

麻政和也不让巴家赎人了，他一摆手，吩咐道："把他拉出去，砍了！"

"是。"

两个捻兵把巴图尔推到洞外，其中一个人举起钢刀，照巴图尔的脖子就剁，"噗"地一道血光闪过，"咕噜"，一颗人头落到地上。

巴图尔被溅了一脸血，他大惊，捻兵杀我，我的头没掉，捻兵的头怎么掉了？

另一个捻兵刚要喊，"噗""咕噜"，又一颗人头落在地上。前后不过眨眼之间，来人出手之快，令人难以想象。

"刷刷"，来人又是两刀，巴图尔身上的绑绳被割断，巴图尔回头一看，影影绰绰，一张清癯的脸出现在眼前。

"青面人！"

此人正是上次救巴图尔和巴音孟克的那个青面人。

青面人把脸往旁一扭："跟我来！"

巴图尔随青面人没走几步，捻兵高喊："不好啦！有人劫山啦！"

捻兵仿佛从地下钻出来似的，几十个人把青面人和巴图尔围在当中。

一个捻兵举刀就砍，青面人手中刀一划拉，对方的刀就飞了。另一个捻兵稍一愣神，青面人手起刀落，这个人也倒在血泊中。

捻军毫不畏惧，仍往上闯，青面人把刀抢开了，就听"噼哧扑哧""哎哟""哎哟"，青面人就跟砍瓜切菜一般，刹那间，地上倒下七八个。

巴图尔从地上捡起一把刀，他和青面人双刀并举，边打边退。

听到洞外大乱，麻政和急忙从洞里出来。他身形一纵落到青面人面前，惊道："又是你！"

麻政和手中盘龙枪在青面人面前一点，青面人头往旁一歪，麻政和前把往回一带，以枪当棍，向青面人的耳畔扫来，青面人头一低，"呜"，麻政和的枪从青面人头顶擦过。青面人的头刚抬起来，麻政和的枪又回来了，青面人急忙用刀背往上撩。刀枪相碰，麻政和的枪一偏，青面人抓住机会，他腕子一转，刀刃贴在枪杆上，青面人刀往前一推，削向麻政和的手指，麻政和吓得忙把枪收了回去，两个人战在一处。

巴图尔也没闲着，他挥起弯刀，照一个捻将的头顶就劈，这个捻将往旁一闪，反手一刀，巴图尔刀走下盘，奔对方的双腿而来，对方身形一纵，巴图尔的刀从他的鞋底擦过。与此同时，十几个人把巴图尔围在当中。

巴图尔虽然勇猛，可捻军打起仗来不要命，巴图尔放倒好几个，捻军不但没有后退，反而越来越多。

兵器的撞击声，惨叫声，喊杀声，在夜幕下的山谷中回荡。

此时，青面人已经跟麻政和过了三十多招，两个人势均力敌。青面人见捻军人多势众，他虚晃一招跳到巴图尔面前，单刀"刷刷刷"连攻几刀，捻军一时无法上前。

青面人对巴图尔喝道："你现在不走，还要等待何时？"

巴图尔上下齿一咬，露出两颗虎牙："我要把这些祸国殃民的捻子斩尽杀绝！"

青面人斥道："胡说！"

正说着，麻政和就到了，巴图尔单刀一晃迎上。

一年前巴图尔和麻政和交过手，虽然巴图尔败在麻政和手下，但他并不服气。这一年多时间里，巴图尔刻苦练功，武艺有了很大长进，可要赢麻政和谈何容易！麻政和把手中的盘龙枪抖开了，那真是指南扎北，指东扎西，一条枪在他手中跟面条似的。

二十招！三十招！五十招！

麻政和越战越勇，没有丝毫破绽，而巴图尔却流汗了。青面人一看，再这样打下去，不但杀不了麻政和，弄不好自己和巴图尔谁也走不了。

青面人一边打一边对巴图尔说："先记下麻政和的人头，我们走！"

巴图尔眼睛都红了："要走你走！"

巴图尔想杀麻政和为阿爸报仇是一方面，另一方面他要拖延时间，等待巴音孟克把马升的大队人马领来，彻底剿灭麻政和。

青面人哪知道巴图尔的想法，他大吼："再不走就走不了了！"

巴图尔急了，他对青面人道："怕死你先走！我不走！"

青面人无可奈何，只得和巴图尔一起拼命。

就在这时，山下喊杀声冲天而起——

"杀呀，杀麻政和呀，别让捻子跑了——"

巴音孟克带着马升的军兵冲了上来。

听到喊杀声，麻政和的队伍为之一乱。

麻政和虚晃一枪闪在一旁，他往山下一看，见四面八方都是火把，官兵跟蚂蚁一般。

麻政和大惊失色："弟兄们，撤！"

说撤，哪还来得及？马升早就把山包围了。

马升对手下的军兵高声叫骂："你们都给老子听着，谁要放走一个捻子，老子就剥他娘的皮！"

当兵的也不知是马升要剥"他"的皮，还是剥"他娘"的皮，反正知道马升是下了死命令，非把麻政和灭了不可。军兵都知道马升的脾气，谁也不敢后退。

巴音孟克冲在最前面："二哥，我来了！"

巴图尔恨不能一刀结果麻政和的性命，巴音孟克的话他根本没听见。

一个捻兵牵过麻政和的马，麻政和猛攻三枪，巴图尔被逼退几步，麻政和飞身跳上马，转身就走，巴图尔撒腿就追。他哪能追得上，眼看两个人之间的距离越来越远。巴图尔急了，他把手中刀举了起来，照麻政和的背后就飞了过去。

麻政和正跑着，忽听背后恶风不善，他头一低，躲得慢了点儿，这刀正刺在麻政和的后背上。麻政和在马上栽两栽，晃两晃，居然没有掉下去。

此时，马升已经上了山，火光之中，马升看得清清楚楚，不禁赞道："这刀真他娘的准！"

马升催马追向麻政和："麻政和，你他娘的给老子站住！"

麻政和强忍伤痛，他把马打得跟飞了一般。正跑着，路边出现一片树林，麻政和拨马就进去了，马升随后而入。

可是，再找麻政和，却踪迹不见。

第二十一章

巴图尔和巴音孟克押着王山来找马升。王山一见马升就"扑通"跪倒……两个人本以为马升会秉公执法，没想到，意外发生了……

军兵打扫战场，见山上山下到处都是捻军的尸体，马升高兴坏了，他拍着巴图尔的肩膀："好小子，回去老子就提拔你。"

巴音孟克从人群中挤了过来："总兵大人，还有我呢。"

马升粗话连篇："你们两个都他娘的升官！"

巴音孟克嘿嘿一笑："总兵大人，给我们五品还是六品哪?"

马升眼睛一瞪："你们八品还没干两个月，给你们从六品骁骑校就不错，怎么还要五品?"

巴音孟克一龇牙："总兵大人，我，我这不是随便问问嘛。"

巴图尔没留意马升和巴音孟克的对话，他东张西望，心不在焉，巴音孟克问："二哥，总兵大人马上要给咱们升官了，你看什么呢?"

巴图尔答非所问："又是那个青面人救了我。"

巴音孟克也帮巴图尔找青面人，可青面人仿佛蒸发了一般。

马升特意给巴图尔和巴音孟克七天假，让他们穿上六品官服回沙尔沁，在人前露露脸。巴雅尔把巴图尔和巴音孟克接进客厅，巴氏家族一下子沸腾了，人们挤在客厅中问长问短。

巴图尔问一说一，问二说二。巴音孟克却是添油加醋，有一说三，有三说十，幽默诙谐，不时逗得众人哈哈大笑，客厅里的气氛十分活跃。

突然，外面鞭炮齐鸣，鼓声、唢呐声震耳欲聋，人们都愣了。老仆兴冲冲地跑了进来："老夫人，夫人，马总兵挂匾来了。"

老夫人乌梁氏捻着佛珠："挂匾？挂什么匾？"

老仆一脸喜色："二少爷在这次剿捻中临危不惧，视死如归，马总兵他们抬来一块匾，说是嘉奖二少爷。"

巴音孟克吃惊地问："有没有我的？"

没等老仆回答，马升从外面走了进来："有，怎么能没你小子的？你们俩一人一块，上面刻的字都一样。"

巴音孟克随口道："真的？"

马升骂了一句："小兔崽子，老子说话你都不信？"

"信信信！"巴音孟克乐得直蹦。

马升转过头对老夫人乌梁氏说："娘啊，您这两个孙子立了大功，可我筑包头城，钱紧，不够用，拿不出钱赏他们，就给他们每人送块匾吧。"

马升剿灭了捻军残部，朝廷颁诏授其"振威将军"。马升高兴，他也想附庸风雅，于是，叫人刻两块匾，一块给巴图尔，一块给巴音孟克。

老夫人乌梁氏客气地说："总兵大人客气了，钱一花就没了，可匾却能流芳百世，还是匾好啊！"

人们来到外面，马升掀开匾上的红绸子，见上面刻着四个遒劲大字：

气壮山河

麻政和全军覆没，这对包头周边的土匪产生了强大的震慑作用，包头的社会秩序稳定下来。没有捻子，也没有了土匪，包头城很快竣工。巴图尔和巴音孟克没事可做，马升给巴图尔和巴音孟克安排了新差事——命两个人协助王山，管理筑城剩下的物料。

王山是驻扎在后营子的主将，现在后营子成了物料库。

巴图尔和巴音孟克想协助王山，可王山把物料库的钥匙往自己身上一挂，根本不让兄弟俩靠边。

一晃儿就是两年，王山连账本也没给巴图尔和巴音孟克看一眼，至于每天出入库的物料有多少，兄弟二人更是不得而知。

然而，近来巴图尔和巴音孟克却发现每天天黑之后，总有几辆马车从物料库拉木料出去，巴图尔和巴音孟克去问王山，王山很是不屑，他让巴图尔和巴音孟克去问马升。

巴图尔和巴音孟克来找马升，马升很不耐烦："这点小事你们就别管了。"

兄弟二人心里不痛快，中午，巴图尔和巴音孟克进了一家饭庄，饭庄里猜拳行令，说说笑笑，很是热闹。巴图尔和巴音孟克找了个僻静地方坐了下来。

巴图尔只顾喝闷酒，一句话也不说，巴音孟克酒量不行，他抿了两口，一改往日的调侃，嘴里发着牢骚："二哥，这两年来，我咋觉得这么别扭，灭捻子时，咱们弟兄多风光；可捻子没了，咱们弟兄处处受人排挤。"

巴音孟克往嘴里扔了一块肉，又说："咱们这哪是六品武官，分明是六品受气官。"

巴图尔只是听着，什么也不说。

巴音孟克正在絮叨着，门外进来一个要饭的，此人二十七八岁，骨瘦如柴，脸色蜡黄，仿佛一阵风就能把他吹倒似的。

要饭的来到一张桌前，这张桌子围坐六七个人，桌上的菜很是丰盛。

要饭的伸出又黑又脏的手："各位爷，行行好，给我点吃的吧！"

桌上有人"咣"地就是一脚："臭要饭的，滚！"

要饭的被踹出一溜滚，他挣扎半天，才爬起来。

桌上的人骂道："小二，你让臭要饭的扫爷的兴，是不是不想要饭钱了？"

店小二跑了过来："几位爷，对不起，对不起，小的这就把他轰走，这就把他轰走。"

店小二转过身，连推带搡：“去去去，到别的地方要去。”

店门前有五级台阶，要饭的下台阶没站稳，“扑通”摔在地上。

店小二吓了一跳：“哎，这可是你自己摔的，与我没关系。”

这时，洋姑娘海伦走了过来，她把要饭的扶了起来，又到旁边的一个小摊上买了八个包子。

巴音孟克一指门外，对巴图尔道：“二哥，你看那是谁？”

巴图尔早就看见了，他却低头夹菜，不理会巴音孟克。

海伦把包子给了要饭的，要饭的狼吞虎咽，可刚吃两口，他就不吃了。要饭的伸着脖，瞪着眼，张着嘴，原来吃得太急，噎住了。

巴图尔把一碗羊汤端到要饭的面前：“喝口汤就好了。”

一见巴图尔，海伦搭讪道：“巴，你也在这儿。”

自从上次海伦质问巴图尔为什么对她如此冷漠，巴图尔几个夜里没睡着，他回忆和海伦相识的每一个细节，尤其是第一次与海伦见面，海伦给他喂粥的情景。巴图尔很是愧疚，他对海伦既亲近又排斥，心中甚至想，要是海伦不是洋人该多好啊……

几口汤入下肚，要饭的卡在嗓子眼儿里的包子咽下去，他向巴图尔连声致谢。

巴图尔问要饭的：“看你年纪也不算大，怎么出来要饭了？”

一听这话，要饭的眼圈红了：“大爷，我是山西人，听说包头修筑城墙招劳工，我就离开家乡来到包头，本想挣几个钱养家糊口，可哪知干了两个月就得了一场大病。活干不了了，被工头赶了出来，我又着急，又上火，一病就是三年，到现在也没好……”

海伦问：“你现在住哪儿？”

要饭的眼泪掉了下来：“回洋小姐，我没地方住，每天晚上找个旮旯胡同凑合。唉！人活到这份儿上，还不如死了。只是我上有老，下有小，死，死不起；活，活不起……”

海伦道：“那你到我的教堂来吧。”

要饭的犹豫不定，但眼神中透出感激的目光。

巴音孟克也走了过来，海伦对巴图尔和巴音孟克说：“你们有没有兴趣到我们的教堂看一看?"

巴图尔和巴音孟克两个人差不多吃完了,他们相互对视一下,海伦带着要饭的在前面走,巴图尔和巴音孟克不由自主地跟在后面。

巴图尔先后两次到过这所基督教堂,但都没有留意教堂的结构。这次巴图尔抬起头,见基督教堂坐北朝南,南面是教堂,教堂的房顶上有个高大的红"十"字。穿过教堂,进入院中,小院中西合璧,布局合理,井然有序。

小院的对面是小教堂,东西各有九间平房。巴图尔认出来,西边中间那间房,就是鄂必格一家人两次给他治伤的诊疗室。

东边的九间房里住满了人,男女老少都有。鄂必格夫妇从其中的一间走了出来,一见巴图尔,鄂必格夫妇向他打招呼:"巴,欢迎你。"

巴图尔礼节性地微笑道:"鄂先生,鄂夫人……人还不少嘛!"

鄂必格耸了耸肩:"是的,这边的九间房都住满了。"

一个老者走了过来,他对巴图尔说:"我们都是无家可归的人,是鄂教士收留了我们,在这里,我们都是上帝的儿女,大家一律平等,有饭大家吃,有衣大家穿,有活大家干。看你们像是有钱人,不会也要入教吧?"

巴音孟克讥讽道:"入教,怎么不入教?中国人天生就是软骨头,天生就是牛马,不被洋人欺负浑身就难受。"

一听这话,老者急了:"年轻人,你这话可不对,洋人欺负中国人不假,可鄂教士不是那种人,他从不欺负我们。你看见没?这些都是穷苦人,有的全家得了伤寒,有的病倒在街头,有的被军兵打伤致残……是鄂教士救了我们,我们感他的恩才信了基督教,不然,我的骨头再软也不会跟洋人在一起!"

巴音孟克被噎得说不出话来,巴图尔有亲身体会,所以对老人的话还是有同感的,他忙为巴音孟克解围:"老人家,我这个弟弟好开玩笑,你老别在意。"

要饭的睁大了眼睛,他望着鄂必格:"我早就听说包头有个洋菩萨,原来就是你。"

鄂必格摇了摇头:"我不是菩萨,我是基督教传教士,我们信的是上帝，上帝是拯救人类的，我是传播上帝的福音。"

海伦把巴图尔、巴音孟克和那个要饭的领进教堂里。鄂必格给众信徒讲了上帝耶和华的故事，然后，又教他们唱诗。教堂之中，歌声袅袅，其乐融融。

离开教堂，巴图尔和巴音孟克都被感染了。尽管事实摆在面前，但两个人仍在想，鄂必格一家是洋人，洋人真会有这么好的心吗？不知不觉，巴图尔和巴音孟克来到复盛公商号门前，见四辆马车拉着木料正往院里走，两个人都愣了，这不是筑城的官车吗？怎么往复盛公送木料？

巴图尔叫过两个军兵，这两个军兵向巴图尔和巴音孟克打千儿，可是，他们只是奉王山的军令送木料，别的一无所知。

李生从大门里走了出来，他向二人打招呼："二少爷，巴音孟克少爷，里边请，里边请。"

兄弟俩和李生聊了起来，原来，王山以高出市场一半的价格把筑城的木料卖到复盛公，复盛公不想要，可是，王山带人查封了复盛公好几处买卖。复盛公惹不起，只得打掉牙往肚子里咽。半年来，王山从复盛公提走了一万多两银子。

听完李生的叙述，巴图尔转身就走，巴音孟克紧随其后。

一进后营子巴图尔就喊："王山，王山，你滚出来！"

当兵的不知怎么回事，心说，王山是巴图尔的上司，他怎么敢直呼其名？

王山从一顶帐篷中走了出来："是哪个孙子叫本官？"

巴图尔的火更大了，他指着王山的鼻子："王山，我问你，你为什么把筑城的木料高价卖到复盛公？"

王山上下打量巴图尔，他啧啧道："呀！这不是巴大人吗？怎么又升官了？没有啊，胸前还是六品补子。"王山一指自己的前胸，高声道："小子，你看好了，老子这是四品！按大清律，你见到本官应该行跪拜之礼，可你不但不跪，反而口出狂言，指名道姓，你该当何罪？"

巴图尔针锋相对："好个按大清律！我问你，你擅卖国家木料，搜刮民脂民膏，中饱私囊，该当何罪？"

王山大骂："混蛋！本官犯了什么罪自有总兵大人查处，你算什么东西？你以为你家是世袭章盖？本官告诉你，章盖在本官这里就是个狗屁！不！狗屁不如，是狗屎！"

这话可把巴图尔激怒了，他上下齿一咬，露出两颗虎牙。

王山还往下骂："本官知道，你是蒙古人，是成吉思汗的后代。倒退几百年本官怕你，可现在是大清国。在大清朝，成吉思汗的名字连耗子都吓不跑……"

"啪"，巴图尔一巴掌扇在王山脸上，王山就地转三圈，他捂着腮帮子："小子，你敢打本官，反了你！来人！把这个逆贼给本官剁了。"

军兵一下子把巴图尔围在当中，这些人刀枪并举，照巴图尔连砍带刺。

巴音孟克见巴图尔要吃亏，他高喊："弟兄们，王山是个大贪官，他盗取筑城木料，卖了一万多两银子，你们不可与他为伍，伤害好人哪！"

王山大怒："弟兄们，这两个小子以下犯上，把他们剁了本官有赏！"

军兵把巴图尔和巴音孟克围了起来，他们依仗人多势众，不给巴图尔和巴音孟克一丝喘息之机。

清朝的男人都梳辫子，巴图尔也不例外，他一个没注意，辫梢被削去了半寸多长。巴图尔和巴音孟克从小在包头召跟八爷爷哲旺喇嘛读书练武，他们学的主要是"四书""五经"，"身体发肤，受之父母"，儒家传统观念在他们心中扎下了根。辫子被削，那就是相当于身体受到伤害。

巴图尔急了："王山，你马上让这些弟兄住手，不然我劈了你！"

巴图尔不这么说还好点儿，他这么一说，王山也拎把刀上来了："小子，本官先劈了你！"

王山刚把刀举起来，巴图尔飞起一脚，"咣"地踹在他的胸前，王山一个跟头仰面摔倒。巴图尔一近身，掐住王山的喉管。

军兵还要往上闯，巴图尔对王山喝道："让他们都退下，不然我就掐死你！"

王山吓得面无人色："退，退，你们都退下！"

当兵的不敢上前。

王山贼眼一转："巴大人，巴二爷，咱们有话好说，有话好说。我错了，我贪赃枉法，我愿接受惩处，求你把我押到总兵衙门治罪。"

王山毕竟是巴图尔的上司，巴图尔没有惩处王山的权力。巴图尔和巴音孟克押着王山来找马升。王山一见马升就"扑通"跪倒，哭着说："总兵大人，这两个小子以下犯上，差点没把下官掐死，你可得给下官做主啊……"

马升生气地道："又怎么了？"

巴图尔和巴音孟克把以往的经过说了一遍，两个人本以为马升会秉公执法，没想到，马升勃然大怒："你们吃了熊心，吞了豹子胆，竟敢打顶头上司！"

巴图尔辩道："总兵大人，王山盗卖筑城木料，贪污银子达一万多两。"

马升嘴里都是粗话："混蛋！给老子闭嘴！木料是老子让卖的，现在城修完了，剩下一大堆木料。国家要给洋鬼子赔款，饷银发不出来，不卖木料，你难道让老子喝西北风不成？"

马升此言一出，巴音孟克暗叫不好。

第二十二章

巴图尔一会儿"扑哧"笑一声，一会儿又"扑哧"笑一声，老仆不知巴图尔在笑什么，就问什么事这么好笑。巴图尔把往阿鲁脸上抹屎的事说了一遍，他一边说，一边笑，笑得前仰后合。

令巴图尔和巴音孟克没有想到的是马升居然为王山撑腰。

王山又神气起来了："总兵大人，这两个小兔崽子处处与大人为难，处处替那些奸商说话。下官苦口婆心地给他们解释，他们不但不听，反而以下犯上。总兵大人，今天他们敢对下官动手，明天就敢冒犯总兵大人您哪！"

马升的火气被王山点着了，对巴图尔和巴音孟克说："要不看在你们帮老子灭捻子的情分上，老子非宰了你们不可。来人！"

"在。"

"摘去他们的顶子，扒去他们的官衣，把他们给老子轰出去！"

摘顶子，扒官衣，这就是要罢两个人的官。

当兵的刚要往前闯，巴音孟克大惊，我和二哥的官虽然是马升给的，可也都是用命换来的，怎么能说丢就丢了呢？可是，如何才能保住我和二哥的官位呢？

巴音孟克一着急，主意来了，他没笑挤笑："别别别，总兵大人，我们错了，我们错了，顶子和官衣还是给我们留着吧。我们弟兄在大人的英明领导下，辅佐大人灭了捻子，朝廷晋升总兵大人为振威将军，现在包头街头巷尾都传出童谣了，说，说'包头出个马总兵，起用英才传美名，灭捻子，杀土匪，蒙汉百姓享太平'……"

巴音孟克注意着马升的反应。

马升心花怒放："老百姓真这样说的?"

巴音孟克顺嘴胡诌几句，马升真信了，巴音孟克道："是呀，就是这样说的。"

"哈哈哈……老子都被编成童谣了，哈哈哈……"马升开怀大笑，震得房子直颤。

巴音孟克嘿嘿一笑："当然了，这童谣里主要是赞扬总兵大人，不过，也提到您老人家慧眼识人，起用了我和我二哥。您老人家要是罢了我们的官，我是怕老百姓再编出童谣，说捻子灭了，大人就卸磨杀驴、过河拆桥……"

马升倒吸一口凉气，他吧嗒吧嗒嘴，巴音孟克说得也有道理。

见马升犹豫，王山一想不好，留这两个小子在军营早晚是祸害，他道："大人，打狗还要看主人。他们打下官，连总兵大人的情面也不看，这是恩将仇报啊！有朝一日，等他们翅膀硬了，他们就会以贪赃枉法之名加害大人，大人您可千万不要上他们的当!"

听了王山这话，马升挠了挠脑门子，他看着王山问："你说怎么办?"

王山眼中放出贼光："把他们宰了，永绝后患!"

马升低声对王山说："你说他们以后会告我?"

王山道："那是肯定的，他们说下官贪赃枉法，那就是在说大人!"

马升眼睛一瞪："把他们推出去，杀!"

两旁军兵如狼似虎，押着巴图尔和巴音孟克往外就走。

巴音孟克心中暗道：坏了!不但官没保住，脑袋还要丢。这可怎么办?这可怎么办?……

突然，巴音孟克仰面大笑，他从大厅一直笑到门口，人们都被他笑糊涂了。

马升一摆手："等一下！"

当兵的停了下来。

马升来到巴音孟克面前："小子，你笑什么？"

巴音孟克慷慨激昂："我笑大人身材高大，却胆小如鼠！"

马升差点跳起来："天底下就没有老子怕的！你说老子胆小如鼠？"

巴音孟克不卑不亢："既然天底下没有大人怕的，难道还怕有人告大人吗？"

"我，我这……"马升无言以对。

"总兵大人，王山这叫什么？这叫挑拨离间。自从我们兄弟跟了大人，两个月之中，从布衣平民提到从六品，大人对我们兄弟恩重如山，我们感激还来不及呢，怎么可能加害您老人家？这是其一；其二，大人管我大奶奶叫娘，我和我二哥也算是您老人家的侄子，咱们是一家人，一家人都不说两家话，难道有侄子害伯伯的吗？其三，总兵大人位高权重，武艺高强，您老人家一巴掌就能拍死我们，我们怎么可能自不量力加害总兵大人呢？王山是想借您老人家之手，公报私仇，总兵大人，您可千万不能上他的当。"巴音孟克拍马屁、套近乎、激将法、转移矛盾都用上了。

马升听得十分舒服："其实老子挺喜欢你们，不过，老子的军队是汉八旗，你们都是蒙古人，本就不应该在我的军中，要是上边查下来，老子还得多费口舌。这样吧，老子给你们找个好差事，归化城副都统属下的南海子官渡是个肥差，副都统跟老子关系不错，听说南海子防御官叫阿鲁，是副都统大人的兄弟，老子跟副都统大人说一声，你们就到阿鲁手下当差吧。"

巴音孟克长出一口气，我和二哥的官总算保住了！

在中国近代史上，包头被称为水旱码头和皮毛集散地。包头地处草原，地理位置优越，皮毛集散地自不用说，可提起水旱码头就得说南海子官渡。南海子是黄河改道在包头市老城区南门外形成的河湾，1874 年（同治十三年），因为萨拉齐东南六十里的毛岱官渡被水冲毁，官渡移到南海子。从此，这里逐渐热闹起来。

官渡就是官府在河边设的渡口。官渡的主要职能是收税稽查、捉拿盗贼。

离开马升的军营，巴图尔和巴音孟克两个人的心像压着石头，这是什么世道？坏人横行，好人受排挤，用你的时候，把你捧上天，不用你时，一脚把你踹出门。

巴图尔和巴音孟克走在街上，弟兄俩低头不语。

"二位爷，你们这是去哪儿呀？"

两个人抬起头，见是饭庄里那个要饭的。要饭的虽然还是那么瘦，脸上却有了红光。

巴音孟克没有回答，而是问："你不是在基督教堂吗？难道也被赶出来了？"

那人神色幽怨，摇头道："没没没，鄂教士一家对穷苦人非常好，是他们治好了我的病。本来我是可以留在教堂当个服侍，可我三年没回老家了，也不知家里现在成了什么样子。我想找点活干，挣几个钱回家看看，可是，找了好几个地方，人家都说我身体单薄，不要我。"

巴图尔见要饭的挺实在，便问："你叫什么名字？"

"我叫郭富。"

"什么地方人？"

"山西雁门人。"

"会种地吗？"

"会。在山西就以种地为生。"

"我租给你几亩，你想种吗？"

郭富眼前一亮，但随即又黯淡下来："我身无分文，交不起地租啊。"

巴图尔郑重地说："头一年地租我不要，种子的钱我给你出，秋后还给我就行。"

郭富"扑通"就跪下："恩人！恩人哪！我给你磕头！我给你磕头！"

巴图尔把黄河边小淖尔周边的十几亩地租给郭富。郭富早出晚归，春种秋收，一年后，他把自己的妻儿老小接到了包头，靠租巴家的地过上了自给自足的生活。然而，乱世无常，祸福难料。此是后话，暂且不提。

南海子官渡刚刚设置，这里只有十七个官兵，正五品防御官一人，从六品骁骑校一人，其他的都是当兵的。防御衙门不大，只有三间大堂，后面是防御官和军兵的营房。

巴图尔和巴音孟克进了衙门，两个人跪在防御官阿鲁面前："下官叩见阿大人。"

阿鲁两腮没肉，两颧很高，身材很瘦，脸色蜡黄，跟个病秧子似的。阿鲁斜靠在椅子上，桌案边放着一支大烟枪。

阿鲁也没理巴图尔和巴音孟克，而是对一个军兵道："扶我起来。"他的声音比苍蝇大不了多少。

这个军兵把他扶了起来。阿鲁往下看了看，也没让巴图尔和巴音孟克站起来："听说你们都是巴家人？"

巴音孟克点点头："回大人，我们是巴家人，这是我二哥，他家是世袭章盖。"

阿鲁挤出一丝笑，那笑跟鬼差不多："巴家可是大户，有钱哪！"

巴图尔没作声，巴音孟克一龇牙："啊，是是是。"

阿鲁的苍蝇声又出来了："到我这儿来也行，不过，我这里不缺当官的，只少干活的。我这儿有个规矩，只要是新来的，不管是谁，都要卸三十天官船。既然你们是巴家人，本官也高看你们一眼，你们卸十天就行了。"

巴图尔和巴音孟克以为让他们维护船运秩序，看着船工卸船，两个人都没放在心上。

渡口边，一只只官船停在岸边，有的船工把船上货物卸下来，有的船工把岸上货物装上船。船工们光着膀子，一个个汗流浃背。

巴图尔和巴音孟克站在一旁看着，病秧子阿鲁走了过来，他指着巴图尔和巴音孟克，又是一阵苍蝇的"嗡嗡"声："你们怎么在这儿看着，还不下去扛麻袋？"

巴图尔不解："让我们扛麻袋？"

阿鲁不高兴了："你们不扛难道让本官扛不成？"

巴音孟克嘿嘿一笑："大人，这么多船工，哪还用得着我们。"

阿鲁苍蝇声突然变成了乌鸦叫："放肆！你是大人还是我是大人？都

给我下去！"

巴图尔和巴音孟克哪干过这种活，一天下来，腰酸背痛，兄弟二人往炕上一躺就睡着了。

第二天，巴图尔和巴音孟克又来到渡口，一个当兵的见巴图尔和巴音孟克身着六品官服跟他们一起扛包，他忍不住告诉两个人，只要花点钱给阿鲁买点烟泡，就不用扛包了。

巴音孟克想，好汉不吃眼前亏。可他跟巴图尔一说，巴图尔死活不同意，非要坚持扛包不可。三天下来，巴音孟克累得腰都直不起来了，他又对巴图尔说："二哥，咱们也不差这两个钱，给防御大人买点儿烟泡，少遭点罪行不？"

巴图尔怒道："惯他臭毛病，我就不给他买！"

巴音孟克也生气了："行行行，你不买，我买，我买行了吧？"

晚上，巴音孟克把两包大烟送给阿鲁："嘿嘿，大人，一点小意思，这是我和我二哥巴图尔孝敬您的。"

防御官阿鲁眉开眼笑："好好好，这两个孩子还挺懂事，行了，明天你们就不用扛麻袋了。"

天不知怎么这么热，太阳一出来，跟下火了似的。

巴图尔推了巴音孟克一把："起来吧，该去渡口扛包了。"

巴音孟克睡眼惺忪："从今以后不用去了。"

巴图尔问："为什么？"

巴音孟克眼睛半睁着："我给阿鲁送了两包大烟。"

巴图尔不再理巴音孟克，他穿上衣服往外就走。

巴音孟克抬起头："我带出你那份了，你也不用去了。"

巴图尔冷冷地说了一句："那是你的事。"说着巴图尔迈大步走出屋。

天上一片云也没有，太阳像一个大火炉，简直都要把人烤冒油了，巴图尔浑身发黏，汗水一个劲儿地往下流。

河边的树荫下放着一张桌子，上面摆着茶水和点心，病秧子阿鲁坐在桌子旁，两个军兵站在他身后扇着扇子。

阿鲁远远地望见巴图尔还在扛麻袋，他对一个军兵道："去，把巴图尔叫过来。"

巴图尔抹了一把脸上的汗，来到阿鲁面前。

苍蝇声响起，阿鲁问："这几天你们表现不错，从今天起，你们就不用扛麻袋了。"

巴图尔面无表情："巴音孟克可以不扛，我得扛。"

阿鲁没明白巴图尔的弦外之音："为什么?"

巴图尔轻蔑地说："巴音孟克给大人送了烟泡，我没送啊。"

阿鲁先是板起脸，接着却笑了，苍蝇声又起："一看你就是个懂事的孩子，那你什么时候给本官买烟泡啊?"

"我这就给大人买去。"巴图尔转身走了。

不一会儿，巴图尔拎着一个纸包回来了，这个纸包有拳头大。

阿鲁像蚊子见血似的，眼睛一下子就盯上了："好好好，这么大块烟泡，太好了，巴大人真是会办事，能办事，是个人才!"

巴图尔把纸包递过去："大人，我不识货，我给你打开，你看这货色怎么样?"

病秧子阿鲁皱纹都笑开了："好好好，打开让本官瞧瞧。"

巴图尔一手托着，另一只手解开纸包，里面出现一层油布。巴图尔慢慢揭开油布，一股臭味飘了出来。

巴图尔猛地把油布包摁在阿鲁脸上："我让你抽! 我让你抽!"

阿鲁连声道："这太多了，我抽不了……"阿鲁发觉味不对，"怎么这么臭，太臭了，一股屎味……"

巴图尔狠狠地说："这是二爷我拉的屎!"

"啊!"

病秧子阿鲁被抹了一脸屎，跟杀猪一般号叫："把他拿下! 把他拿下!"

几个当兵的要抓巴图尔，巴图尔挥动拳头，左右开弓，两个军兵倒在地上，剩下几个都不敢上前了。

阿鲁揪地上的草往脸上擦，巴图尔向阿鲁啐了一口："病秧子，你自己在这儿玩吧，二爷不伺候了。"说完，扬长而去。

回到家中，巴图尔仍然抑制不住内心的兴奋，他坐在门前乘凉。巴图尔一会儿"扑哧"笑一声，一会儿又"扑哧"笑一声，老仆不知巴图尔在笑什么，就问什么事这么好笑。巴图尔就把往阿鲁脸上抹屎的事说了一遍，他一边说，一边笑，笑得前仰后合。

巴云氏走了过来："笑什么呢？"

巴图尔止住笑声："额吉，我，我没笑什么……"

说没笑什么，可他还有点忍不住。

巴云氏问老仆："到底是怎么回事？"

老仆不知如何回答："夫人，你还是问二少爷吧。"

看巴图尔和老仆的表情，不像有好事，巴云氏板起脸，对巴图尔道："跪下！"

巴图尔白了白眼睛，慢慢地跪在地上。

巴云氏喝问："说！又干什么坏事了？"

巴图尔强忍着笑，把刚才的话重复一遍，可把巴云氏气坏了："冤家，把我气死你才高兴是不是？在马升那里好好的骁骑校你不当，偏偏管闲事，结果被人家轰了出来。被人家轰出来你长点记性也行啊，可到了官渡你又往防御大人脸上抹屎，你说你，你说你……"

巴云氏越说越气，她想找东西打巴图尔，转了一圈见外面屋檐下放着一个大竹扫帚，巴云氏抄起竹扫帚又犹豫了——打，巴图尔常常是不躲不闪，挺着挨打，巴云氏舍不得；不打，扫帚举了起来。就在这时，传来老夫人慈爱的声音："孩子这么大了，不要打了。"

老夫人乌梁氏手捻佛珠走了过来："世道黑暗，官场腐败，人心日下，难得孩子心中还存有正气。"

巴云氏把竹扫帚使劲儿一摔："冤家，我非给你找个厉害媳妇，好好管管你不可！"

第二十三章

两个人的视线缠绕在一起，最终还是巴图尔避开了海伦的目光，他望着屋顶，声细如丝⋯⋯

听说巴云氏张罗给巴图尔娶媳妇，媒婆跑来好几个。

夜里，巴图尔躺在炕上，洋姑娘海伦那美丽的容颜莫名其妙地出现在他脑海里。在巴图尔的心中，洋人没有好东西，可海伦姑娘却是个例外。她不但两次救了自己，她和父母还收留了那么多生活无着的人。不要说洋人，就连自己也做不到。看来洋人之中也有好人，以前我对她太冷漠了，现在无官一身轻，我应该去看看她。

第二天，巴图尔来到基督教堂门前，不知为什么，他的心狂跳不止，仿佛一张嘴就能从嗓子眼儿里蹦出来似的。巴图尔站在门外，既想进去，又迈不开腿。

"巴，怎么站在门外，为什么不进来？"海伦姑娘走了出来。

巴图尔挠了挠耳朵，结结巴巴地说："我，我想向你认个错，以前，以前，我，我不应该对你那样。"

海伦心头一热："巴，进来，快进来。"

巴图尔被海伦带进了他曾经养伤的那间屋。一进屋，映入眼帘的是自己两次睡过的那张病床。屋里的摆设依然那么简单，洁白的床单，干净的被褥，空气中飘着一股淡淡的消毒水味。以前，巴图尔很不愿意闻这股味，今天他却深深地吸了几次，一切都是那么熟悉，那么让他无法忘记。

巴图尔不由自主地摁了摁床，又坐在床上。他搓着手，显得很拘谨："都说洋人红头发、绿眼睛，一个个跟凶神恶煞似的，非常可怕。你们一家人却不是，尤其是你……"

巴图尔想说海伦相貌娇美，楚楚动人，却没有说出口。

海伦"咯咯"地笑了："你太天真了，你们中国人说：龙生九子，各有不同。不要说洋人来自许许多多的国家，就是同在中国的蒙古人和汉人长得也不一样，中原汉人与南方汉人长得也不一样。洋人的概念太大了，在欧洲，确实有你说的那种红头发、绿眼睛的人，可他们也不都像你说的那样凶恶，他们当中也有很友好的人。"

巴图尔一本正经地说："红头发、绿眼睛的，那就是我们中国人传说中的魔鬼。"

海伦摇了摇头："黑头发、黑眼睛的就没有魔鬼了吗？"

巴图尔望着海伦："黑头发、黑眼睛的当然没有魔鬼，有的是天使，就像你一样……"

海伦的脸一红，她理了一下自己的金发，表情凝重："火烧圆明园的洋人不但有红头发、绿眼睛的，也有黑头发、黑眼睛的，可是，你能说，他们是天使吗？"

巴图尔被问住了，他岔开话题："你们一家为什么要救助中国人？"

海伦郑重地说："这是主的安排。"

巴图尔不解："主是干什么的？"

海伦解释说："主就是上帝，上帝是拯救全人类的。"

巴图尔似乎想起来了："对了，你父亲说过，你们是来传播上帝福音的。"

海伦点点头："上帝教化民众，普度众生。听说你们蒙古人信仰的喇嘛教有八条戒律，是不是？"

巴图尔点点头："是。"

海伦看着巴图尔："如果我没记错的话，这八条戒律是：不杀生，不偷盗，不奸淫，不枉谈，不饮酒，不信他教，不与非同道者为友，不损人利己。对不对？"

巴图尔睁大眼睛："怎么，你对我们喇嘛教这么了解？"

海伦莞尔一笑，不置可否。

宗教都是向善的，基督教也是如此。基督教有十诫，不过，基督教是告诫，是劝诫，不是戒律。基督教的十诫是：一、上帝至高无上；二、不能随意用上帝的名义发誓，一旦用上帝的名义发誓，就必须遵守；三、按时参加宗教活动，不能无故缺席；四、孝敬父母，尊敬和服从自己的长辈，包括自己的上级和国家；五、不得杀人，绝不能杀害、损伤自己或别人的灵魂、肉身；六、不得有邪念，不得说、听下流话；七、不得偷窃别人的东西；八、不得作妄证，也不许妄自评判他人；九、不得暗恋他人的妻子，禁止非正当的男女关系；十、不能贪图他人财物。

巴图尔暗想，看来，基督教和喇嘛教也有不少相似的地方。

海伦说："还有，如果自己做错了事，可以在主前忏悔，只要忏悔了，主就会原谅你，因为主是最仁慈的。"

巴图尔和海伦谈兴正浓，巴家的老仆走了进来："二少爷，可找到你了，夫人让你马上回去，明天去归化城相亲。"

巴图尔两眼无神，没有答话。

海伦很是惊愕："怎么，你母亲要给你相亲？"

巴图尔无奈地点了点头。

海伦的声音有点发颤："你非去相亲不可吗？"

两个人的视线缠绕在一起，最终还是巴图尔避开了海伦的目光，他望着屋顶，声细如丝："你们基督教不也有孝敬父母，尊敬和服从自己的长辈吗？……"

巴图尔不敢再看海伦，他站起身，迈大步走出教堂。

海伦追了出来："巴，巴……"

巴图尔头也没回，他跳上马，飞奔而去。

土默特蒙古人的婚礼与鄂尔多斯蒙古人的婚礼有些类似。男女青年相亲后，如果双方都同意，则由媒人把酒、肉、哈达和五十个馒头送到姑娘家，这叫"小订"。小订不久，男方家要到庙里请德高望重的喇嘛确定吉日，双方父母在吉日中"大订"。大订一般都在婚前一个月，媒人及男方长者带上礼品赴姑娘家。礼品仍然要有五十个馒头，此外，还要有羊背子一具，哈达两条，酒两坛。

巴图尔随媒人到了姑娘家，姑娘家盛情招待。

土默特蒙古姑娘出嫁不但不要彩礼，姑娘家里还要送上一笔丰厚的陪嫁。双方商定陪嫁之后，男方家还要送一些羊给女方家。羊的数量很讲究，一般都是"九"的倍数，或是九只，或是十八只，或是二十七只，最多八十一只。

土默特蒙古婚礼通常要进行三天。结婚前一天，新郎头戴红缨帽，身着长袍，肩挎弓箭，足蹬马靴，与两男、两女四名"大傧"和两个伴郎共六人，套上喜车，骑上高头大马，带上一只活羊和一具羊背子，吹吹打打到姑娘家。

这只活羊叫"碰门羊"。到了姑娘家门口不能进院，大傧领着新郎及伴郎向门行礼，并以羊相送，女方家带着姑娘及亲人向新郎一行敬酒，进院时，新郎把弓箭挂在门外。新郎的大傧和伴郎把羊背子、哈达献上，女方家的长者引领新郎按辈分向姑娘的长辈请安。

傍晚，新郎和伴郎要到新娘席前"讨名字"。说是讨名字，但也包括姑娘的生辰八字、属相、年龄、女工和家族情况，甚至是海阔天空地漫谈。新娘和伴娘也提出一些问题反问男方。双方问完，新郎再把他带来的弓箭悬挂在新娘闺房窗外。双方饮酒弹唱，热闹非常。夜半时分，新郎要行"求箭礼"，向新娘的父亲跪献哈达，把箭"求"回来。新娘的父亲送给新郎一块红绸子，再把去了尖的箭还给新郎。

新郎在新娘家住一夜，第二天清晨，新娘仍是姑娘打扮——头上梳着十几条小辫子，与平时不同的是新娘也戴上红缨帽，脸上蒙块蓝盖头，由其家兄把她抱上喜车。新郎张弓向喜车前连射三箭，这叫"射该"，"该"就是灾祸的意思。射该就是禳祸祛灾之意。车启动时，新娘把一双筷子和一些食物扔在家门前，表示不带走娘家的福禄。

太阳升起，喜车出发。行至距男方约二里处，喜车停下，几个人到男方家里送信，男方家长者与送信人一起来到停车处，向送亲人敬酒，新郎、伴郎骑马绕新娘喜车转三圈，然后向自己的家跑去，送亲的小伙子则骑马追赶新郎，抢新郎、伴郎的帽子。如果有人帽子被抢，新郎家要向送亲人赔情，并按送亲人要求唱敬酒歌，直到送亲人满意，方才将帽子奉还。喜车到新郎家门口不能马上进入，新郎的姐姐或嫂子将羊头和食物抛在车下，将酒洒在喜车马头上，再绕喜车转一圈，喜车方可进院。

进院时，新郎家要在门两旁点燃草把子，婆母向草把子撩油，口中念吉祥语。门前横放一条椽子，上缠哈达，车从椽上碾过。喜车进院，新娘由其兄抱下车，由伴娘搀扶着走进新房，新郎用箭揭去新娘脸上的蓝盖头。

此时，新娘头上仍是梳着十几条小辫子，"梳头妈"把新娘的辫子全部解开，让新娘的长发搭在新郎头上，然后把新娘的头发梳成两条辫子，这表明新娘由姑娘晋升为媳妇了。梳头妈通常是男方家附近的中年女人。一旦为新娘梳了头，就成了新娘的梳头妈。梳头妈认定后，与新娘终生往来，跟义母差不多。

接下来就是"拜灶"。新郎家在灶前地面铺上羊皮或红毡，上面摆着香案和长方形的木盘，盘中放着羊肉、冰糖、红枣、奶酪、奶油、点心等。这些食品用哈达蒙着。另备一条白布口袋，两端不封口，口袋上贴着用红布剪成的太阳和月亮。灶中点起旺火，燃上香，新郎新娘跪倒，每人捧三片羊尾肥肉，对灶膛三叩头，再把羊尾投入灶中烧掉。新郎和新娘拉起白布袋，新郎从贴近太阳图案的一端伸进手，新娘从贴近月亮的一端伸进手，两只手在白布袋中共同捧起那个长方形的木盘。与此同时，喇嘛诵经，旁边长辈妇女说祝福的话语。新郎新娘一起将木盘放在灶前，再相对施礼。

接下来是拜天地。院子里早就放好了方桌，桌前燃起一个火盆，桌上放香炉、蜡烛、镜子、弓箭、羊骨、羊背子、哈达等。新郎新娘行跪拜礼，先拜天地，再拜祖宗，然后，依辈分一一参拜前来贺喜的长者。

这套程序下来，就是午宴。席间新郎新娘逐桌敬酒，一对新人正式结为连理。晚上年轻人闹洞房，这就跟汉人的婚俗差不多了。

第三天黎明时分，新媳妇起来到灶里掏灰，以表示媳妇的勤快。有钱人家也不让媳妇白掏，事先在灰中放一些金银玉饰，作为对媳妇的回报。这之后是"拜人"，拜人就是新郎新娘为前来参加婚礼的亲朋行礼致谢。所有受拜者都要向新娘馈赠礼物或喜钱。接下来新娘与姑嫂相互行礼，互赠礼物。中午之前，新媳妇的父母、叔叔婶子、姑嫂、兄长等还要到男家认亲，新郎的家长率新婚夫妇到门外迎接，双方互献哈达，互闻鼻烟壶，中午设酒宴。新婚夫妇向双方的家长敬酒，行跪拜礼。女方家人走时，男方全家送到大门外，并以酒饯行，这通常叫"上马酒"。

新媳妇过门一个月后要回娘家住一个月，这叫"住对月"。在住对月中，新媳妇也不能闲着，要为婆家的长辈每人做一双鞋。

成家之后，巴图尔的心渐渐地平静下来，几年后，巴图尔有了两个儿子。

包头城的修建使这里的商业更加发达，人口大幅度增长。洋人纷纷盯上这片肥沃的土地，英国、法国、荷兰、瑞典等国都在这里开设商号，基督教堂、天主教堂遍布包头城内外，在那个积贫积弱的晚清，包头很是繁荣。

郭富又租了巴家一些土地，家中逐渐有了积蓄。然而，到了1893年（光绪十九年），包头滴雨没下，包头镇一下子萧条起来，逃荒、要饭、卖儿卖女的比比皆是。

草原大旱，山西、陕北更是寸草不生，在那个靠天吃饭的年代，这对百姓来说，无疑是一场重大劫难。

转过年三月，老天爷终于开恩，几场透雨过后，老百姓总算把地种上了。

皮货市场本是包头最繁华的地方，如今，商户家家门庭冷落。一个年迈的盲人提着二胡，身边一个十五六岁的小姑娘领路，二人找了一片空地，放下一个破碗，盲人坐在地上拉起二胡，姑娘含着眼泪唱道：

都说包头好风光，
草肥水美有余粮。

山西大旱不下雨，

老天爷饿得人发慌。

万般无奈走西口。

一出西口泪汪汪，

好容易来到包头城，

三天吃不上一口粮……

姑娘唱了半个时辰，也没几个人来听，破碗里只有三枚铜钱。

巴图尔从街的西头一路走来，竟然遇到三个卖儿卖女的，四个卖唱的，巴图尔把身上的钱一一分给他们。当来到姑娘这儿，巴图尔往怀里一摸，只剩下两枚铜钱了。

巴图尔把两枚铜钱轻轻地放入碗中，他心生怜悯："姑娘，不要唱了，饿坏了吧？包头召外开了个粥棚，你们过去喝口粥吧。"

盲人眼睛看不见，耳朵特别灵，他放下二胡，对姑娘说："孙女，快谢谢恩公！谢谢恩公！"

姑娘给巴图尔道了个万福："谢谢恩公……"她又怯怯地说，"我们初到包头，不知道包头召在哪儿，恩公能指点一下吗？"

巴图尔把手抬起来，却又放下了，他也要去粥棚。于是，巴图尔就把祖孙二人带到包头召。然而，令巴图尔没想到的是包头召外人山人海，到处都是饥饿的人群，哲旺喇嘛和几个小喇嘛在给这些饥民盛粥。

巴图尔走上前，见粥很稀，他一皱眉，来到哲旺喇嘛面前："八爷爷，粥怎么这么稀呀？"

哲旺喇嘛双手合十："阿弥陀佛，人越来越多，庙里的米越来越少，怕是这样的粥也维持不了几天了。"

巴图尔想了想，他到后院马棚牵过一匹马，纵马回到沙尔沁章盖衙门。巴图尔来到大哥巴雅尔的章盖大堂，把家庙包头召粥棚的事告诉巴雅尔，他想让大哥巴雅尔从章盖衙门拨些粮食。巴雅尔把巴图尔带到粮仓，弟兄俩绕粮囤走了一圈，三十个粮囤，二十八个空的，只有两个囤盛着粮食。

巴雅尔叹道："二弟，大哥能动的只有这些了。"

"这也有十来车吧？送几车到庙上。"巴图尔也不等巴雅尔发话，他叫人把粮食拉走了一大半。

可是，一个月后，包头召又没粮了。

巴图尔再次来找巴雅尔，巴雅尔也不说话，他又把巴图尔带到粮仓。巴图尔一看，库里只剩了两袋米。

巴图尔回到家中，对一个年轻的男仆说："巴家世代礼佛，慈悲为本，善念为怀，看看家里还有多少粮食，把咱家的粮送到庙里去。"

男仆望着巴图尔，却没有动。

巴图尔有点不高兴："怎么，我的话你没听见？"

男仆一脸难色："回二爷，咱们家已经没有粮了。"

巴图尔沉下脸："咱们家的粮食都哪儿去了？"

男仆一回头，见一个使女搀着乌梁氏从上房走了出来，他忙说："二爷，你问太夫人吧。"

自从巴图尔有了儿子，仆人就称乌梁氏为太夫人，称巴云氏为老夫人，称巴图尔为二爷。

巴图尔问："奶奶，咱们家的粮食呢？"

乌梁氏手捻佛珠："这些日子，沙尔沁也来了不少饥民。佛祖释迦牟尼能割肉喂鹰，舍身饲虎，奶奶做不到，但把粮食都分给他们，救活几个人还是能做到的。"

巴图尔心中凄然，他叫使女送奶奶乌梁氏回屋，巴图尔两眼发直，一筹莫展。正在这时，一个人走了过来。

第二十四章

　　巴音孟克一走，巴图尔却释然了，本来这件事因我而起，是我连累了巴音孟克，好汉做事好汉当，天塌下来我一个人顶着。

　　走进来的是巴音孟克。

　　巴图尔想，南海子官渡每天总是百舸争流，千帆竞下，那里肯定有运粮的，巴音孟克在南海子当差多年，他心眼儿那么多，没准儿有办法弄到粮食。

　　没等巴图尔开口，巴音孟克摇头晃脑："完了，完了，南海子官渡客商大量减少，入不敷出，原来的人被裁下一半，我小心谨慎这么多年，还是被那个病秧子阿鲁赶了出来。二哥，你这是发什么呆呢？"

　　巴图尔刚刚燃起的希望瞬间破灭了。得知包头召粥棚断粮，巴音孟克眼睛转了转："二哥，你不就是想要粮食吗？找我呀！"

　　巴图尔满腹狐疑："你不是说南海子官渡客商大量减少，入不敷出吗？到哪儿找粮食去？"

　　巴音孟克两手交叉抱在胸前，洋洋自得："只要我略施小计，弄点粮食小意思。"

　　巴图尔瞥了巴音孟克一眼："我说巴音孟克，你不吹牛是不是不会说话？"

巴音孟克很是不屑的样子："二哥，我跟你吹什么牛了？不信，你跟我走。"

巴图尔当然不信："去哪儿？"

巴音孟克嘿嘿一笑："到了你就知道了。"

巴图尔不知巴音孟克说的是真是假，他跟着巴音孟克进了包头城。

巴图尔忍不住地问："巴音孟克，你的粮食在哪儿？你要把我带到什么地方？"

巴音孟克诡异地说："我的粮食都在那些大商户手里存着呢！"

巴图尔如坠雾中："什么？我怎么越听越糊涂，那些大商户给你存粮？"

巴音孟克凑到巴图尔耳边："二哥，那些大商户家家囤积居奇，一升米都卖到了一两银子，咱们找他们借不就得了。"

巴图尔觉得很荒唐："他们还等着卖高价发财呢，怎么可能借粮？"

巴音孟克成竹在胸："我的二哥，光我们两人去他们肯定不借，我们要是把包头召的饥民带上，他们不借也得借！"

巴图尔惊道："你是说抢粮？"

巴音孟克手指巴图尔："二哥，我可没说抢啊！"

巴图尔心说，这跟抢有什么区别？

巴音孟克振振有词："如果抢，必然是把人家抢光；要是借，就得给人家留点。"

巴图尔琢磨半天，要想不饿死人，也只有这个办法了。可是，跟谁"借"呢？巴图尔提出向洋人的商号"借"，巴音孟克不同意，朝廷见洋人腿就软，惹了洋人，朝廷还不得把我们杀了？两个人商量来商量去，他们想先到复盛公看看，复盛公是包头最大的商号，几车粮食对他们来说不会伤筋动骨。

巴图尔和巴音孟克两人来到包头召，见成百上千的饥民在粥棚前排长队，哲旺喇嘛和几个小喇嘛给饥民每人仅盛一勺粥。巴图尔一看，粥清汤清水，碗底的米粒清晰可见。

巴图尔心如刀绞，他站在高台上："诸位兄弟姐妹，老少爷们儿，巴家对不住你们，巴家的粥棚就要开不下去了，巴家的粮仓已经空了……"

一听这话，人群中立刻有人倒在地上。

饥民中有位老者道："不是巴家对不住我们，是我们对不住巴家，已经三个多月了，这么多人，就是一座粮山也会被吃空啊！"

人群开始向外走，巴图尔大声说："大家不要走，我和巴音孟克兄弟商量了，巴家的粮食是没了，可那些大商号却有存粮。我和巴音孟克带着大家去借，借条由我来写，大家只管领粮。有家的，可以把粮食拿到家中；没家的，就把粮食背到包头召来，巴家的粥棚接着开。再有两个多月秋粮就下来了，巴家就是砸锅卖铁也要把粥棚维持到秋粮下来，绝不能让一个人饿死！"

饥民千恩万谢。

巴图尔和巴音孟克带着众人来到复盛公门前，李生迎了出来，巴图尔把来意一说，李生不敢做主，他跑进去找到马掌柜，马掌柜还不错，他给包头召拉去三车粮食。

复盛公借粮十分顺利，可十天之后，粥棚又没粮了，巴图尔和巴音孟克带饥民来到一家叫天聚公的商号。

天聚公商号的关掌柜听说巴图尔和巴音孟克带着饥民来借粮，立刻把大门关了起来。饥民撞开大门，一拥齐上，天聚公商号的粮仓被抢了一大半。

饥民走后，天聚公关掌柜一屁股坐在地上："天哪！这不是要我的命吗？……"

巴图尔走上前："关掌柜，这些粮算我借你的，这是借条，你拿好。今年秋天可能还不了，因为饥民还等着吃饭，明年我一定还给你，保证一粒不少。"

用同样的办法，巴图尔和巴音孟克又"借"了六家商号，包头召的粥棚总算维持到了秋后。饥民得救了，然而，关掌柜却联合那六家商号把巴图尔和巴音孟克告到了萨拉齐厅。

草原上实行蒙汉分治，萨拉齐是管汉人的衙门，巴图尔和巴音孟克是蒙古人，萨拉齐厅对他们二人没有受理权。萨拉齐厅上报归绥道，归绥道上报山西省。山西省和绥远将军衙署批复，由萨拉齐厅主审，归化城副都统衙门派人监审。这种蒙汉会审的方式是处理蒙汉民纠纷的通常做法。

清朝统一蒙古地区，土默特部被分为左右两旗，旗的最高官职原为都统，都统是从一品武官。土默特左旗由古禄格任世袭都统，土默特右旗由巴氏家族的远祖杭高任世袭都统。后来，土默特左右两旗的都统全部裁撤，两旗各设一名副都统。数年后，两个副都统又裁撤一人，由一名副都统掌管土默特左右两旗的军政事务，副都统办公之处叫归化城副都统衙门。

土默特左右两旗没有合并，但也跟合并差不多。土默特左右两旗各有三十个章盖，每五个章盖设一个参领，参领由章盖之中德高望重者兼任。这样下来，土默特左右两旗各有六个参领，共十二个。这十二个参领有个联合办事机构，称土默特旗务衙门。土默特旗务衙门处理土默特左右两旗的日常工作。议事厅对归化城副都统负责，归化城副都统对绥远将军负责。

萨拉齐是绥远地区最大的厅，南到黄河，北达阴山，东接归化城，西含河套全境，这么大片区域内的汉人事务都归萨拉齐厅管。当年有句顺口溜：萨拉齐的官，管得宽，东至归绥界，西至河套川，北到青山外，南到黄河边。到了1903年（光绪二十九年），五原厅设立，河套地区才从萨拉齐厅划出去。

土默特旗务衙门派差官带着衙役来到沙尔沁章盖衙门，要带巴图尔和巴音孟克去萨拉齐问案。差官先见巴雅尔，他把归化城副都统衙门的官文递给巴雅尔，巴雅尔吃惊不小。

巴雅尔不敢惊动奶奶乌梁氏和额吉巴云氏，他吩咐军兵悄悄地把巴图尔和巴音孟克叫来。

巴音孟克一到章盖衙门就愣住了："姓关的还真把我们告了！"

巴图尔却把头一甩，对差官道："走，我跟你们去。"

巴图尔走出门，巴音孟克却没动。

差官道："巴音孟克，你也请吧。"

巴音孟克嘿嘿一笑："我，我先尿泡尿，要不你们先走？"

差官还算客气："我在这儿等着，你快点。"

巴音孟克进了茅房，差官叫一个衙役跟了过去。那衙役还没到茅房，巴音孟克就提着裤子出来了："嘿嘿嘿，走吧，走吧。"

巴音孟克随差官出大门，上了官道，可没走出半里，他一捂肚子，龇牙咧嘴："官爷，我，我肚子疼，我，我要拉屎。"

差官脸一沉："你不是刚从茅房出来吗？"

巴音孟克似笑非笑，似哭非哭："我刚才是撒尿，现在要拉屎。"

差官喝问："为什么不一起办？"

巴音孟克理由还挺多："哎哟，我的官爷，我也想一起办，可拉屎撒尿它不从一个道出来啊。"

差官训斥道："你怎么这么麻烦？"

巴音孟克一脸委屈："我本不想跟官爷说，干脆拉在裤子里就得了，可又一想，要是拉在裤子里，小人我挨臭是小事，官爷你不得臭这一路吗？"

差官听巴音孟克这话像在骂他，他一瞪眼："嗯？"

巴音孟克忙解释："我是说我臭，官爷被臭，挨臭。嘿嘿嘿，这也是为官爷你老人家着想，可一说出来，却惹你老人家不高兴了。要不算了，我还是往裤子里拉吧。"

差官听着还是不舒服，他不耐烦地说："去吧去吧，你快点儿。"

巴音孟克一溜烟儿又跑进院中，一个衙役站在茅房外等着。可是，左等巴音孟克不出来，右等不见巴音孟克的影子，衙役心说，难道这个巴音孟克掉屎坑了？

衙役进茅房一看，巴音孟克没了。

衙役哭丧着脸来报告差官，差官很生气，可又一想，这里毕竟是巴家地盘，还是先别找巴音孟克了，万一巴图尔也跑了，我回去就更没法交代了。

巴音孟克一走，巴图尔却释然了，本来这件事因我而起，是我连累了巴音孟克，好汉做事好汉当，天塌下来我一个人顶着。

巴图尔被带到萨拉齐，关掌柜等七家商号早就到了萨拉齐厅衙门。绥远各厅最大的官叫同知，萨拉齐厅的同知是从五品文官。同知大人往下一看，只有巴图尔，不见巴音孟克。同知问土默特旗务衙门的监审官怎么办？土默特旗务衙门的监审官责问差官，为什么没把巴音孟克押到大堂？差官就把巴音孟克从茅房逃走的事说了。

关掌柜心中一喜，他跪在地上："大人，巴音孟克这是畏罪潜逃，请大人严明国法，严惩这个恶人……"

关掌柜的话还没说完，门外有人应道："谁说我畏罪潜逃？我是嫌他们走得太慢，我早就来了。"

说着，巴音孟克一步三摇地走进大堂，巴图尔一副吃惊的样子，心说，巴音孟克呀，你都逃走了，还回来干什么？这不是自找罪受吗？

同知大人征求监审官意见后升堂，两旁衙役高声道："威——武——"

同知大人把惊堂木一拍："巴图尔、巴音孟克，关掌柜等七家商号联名告你二人抢了他们家中的存粮，你们可知罪？"

巴图尔手一摊："大人，我们没有抢，我们是借，每家商号我都打了借条。"

关掌柜怒道："有你这么借的吗？到我们商号，不容分说，打开粮仓就抢，抢完扔下一张借条。要是这种借法，我到你们家借行吗？"

巴图尔看着关掌柜："当然可以！"

关掌柜向上磕头："请二位大人作证，我们的官司不打了，我们现在就到巴家借粮去！"

巴音孟克忙道："慢着慢着慢着……关掌柜，各位掌柜，等一等，等一等。"

关掌柜问："等什么？"

巴音孟克嘿嘿一笑："关掌柜，你看这样行不，巴家要是有粮，你们随便借；巴家要是没粮，我二哥给你们打的借条就全部作废，行不？"

关掌柜脑袋摇得跟拨浪鼓似的："想赖账，没门！"

"这么说，你是不同意了？"巴音孟克敛起笑容。

"不同意！"关掌柜又似乎代表其他各家掌柜，"我们都不同意。"

巴音孟克转过脸对主审和监审道："二位大人都听见了，关掌柜承认了。"

关掌柜道："我承认什么了？"

巴音孟克理直气壮："你承认我们借粮了。"

关掌柜一口否认："你胡说！你们就是抢粮，我什么时候承认你们借粮了？"

巴音孟克反问："你没承认借粮，我说借条作废，你为什么不同意？"

"你，我，这……"关掌柜被问得哑口无言。

同知大人一拍惊堂木："借东西是要得到主人同意的，你们没经主人许可，擅闯商号，这与抢何异？"

巴音孟克嘿嘿一笑："大人，这当然不一样，抢东西是据为己有，可我们把借来的粮食全给饥民吃了。"巴音孟克把"借"字说得很重。

关掌柜道："那怎么不到你们家借去？"

巴音孟克一龇牙："关掌柜，你错了，巴家不是借，巴家是无偿地给。草原大旱，灾民遍地，巴家在家庙包头召开粥棚的事包头城谁人不知，那个不晓？"巴音孟克又对萨拉齐厅同知说："同知大人，我和我二哥可是为了大老爷您吃的官司啊，大老爷可得给我们做主啊！"

巴音孟克说出这番话，不但巴图尔愣了，萨拉齐厅同知也愣了，他问："为本官吃官司？此话怎讲？"

巴音孟克问："大人，包头镇是不是归您管？"

萨拉齐厅同知点点头："当然。"

巴音孟克口若悬河："这就对了，几千饥民涌入包头，包头城无粮赈灾，而巴家把全部存粮都拿出来开粥棚。巴家的粮用完了，饥民还是没饭吃，为了不饿死人，我们带着灾民到各商号去借粮。我们去了复盛公，人家复盛公马掌柜二话没说，给包头召拉去三车粮食。可天聚公等七家商号不但不赊一粒米，还将饥民拒之门外。饥民为了活命，破门而入。我二哥巴图尔觉得这些买卖人不容易，才给各商号打了借条，承诺全部粮食由巴家来还。大人，如果饥民没饭吃，肯定会激起民变，一旦发生民变，那官府又要像剿捻子那样劳民伤财。受损失的是国家，受罚的是大人。大老爷您说，我们不是为大人吃的官司吗？"

巴图尔太佩服巴音孟克了，他也来了精神："大人，巴音孟克所言全都是实情，如有半句谎言，小人甘愿领罪。"

同知大人手捻胡须，沉思不语。

正在这时，外面传来"咚咚咚"的击鼓声。在衙门前击鼓都是为了鸣冤，同知大人让衙役把击鼓人带上大堂。

走进大堂的有七个人，同知大人责问衙役为什么带这么多人进来，衙役说，外面来了几百人，这七人是他们选的代表。

七个人跪倒在地，同知大人一拍惊堂木："你们有什么冤情？"

七个人之中有位老者："青天大老爷，我们不是为自己鸣冤，我们是为巴图尔和巴音孟克二位爷申冤哪，二位爷冤枉哪……"

饥民并不知道巴图尔和巴音孟克吃了官司，这都是巴音孟克告诉他们的。

土默特旗务衙门的差官前来拿人，巴音孟克一想，这场官司输赢难料，时间一长，难免被大奶奶乌梁氏知道。老人家那么大年纪，万一有个三长两短，我和二哥巴图尔就是不孝。巴音孟克两次上茅房，都是在想主意。第二次上茅房时，他想，如果灾民能到大堂上去，他和二哥巴图尔的官司就赢定了。于是，他逃出去找了几个饥民，让他们联络一些人奔赴萨拉齐。

自古以来，中国人讲"滴水之恩，涌泉相报"，何况巴图尔和巴音孟克对饥民是救命之恩。饥民一传十，十传百，总共有五百多人，他们步行近百里来到萨拉齐。

萨拉齐同知和监审官商量之后，同知大人判道：关掌柜等七家商号为富不仁，哄抬粮价，反污告好人，罪不可恕，每人重打四十大板，责令其所持借条当堂销毁。巴图尔和巴音孟克为国分忧，为民解难，义薄云天，其心可嘉。

第二十五章

朝廷的军队对东洋人畏之如虎，对老百姓凶狠如狼，麻政和
与官军作对，这不是替天行道吗？这不是好人吗？我抓不抓他？

章盖巴家有个传统，每当过年之前，章盖都要站在房顶向全村张望，看看有没有人家烟囱不冒烟过不去年的。如果有就派人送去粮食和肉，让这些贫困户过个好年。

大灾之年，巴家的日子也不好过，但巴雅尔依然坚持祖上留下的传统，他站在房上四下瞭望，忽见村西来了一大群人，这群人敲着锣，打着鼓，吹着唢呐，还抬着一个东西，上面用红布蒙着。

巴雅尔一愣，今天是腊月十五，还没到过年呢，怎么拜年的乡亲就来了？可是，仔细一看，不对，这群人个个身着汉服，没有人穿蒙古袍。沙尔沁是蒙古民族聚居的村落，这么多汉人来又这么热闹，会是什么事呢？难道是谁家娶媳妇？自从走西口的汉人来到包头，蒙汉之间就有通婚现象，可沙尔沁至今没有，难道是谁家的姑娘要嫁给汉人，这些汉人是来接亲的？

巴雅尔正疑惑之际，这群人已经在章盖衙门前停了下来。鼓敲得更响了，唢呐吹得更起劲儿了，锣声震得人们捂起了耳朵，沙尔沁全村的大人小孩都出来看热闹。

巴雅尔下了房，来到衙门外，见这些百姓都是包头镇周边的汉人，巴雅尔问："诸位父老乡亲，你们这是……"

一位老者走上前，他就是在萨拉齐厅大堂为巴图尔和巴音孟克鸣冤的七位代表之一，老者道："您就是章盖老爷吧？"

巴雅尔点点头："我是巴雅尔。"

老者一摆手，鼓声、锣声、唢呐声都停了。

老者激动道："章盖老爷，我们给巴家送匾来了。"

巴雅尔纳闷："送匾？送什么匾？"

老者显得很激动："章盖老爷，这大灾之年，我们流落街头，甚至卖儿卖女，是章盖巴家用家里的存粮在包头召开粥棚救了我们。我们吃光了巴家的存粮，巴图尔和巴音孟克二位爷又带我们去向那些大商户借粮，我们才没被饿死。我们都是穷苦人，没有钱，为了表达我们的心意，大伙动手给巴家做了一块匾，请章盖老爷收下。"

巴雅尔万分感动，这些朴实的百姓刚刚能吃饱饭，就给巴家做匾，这匾太珍贵了，巴雅尔一时说不出话来。

巴图尔从里面走来，老者和人们异口同声："二爷，我们谢您来了，谢谢二爷救了我们的命，我们给您磕头，给您磕头……"

巴图尔把众人一一扶了起来："急人之困，救人之难，此乃男儿本色，这是应该的，都起来，都起来。"

老者站了起来，他吩咐一声："揭匾！"

老者和另一个年龄较大的人掀开红布，露出一块六尺多长、三尺多宽的匾，中间用楷书端端正正地刻着四个大字：

义重恩隆

巴雅尔热血直往上涌，他高声说："父老乡亲们，你们的心意巴家领了，这块匾巴家收下了！"

巴雅尔的话还没说完，人群中便爆发出雷鸣般的掌声。巴雅尔连摆了几次手，才停了下来。

巴雅尔一脸赤诚："不过，我有个要求，今天你们谁也不要走，都留在巴家，咱们一醉方休！"

巴图尔也说："对对对！谁也不能走，一醉方休！"

人群一下子静了下来，一个个你看看我，我看看你，谁也不说话了。

巴雅尔拉过老者粗糙的手："怎么？老人家，你们不给我这个面子？"

老者嘴唇颤抖着："我，我给！"老者转过头，对众人道，"今天咱们就在章盖老爷家，一醉方休！"

"一醉方休！一醉方休！"人群中传来山洪一般的喊声。

巴图尔大声吩咐男仆："把咱家的酒都拿出来，多做几道好菜，让大伙喝个够。"

男仆响亮地答应一声："是！二爷。"

外面瑞雪飘飘，屋中暖意融融。巴雅尔的妻子和巴图尔的妻子搀着太夫人乌梁氏和婆母巴云氏也都来到客厅。女眷出席这种宴会，气氛更加热烈。人们纷纷上前敬酒，祝太夫人乌梁氏福如东海，寿比南山；祝巴云氏健康长寿，吉祥如意；祝巴雅尔的妻子和巴图尔的妻子多子多福，快乐无边；祝章盖巴家富贵久长，世代平安！

人群散去，巴云氏陪着乌梁氏屋里屋外端详着家里的三块匾——"甲操冰霜""气壮山河""义重恩隆"。太夫人乌梁氏的眼睛只在"甲操冰霜"上扫了一眼，目光便移向"气壮山河"和"义重恩隆"，乌梁氏感慨地说："巴家后继有人了！"

巴云氏脸上也绽开了笑容："是啊，额吉！"

婆媳俩正说着，多尔济拎着几大包点心从外面走了进来，他给太夫人乌梁氏请了安，又给巴云氏请安。乌梁氏吩咐使女献上奶茶，多尔济没喝，他半吞半咽地对乌梁氏道："大婶，有件事我想求您。"

太夫人乌梁氏手里捻着佛珠："都是家里人，有事就说吧，还什么求不求的。"

多尔济"扑通"一声跪在乌梁氏脚下："大婶，不孝有三，无后为大。您也知道，我三房媳妇没能给我生出一个儿子，我都是奔六十的人了，要再生不出儿子来，这辈子就没指望了。现在一个汉家女子终于怀了我的孩子，人们都说她怀的是男孩，再有几个月，孩子就要出世了。侄儿不能让她把孩子生在外面，侄儿求大婶让侄儿把这个汉家女子娶到门中。"

巴云氏暗道，人们都说多尔济是胆小鬼，没想到他居然在外面有了女人，还要生孩子！巴云氏愣愣地看着婆母乌梁氏。

太夫人乌梁氏捻了半天佛珠才说："自大清开国以来，蒙汉之间不得通婚，这几年才慢慢放开，你要娶汉家姑娘，是不是要上报官府啊？"

多尔济说："我已经跟巴雅尔说过了，萨拉齐厅我也打点了，只要大婶同意，巴氏家族不反对就行。"

说着多尔济又给乌梁氏磕了三个头。

乌梁氏感慨万千，这么多年，为了儿子，多尔济不知受人多少白眼，如今总算看到希望了。不管是汉家女子，还是什么女子，只要生出来，就是巴氏家族的后代。只是多尔济偷偷摸摸，有伤风化。乌梁氏沉思片刻，老人点了点头："大婶支持你。"

多尔济高兴得眼泪都流了出来："谢谢大婶，谢谢大婶……"

腊月二十六，多尔济吹吹打打，把汉家女子娶到家中。多尔济的三房媳妇因为没能给多尔济生出儿子，都觉得愧对多尔济，因此，她们热情地接纳了这位女子，一家人过了一个团圆年。

包头召每年举行春祭和秋祭两次庙会。春祭一般三天，因为包头召的僧侣少，巴家往往从附近的庙里请来二十几位喇嘛一起诵经。

春祭这天，包头召里里外外收拾得干干净净，微风之下，经幡飘动。大殿四角的风铃"叮当"作响，清脆悦耳。巴氏家族以及附近的蒙古人早早来到包头召，人们在佛像前摆上供品，向佛祖释迦牟尼和宗喀巴大师献上哈达，钟鼓铙钹响起，喇嘛在经床上诵经，声音高亢洪亮，半个包头城都能听到。

春祭也叫春季嘛呢法会，第一天跳查玛舞，第二天请乃琼，第三天送八令。

跳查玛也叫跳恰木，这是喇嘛教一项传统的祈福禳灾舞蹈。参加起舞者头戴不同面具，色泽鲜艳，造型奇特，一般情况有：牛头一人，鹿头一人，扮成白色老者一人，扮成阎王一人，骷髅面具四人，身着印度古装四人，共十二人。蒙古典籍中，有蒙古人祖先源于印度之说，这大概是跳查玛有着印度装的原因吧。

众喇嘛在大殿前诵经，十二个跳查玛者分六对依次入场，围成一个圆圈。牛鹿二神居中，他们手持大刀向地上砍，将鬼杀死。其他舞者或是吐火，或是吞刀，做狰狞之状，助杀鬼阵势。

乃琼就是护法神。众喇嘛念经，请求护法神降临，一人扮作护法神入场。护法神头戴青铜盔，身披鱼鳞甲，一手持戟，一手提刀，动作迅速，敏捷如风。护法神步入主殿，向佛祖顶礼膜拜。住持喇嘛诵经祷告，传谕佛旨，告诫他谨慎护法。护法神领命而退，众喇嘛和信徒一同向护法神参拜。其间如果信徒中有生病者，护法神先给人治病，治完病护法神巡查全寺一周，这项佛事结束。

八令就是恶魔。八令用大麦粉、奶油和水捏成。八令有二三尺高，三棱锥形，顶端插支箭，并附一个骷髅形魔鬼头像。送八令的目的是驱邪祛鬼。八令盛在一个盘子里，放在经堂中央的高桌上，在诵经的喇嘛中选出二人，以哈达或上等丝绸蒙住他们的口鼻。这两个喇嘛立于八令左右，把二寸见方的降魔菩萨画像贴在八令头上，这就相当于一个镇鬼之符。众喇嘛诵经声起，两个喇嘛按照经文内容或向盘中加水，或燃酥油灯，或插香。诵经完毕，两个喇嘛抬起八令，众喇嘛捧着供品，吹号鸣角，敲鼓击铙，把八令抬到庙外，扔到火中烧掉。但八令头上的降魔菩萨画像是不能烧的，必须在八令入火前摘下来，供在殿中。

巴雅尔青衣小帽，与巴氏族人站在一起观看焚烧八令。突然，一匹快马奔包头召而来，马上跳下一个军兵，军兵慌慌张张地来到巴雅尔面前。军兵把巴雅尔从人群中叫到一旁，单腿打千儿跪在地上："大人，归化城副都统衙门的差人到了章盖衙门，请您马上回去。"

巴雅尔示意军兵起来，他惊问："出什么事了？"

军兵站起："回章盖大人，中日海战，我们的北洋水师全军覆没，听说小日本不但要朝廷赔偿白银三万万两，还要把辽东半岛、台湾和澎湖列岛割让给他们。朝廷担心发生民变，副都统大人派人前来巡查。"

"万万"为"亿"，今天的小学生都知道。可是，20世纪四十年代以前，"亿"代表的数量不统一，有"万万"称亿的，也有"十万"称亿的。1944年9月5日至18日中华民国国民参政会第三届第三次会议上，以张伯苓为首的二十一人联名提出以"万万为亿"提案。11月27日，国民政府以训令（渝文字六九五号）形式确定下来，直至今天。

日本明治维新改革，国力迅速增强。1894年春，朝鲜爆发东学党农民起义，因为清朝与朝鲜有藩属关系，朝鲜政府请求中国出兵帮助镇压。日本以保护使馆和侨民为名派军舰入朝。7月25日，日本联合舰队在丰岛海域突然袭击北洋护航舰队，甲午战争爆发。9月17日，黄海海战，北洋舰队损失5艘军舰，北洋舰队退守刘公岛。次年2月17日，刘公岛失守，北洋水师全军覆没。

清政府派直隶总督李鸿章为头等全权大臣前往日本马关谈判，李鸿章拒绝日本的苛刻条件，3月24日下午4时，中日第三轮谈判结束，李鸿章遭一名日本刺客枪击，左颊中弹，当场昏厥。因为李鸿章中了这一枪，日本的赔款由3亿两白银减为2亿两。1895年4月17日（农历三月二十三）上午11时40分，李鸿章代表清政府与日本在马关春帆楼签订了丧权辱国的《马关条约》，其主要内容包括：中国承认朝鲜独立；割让台湾岛及其附属岛屿、澎湖列岛与辽东半岛给日本；赔偿日本2亿两白银；开放沙市、重庆、苏州、杭州为通商口岸；允许日本人在通商口岸开设工厂。

《马关条约》签订六天后，俄罗斯因日本占领辽东半岛，阻碍它在中国东北势力的发展，联合法国和德国进行干涉，日本不敢招惹这三个大国，于1895年5月4日放弃辽东半岛，但要求中国以3000万两白银将其"赎回"，史称"三国干涉还辽"。甲午中日战争，日本共勒索中国2亿3千万两白银。日本从此恨上了俄罗斯，十年后日俄战争在东北爆发。

不过，这是后话。

军兵正在向巴雅尔说明情况，不知什么时候巴图尔来了，他的眉毛当时就立了起来："什么？两次鸦片战争，我们赔给洋人白银二千九百万两，刚刚还完，怎么又要向小日本割地赔款，这还让不让老百姓活了？"巴图尔火气十足，"朝廷这些领兵的都是干什么吃的？为什么不跟小日本血战到底？中国有四万万人，一人一口唾沫也能把小日本淹死！"

巴雅尔怒道："胡闹！"

巴图尔吓了一跳，大哥巴雅尔虽然比自己大两岁，可在他心中，大哥就像个长者，自己也曾对大哥有过不恭的言行，可从没见他发这么大火。

巴雅尔斥道："我们的水师那么强大都打不过小日本，我们用什么跟人家拼？人家手中是洋枪大炮，我们手中是弓箭和大刀，还没等到人家跟前，就被炸飞了。现在科技日新月异，你的思想居然还停留在快马弯刀年代！"

巴图尔望着大哥巴雅尔呆呆发愣。巴雅尔跳上马，他在马的后胯上狠狠地抽了一鞭子，这匹马"希溜溜"暴叫一声，飞驰而去。

巴图尔的心无法平静，什么是割地赔款？这跟俯首称臣有什么两样？祖国呀，我的祖国，你怎么软弱到这种地步？英国、法国我们打不过，连一个区区的小日本也打不过，这到底是为什么？

巴图尔漫步在街头，见一群老百姓正议论着——

"听说朝廷要跟小日本签什么条约，赔给他们三万万两银子。"

"不但三万万两银子，还要把辽东半岛、台湾和澎湖列岛割让给人家呢？"

"那我们大清不是完了吗？"

老百姓正议论着，一队军兵走了过来："都散开！散开！不许妄谈国家大事。"

人群中，一个驼背弯腰的老人啐了一口："有能耐跟东洋小日本使去，跟老百姓要什么威风？"

军兵中当头的眼睛一瞪，他吩咐手下人："把这个老东西抓起来！"

军兵上前要抓驼背老人，老人不服："我犯了什么罪？为什么抓我？"

"你诽谤朝廷，污蔑官府！"当头的军兵恶狠狠地说。

两个军兵冲上前，一人抓住驼背老人的一条胳膊，再看驼背老人身子一挺，背也不驼了，腰也不弯了，老人两膀一晃，腕子向前一翻，两个军兵还不知道怎么回事，他们的后脖颈就被老人掐住了。十几个清军各持刀枪，把老人围了起来。老人两手一推，那两个军兵"噔噔噔"后退几步，"咣""咣""扑通""扑通"……砸倒五六个。

当头的军兵单刀一举，直劈老人的顶梁，老人身子一侧，飞起一脚，"咣"，这个当头的重重摔在地上。

老百姓无不称快："好！好!"

巴图尔不禁道："好功夫……"他突然觉得这个人很面熟，见老人掸了掸身上的土，分开人群，跳上一匹马，飞驰而去。

巴图尔猛然想起，这位老人怎么这么像捻军将领麻政和！当年自己和巴音孟克利用捻军做棉衣找到了麻政和的营地，马升率汉八旗围剿麻政和，捻军全军覆没，巴图尔飞刀扎在麻政和背上，麻政和负伤而走……就是他！肯定是他！这么多年，麻政和居然还活着！

巴图尔的心狂跳起来，麻政和当年是捻子，是叛军，也是我的杀父仇人。可现在朝廷的军队对东洋人畏之如虎，对老百姓凶狠如狼，麻政和与官军作对，这不是替天行道吗？这不是好人吗？我抓不抓他？我要看看麻政和干什么，然后再说。

巴图尔撒腿就追。

第二十六章

我大清是拥有广阔领土的东方巨人，难道就甘于这样沉沦下去吗？不！我们绝不能这样下去！我们要奋斗，我们要拼搏，我们要使我们的国家重振雄风！

麻政和骑着马，巴图尔却是徒步，拐了两个弯，麻政和就不见了。

巴图尔正在左顾右盼，发现自己到了海伦的教堂，巴图尔不由自主地往院里张望，见几个身着白大褂的洋女子在房前的廊下出出入入，教堂的空气有些紧张。

巴图尔走进院，来到自己曾两次住的那间病室，见门上写着"手术室"三个字。巴图尔不知道手术室是干什么的，他从门缝往里看，里面拉着一个布帘，透过布帘，影影绰绰好像有几个人在忙碌什么。一个白大褂走了过来，她戴着口罩，用带有洋味的中国话说："先生，里面女人在生孩子，你有事吗？"

巴图尔的脸"腾"地就红了，心说，生孩子都把接生婆请到家里，谁家媳妇，怎么到教堂生孩子？我一个堂堂的大老爷们儿，看女人生孩子，这传出去多难听。巴图尔一紧张，便道："我找海伦……"

巴图尔话一出口，又觉得自己莫名其妙，我追麻政和来到这儿，怎么人家一问，我竟然说找海伦，我这脑子怎么了？

白大褂态度很友好，她告诉巴图尔，海伦正在给产妇动手术，还要等一会儿才能出来。

这时，一男一女两个人来到白大褂面前。男子二十三四岁，女的四十五岁上下，两个人衣服都打着补丁，样子十分焦虑。

中年女人急切地问："大夫，我儿媳妇怎么样了?"

"孩子胎位不正，正在做手术。"白大褂耸耸肩。

中年女人一副茫然的样子，显然，她也不知道做手术是干什么。中年女人抓住白大褂的手："大夫，我儿媳妇在家折磨了一夜，孩子就是生不下来。你行行好，救救我那苦命的媳妇和没出世的小孙儿，我给你磕头了。"中年女人往下就跪。

白大褂忙把中年女人搀起："不要这样，不要这样，海伦医生一定会尽力的，我们也都会尽力的。"

中年女人还不放心，男子安慰中年女人："娘，你不用着急，人家都说海伦大夫是天使，是送子娘娘下凡，再不好生的孩子在她这儿都能顺利生下来。"

"是的，你们放心吧。"白大褂转身进了手术室，

又过了一会儿，"哇——哇——"，里面传来孩子的啼哭声，中年女人和男子如释重负，母子二人脸上露出笑容。刚才那位白大褂又出来了，她摘下口罩，露出高高的鼻梁，白白的皮肤："恭喜恭喜，生了个男孩子，母子平安。"

这对母子"扑通"跪下了："谢谢你们! 谢谢你们!"

白大褂淡淡地一笑："都起来，起来。不要谢我们，要谢上帝，是上帝救了他们。"

母子二人站起，忙改口："谢谢上帝! 谢谢上帝!"

海伦从里面走了出来，她一边甩手上的水，一边笑盈盈地对巴图尔说："巴，你找我?"

巴图尔嗫嚅道："我，我是顺路过来……我，我，我以前只知道你懂得医术，没想到你还是个接生婆。"

海伦摇了摇头："不，我不是接生婆，我现在是妇科医生。"

巴图尔不明白接生婆和妇科医生有什么关系，他思忖着。

中年女人来到海伦面前，带着苦涩、甜蜜、讨好、感激的笑容问："海伦娘娘……是不是，是不是你给我儿媳妇开刀了？"

海伦微笑着："是的，我给你儿媳妇做了手术。不过，我不是娘娘，我是医生。"

中年女人只关心开刀，她眼睛睁得老大："你豁开了她肚子？"

海伦很坦然地点了点头："她胎位不正，不切开肚子母子是没有希望的。"

中年女人倒退两步，脸上全是惊恐："可你豁开她肚子，她还能活吗？"

男子也张着大嘴，无比惊愕地看着海伦。

海伦扶住了中年女人："你放心，这种手术我做了很多，你儿媳妇一切正常，不会有事的。"

中年女人脸色煞白："可我，可我活了大半辈子，从来没听说把人肚子豁开生孩子的！"

见中年女人不放心，海伦对白大褂道："玛丽，你带她进去看看。"

白大褂把中年女人领了进去，男子紧随其后。

海伦把巴图尔领进自己的办公室，两个人坐了下来，巴图尔问："海伦，你是欧洲人，你了解英国和法国吗？"

海伦眨着蓝眼睛："英国和法国都与比利时相邻，当然了解。"

巴图尔问："这两个国家是不是特别强大？"

海伦点点头："英国在世界上号称日不落帝国，全世界到处都有英国的殖民地。法国虽然没有英国强大，但两国土地面积相差不多。巴，你怎么想起问这个？"

巴图尔一脸痛楚："近几十年来，先是英国人逼迫我们签订了《南京条约》，接着法国人又与英国人联起手来，逼迫我们签订了《北京条约》，现在就连东洋小日本也要跟我们签什么《马关条约》。大清除了割地就是赔款，国家领土被一块块割走，百姓的血汗被洋人吞噬，国人无不痛心疾首。我真不知道，我们的国家什么时候才能强大起来？如何才能不被人欺负?"

海伦想了想说:"中国曾经创造了世界上最辉煌的文明,中国的落后是观念的落后,是制度的落后。当权者自以为大,老百姓也自以为大。对不起,我不该这么说。"

巴图尔忙道:"海伦,你跟我不要有任何顾虑,只管说。"

海伦侃侃而谈:"那好,我就实话实说,当权者认为大清是世界的中心,是世界的领导者,老百姓也跟着夜郎自大,其实,中国人根本就不知道世界有多大,更不知道欧洲有多么发达。当权者把国家的大门关起来,把国外先进的思想和科学当成异端,不准进入中国。国外越来越富强,中国裹足不前,就算英国人、法国人不打进来,也会有其他国家打进来的。我听说,有人把西方的汽车运到中国,慈禧太后觉得很好,可她却让司机跪着给她开车。"

说到慈禧,巴图尔有些慌张,他站起身把门关紧。

海伦的话没有停:"……她认为天下人都是她的奴才,都要给她下跪。而欧洲人讲的是自由、平等、博爱。所以,欧洲人来到中国,都是坚决不跪的,慈禧太后不接受,大清朝的官员更不接受。中国上层的观念不转变,中国是没有出路的。"

巴图尔望着海伦:"那,那如何转变观念呢?"

海伦道:"从欧洲的发展来看,一个国家要想国富民强,必须做两件事:一个是民主,另一个是科学。"

清朝对蒙古地区实行封禁政策,不管王公贵族还是平民百姓,禁止各旗之间相互往来,包括通婚。巴图尔除了可以在土默特右旗之内随便往来之外,即使到土默特左旗也要经绥远将军衙署批准。如果想到其他盟旗,必须上报朝廷理藩院。近年来,大批汉人和一些洋商涌入包头,巴图尔才了解一些外面的事情。所以,对于海伦所说的民主、科学,巴图尔一无所知。

海伦解释道:"简单地说,民主就是让老百姓共同管理国家大事。"

巴图尔不解:"老百姓是草民,是被管理者,当官的是老爷,让老百姓管理国家大事?那官府管谁?"

海伦连连摇头："不不不，老百姓不是草民，他们是国家的主人，也不是被管理者，是官府的服务对象。当官的更不能成为老爷，一旦成为老爷，他们就会骑在老百姓头上作威作福。国家大事要交给内阁去管理，由老百姓选举产生内阁，内阁如果不为老百姓办事，老百姓就罢免他们。"

巴图尔想了想："内阁？我们国家在明朝时就有内阁。"

海伦摆了摆手："不一样。明朝时，皇帝权力太大，内阁的权力过小。明朝的内阁也不是老百姓选举产生的，而是根据皇帝喜好直接任命的。他们看皇帝眼色行事，唯皇帝之命是从，根本不可能关心老百姓的死活。我说的内阁是由老百姓选举产生的，只有这样，内阁的官员才能为老百姓办事。"

巴图尔问："老百姓举行内阁，那皇上管什么？"

海伦道："皇上不管什么，老百姓选出内阁，由皇上任命就行了。"

巴图尔无法接受："这不行，这不行，皇帝不是被架空了吗？中国帝王存在了四五千年，没有皇帝简直不可想象。你还是说说科学吧。"

海伦接着说："科学的概念很大，简单地说就是知识和技术。比如我来中国时，看到中国还在用人力划船。可欧洲早就用上了蒸汽机，蒸汽机可以拉动轮船，可以拉动火车，凭借蒸汽机我们可以到达世界上任何一个地方。"

巴图尔反问："我们的'四书''五经'也是知识啊？"

海伦淡然一笑："这种知识只能教老百姓安分守己，只能让人成为谦谦君子，不能使一个国家富强。比如你们国家有四大发明：造纸、印刷术、指南针和火药，应该说这是科学，可中国人没有好好地利用，而欧洲人把指南针用于航海，他们就可以远渡重洋；把火药制成枪炮，就可以打到世界各地。这就是科学的力量。再比如，像今天这个产妇，如果不动手术，她和孩子的生命就保不住，这也是科学的力量。"

一束阳光从窗户照了进来，巴图尔有些目眩："那怎么才能掌握科学呢？"

海伦讲道："要掌握科学，就必须先发展教育，创建学校，学习科学，比如，蒸汽机是轮船的心脏，没有蒸汽机轮船就走不了。蒸汽机是怎么运转的？内部是什么结构？它的工作原理是什么?"

巴图尔渐渐地开了窍："这些科学要多长时间才能学会呀?"

海伦一笑："要掌握世界上的先进科学，怎么也得几十年。"

巴图尔愕然道："啊！这么长时间？没有别的办法了吗?"

海伦又是摇了摇头："你们中国人不是说'十年树木，百年树人'吗？科学技术更是如此。这就像赛马，你已经被人家甩了很远，要想超过别人，就得一步一步地追，不可能一下子追上。"

巴图尔暗自佩服："是这么个道理，是这么个道理……哎，海伦，你有没有欧洲方面的书?"

海伦拿过一本手写的汉文书籍《英国的崛起》，这是海伦翻译的，她早就想送给巴图尔，只是一直没有见到他。巴图尔接过书，心花怒放。回到家中，巴图尔把自己关进屋中，如饥似渴地研读这本书。

光阴飞度，一晃儿就是几年。这几年，巴图尔从海伦那里拿回了不少关于西方的书，他的思想发生了很大变化。

这天上午，男仆带着一个人走了进来。巴图尔抬起头，见来人是李生。

复盛公新开辟了票号业务。票号又叫钱庄，是一种专门经营汇兑业务的金融机构，与现在的银行类似。李生送来请柬，请巴图尔出席开业仪式。

巴图尔接过请柬，一种想法在他的心中油然而生，中国要想富强，光凭自己的力量远远不够，复盛公票号开业，我何不趁机向人们宣传强国之路，激发他们的报国之情。

巴图尔爽快地答应了。

第二天，复盛公票号门前人山人海，鼓乐喧天，有舞狮子的，有舞龙的，有老汉推车，还有跑旱船的，十分热闹。

复盛公马掌柜见所请的人都到齐了，他一挥手，鼓乐停了。

马掌柜首先致辞，对前来参加开业仪式的人致谢，又说了票号的前景和希望。然后又说："大家都知道，我们复盛公原来叫复字号，我们的东家是山西祁县的乔家。一百五十年前，乔家先人贵发公只身一人来到包头，凭一副货郎担子起家，后来与人合伙卖油菜子、草料、豆芽、烧饼及杂货，逐渐发迹起来。复盛公能有今天，与各位的支持分不开，但是，更为重要的是得益于巴氏家族。是巴氏家族把这块风水宝地租给了乔家，给了我们一个舞台，复盛公才有今天。民间有句谚语'吃水不忘挖井人'，可我要说一句'发财不忘巴家人'！"

台下掌声雷动。

马掌柜一摆手："下面请我们尊敬的巴家二爷讲几句话。"

巴图尔走上台，向众人作了个罗圈揖："刚才马掌柜把我们巴氏家族说得太高了，其实大家能有今天，关键靠自己，巴家只不过是给你们提供一个落脚的地方而已。"

巴图尔提高嗓音："今天到场的各位都是包头的名商大贾，有件事我想跟大家一起探讨——我们大家赚钱了，可我们的国家却越来越弱，百姓越来越穷。是什么原因造成的呢？是因为洋人骑在我们头上！先是《南京条约》，接着是《北京条约》，现在又是《马关条约》。一个条约签订之后，我们的领土就被割走一片；一个条约签订之后，我们国家的财富就被洋人掠夺一次；一个条约签订之后，我们的百姓就向地狱迈近一步！各位东家，各位掌柜，父老乡亲们，再这样下去，我们的国家，我们的民族，我们的百姓就将陷入万劫不复的深渊，中华民族将永无抬头之日啊！"

台下鸦雀无声，只有树梢轻轻摆动。

巴图尔越说越激动："我中华大地，是有五千年历史的神州上邦，我大清是有四万万民众的泱泱大国，我大清是拥有广阔领土的东方巨人，难道就甘于这样沉沦下去吗？不！我们绝不能这样下去！我们要奋斗，我们要拼搏，我们要使我们的国家重振雄风！可是，怎样才能重振雄风？向洋人卑躬屈膝行吗？不行！各自打自己的算盘行吗？不行！要国富民强，重振我华夏神州只有一条路，那就是科学。什么是科学？蒸汽机是科学，大炮是科学，火车是科学。只有掌握了科学，我们的国家才能强大起来。怎样才能掌握科学呢？那就需要大办教育，广招学生，学习洋人的先进技术，用他们的科学壮大我们的国力，使我们的国家早日富强起来！"

巴图尔精彩的演讲赢得了阵阵掌声，马掌柜等几个大商号当场就要捐款兴建学校，巴图尔深为感动。

在复盛公喝完酒，巴图尔骑着马回沙尔沁。正走着，远处跑来一个人，此人神色狼狈，满面是血。这个人来到近前，巴图尔见是郭富。

郭富神色惊恐，气喘吁吁："二爷救我！"

巴图尔问："郭大哥，出什么事了？"

郭富往后一指："他们要打死我！"

巴图尔顺着郭富手指的方向一看，见一群人追来，他们手持棍棒刀枪，一个个气势汹汹。

巴图尔问郭富："他们为什么打你？"

郭富愤愤地说："二爷，您不是把小淖尔那十几亩地租给我了吗？'不讲理'非让我把地转租给他盖教堂。二爷您知道，那片地是我一家人的命啊！我不租，他就让教会的人打死我。"

清朝严禁蒙古地区买卖土地，但随着走西口汉人的大量涌入，一些淘金者就想把租来的土地长期经营下去。巴氏家族为图省事，跟郭富等一大批汉人签订了永久租地合同。在合同中有一条写得十分明确，"永久租地，许退不许夺"。意思是，汉人不租可以把地退回巴家，巴氏家族却不能单方面把地收回来。因此，包头产生了一些倒手转租土地为生的人，人们称之为"二地主"。至于承租者把土地转租给他人从中赚钱，巴氏家族不干涉。这体现了巴氏家族的朴实和厚道。

包头来了个荷兰天主教传教士，此人叫韩默理，因为他到处强租土地盖教堂，老百姓都管他叫"不讲理"。有些地痞流氓见韩默理是个洋人，又跟官府打得火热，他们纷纷跑到韩默理身边，也不知是真是假，反正都信了天主教。

郭富正向巴图尔说着，后面的人就到了郭富面前，这群人不容分说，举棍就打。巴图尔大喝一声："住手！"

第二十七章

　　奶奶是个特别持重的老人，高兴时也不眉开眼笑，烦恼时也
不愁眉苦脸，无论遇到什么事，从不惊慌，今天这是怎么了？

　　巴图尔一声断喝，这些人被震住了，其中一个肥头大耳的汉子晃晃当
当地来到巴图尔面前，他上下打量巴图尔，见巴图尔头戴瓜皮帽，衣着整
洁，后面梳着一条油光锃亮的大辫子。再看巴图尔胯下的马身强体壮，毛
管放光，十分威风。

　　这个人不敢小瞧巴图尔，他一抱拳："这位爷，这是我们天主教会与
郭富的事，这趟浑水你就不要蹚了吧？"

　　巴图尔见这个人脑袋胖得跟猪头肉似的，心中顿生三分反感。他面无
表情："我也不想蹚，我只想问问，郭大哥怎么得罪你们了？"

　　猪头肉冷笑："姓郭的对圣母不恭，我们奉主教之命将他缉拿归案。"

　　猪头肉俨然一副官府的口气。

　　郭富争辩道："你胡说！你们强租我的地，我不租，你们就打人。再
说，你们圣母是谁我都不知道，我怎么不恭了？"

　　巴图尔对猪头肉喝问："是不是这么回事？"

　　猪头肉自从跟了韩默理，便高人一等，他瞥了巴图尔一眼："是又怎
么样？"

巴图尔今天高兴，酒喝了不少，一听猪头肉这么横，他的火就上来了。巴图尔上下齿一咬，露出两颗虎牙，"啪"，一鞭子抽在猪头肉脖子上，猪头肉"嗷"的一声："小子，你活得不耐烦了！"

猪头肉举棒就打，巴图尔在马上一抬腿，"咣"地踢在猪头肉腕子上，猪头肉手里的棒子"嗖"地就飞了，疼得他直抖手："哎哟哟……"

猪头肉急了，他对身后的同伙骂道："你们都是猪啊？给我打死他！"

这些人一拥齐上，把巴图尔围在当中，巴图尔把鞭子抢开了，片刻之间，猪头肉这群人被打得连滚带爬。

猪头肉一边说一边往后退："小子，你敢报个名吗？"

巴图尔冷笑："你听好了，二爷我叫巴图尔。"

一听是巴图尔，有人大惊，这个人对猪头肉道："石宗会长，这是巴家二爷。巴家有钱有势，咱们惹不起，快回去报告主教吧。"

猪头肉石宗用手点指："有种你别走，你等着，你等着。"

酒壮英雄胆，巴图尔道："二爷不但不走，还要跟你们去，二爷倒要看看洋主教是'讲理'还是'不讲理'！"

郭富想，官府都不敢得罪洋人，还是息事宁人算了，别给巴二爷找事，他劝阻巴图尔回家。巴图尔骨子里就有反洋的倾向，他血往上涌，这是中国领土，岂容洋鬼子横行霸道！他跟着石宗就走。

韩默理在中国传教二十多年，一年前来到包头。为了与鄂必格争夺信众，他想盖一幢宏大的天主教堂，试图在气势上压倒基督教。韩默理看中了小淖尔周围的土地，他把临时教堂搭建在郭富永租地旁边。韩默理任石宗为天主教包头教会会长，让他跟郭富交涉租地的事，没承想遇到了巴图尔。

石宗捂着脖子跑了回来，他跪在韩默理面前，一把鼻涕一把泪地把被打的经过说了一遍。

韩默理眯着眼睛看石宗："你没说你是天主教徒吗？"

石宗带着哭腔："回主教，我说了。"

韩默理又问："你没说在给教会办事吗？"

石宗开始顺嘴胡诌了："主教，我都说了，我还提了您老人家的大名，可不提还好，一提您的大名，不但没有吓走巴图尔，他还骂您是洋鬼子，是'不讲理'，骂我们是您的狗腿子。巴图尔还说，要是咱们再敢打郭富那片地的主意，他就一把火把咱们教堂给点了。"

韩默理暴跳如雷："这个狂妄的蒙古人，我非给他点厉害看看不可！"

正说着，巴图尔骑着马来了："谁叫'不讲理'？给二爷滚出来！"

猪头肉石宗躲在韩默理身后叫道："主教，巴图尔来了。"

韩默理走出门，他手指巴图尔："你就是那个狂妄的蒙古人？"

巴图尔往对面一看，见韩默理头如麦斗，眼似铜铃，身材比自己高出一头，腰也比自己大出两号，壮得跟头公牛相仿。

巴图尔针锋相对："你就是那个强占人家土地的洋鬼子？"

韩默理铜铃般的眼睛一瞪："狂妄的蒙古人，你敢骂我，你下来……"

艺高人胆大，何况巴图尔喝了酒。巴图尔跳下马，还没等站稳，韩默理举拳就打，巴图尔往旁一闪，探左臂去抓韩默理的腕子，韩默理见巴图尔的手到了，他不但不撤招，似乎还故意让巴图尔抓。就在巴图尔抓住韩默理手腕的一瞬间，"啪"，韩默理的左手也抓住了巴图尔的腕子。巴图尔想把手撤回来，可是，韩默理的手跟老虎钳一般，根本无法挣脱。巴图尔只得就势扣住韩默理的腕子，四只手缠在一起。

韩默理两膀一使劲儿，身子一转，巴图尔两脚悬空，被抡了起来。巴图尔的脚离开地面，身子失去支撑，他想脱身脱不了，想着地下不来。

郭富跑了过来，他"扑通"一声跪在地上："韩主教，洋大人，我的地不要了，我的地不要了，求你放下巴二爷！放下巴二爷！"

石宗见韩默理占了上风，他抬脚端向郭富："你现在害怕了，晚了！"

郭富被石宗踢出一溜滚。

韩默理心中得意，他转了七八圈，手一松，巴图尔"嗖"地就飞了出去。

韩默理以为非把巴图尔摔个半死不可，哪知巴图尔在半空中一个云里翻，稳稳地落到地上。

见巴图尔毫发未损，韩默理跟得了疯牛病似的又扑向巴图尔，他一提巴图尔的衣服，"嗖"，再次把巴图尔扔了出去。这下巴图尔被扔出一丈多远，巴图尔屁股着地，被重重地摔了一下。

见仍没伤到巴图尔，韩默理的气更大了，他第三次把巴图尔抢了起来，这下扔得更远，足足有三丈！巴图尔侧倒在地上，鲜血从嘴角流了出来。

石宗等人一旁叫好："主教神力，主教神力……"

郭富跪爬几步到巴图尔身边："二爷，二爷，都是我害了你，都是我害了你……"

郭富正哭着，韩默理晃着膀子又过来了，他推开郭富，一只手揪住巴图尔的衣领，一只手抓住巴图尔的腰带，韩默理把巴图尔高高举起："狂妄的蒙古人，我摔死你！"

石宗等人在一旁高叫："摔死他！摔死他！"

这要是再把巴图尔摔下去，巴图尔就是不死也得残废。见势不好，巴图尔急中生智，他在半空中把拳头抢了起来，"双风贯耳"式"咚咚"就是两下。这两拳正打在韩默理的左右太阳穴上，韩默理眼前金星乱窜，身子一软，坐在地上，巴图尔随之跌落。巴图尔就势一滚站了起来，他飞起一脚，踢向韩默理的前胸，韩默理仰面躺在地上。

巴图尔两颗虎牙露在外面，他身形一纵，双脚踏向韩默理。巴图尔自身体重有一百七八十斤，再加上惯性，那劲头还小得了嘛！

"啊！"韩默理一声惨叫。

要不是韩默理身强体壮，不然非被踩死不可。虽然如此，可韩默理的肋骨还是断了两根。

巴图尔并不罢休，他抬起脚"咣咣咣"一通狂踹，血从韩默理的鼻子和嘴里往外冒。

郭富怕出人命，他忙抱住巴图尔的腰："二爷，不要打了，再打就出人命了！"

巴图尔手指地上的韩默理："二爷告诉你，郭富的地是我们巴家的，你再敢打这片地的主意，二爷就砸烂你的羊（洋）头，掏出你的羊（洋）杂碎！"

韩默理强忍剧痛："二爷，饶命，饶命……"

猪头肉石宗几个人也跪在地上："二爷高抬贵手，饶了我们主教吧！我们再也不敢了，您就放了我们吧！"

巴图尔圆睁二目："你们都给二爷听好了，如果再让二爷看到你们为虎作伥，帮着洋人欺负中国人，'不讲理'的今天就是你们的明天！"

"是是是，二爷……"

巴图尔拍了拍手上的尘土，潇洒地上了马，奔沙尔沁而去。

回到家中，天已经黑了，他想到上房给奶奶和额吉请安，可是，四伯伯多尔济娶的那位汉家女子要分娩，太夫人乌梁氏和老夫人巴云氏都去了多尔济家。

巴图尔回到自己房中，他往炕上一躺，便打起了呼噜。

清晨，天地一片昏暗，仿佛要下雨，却一个雨点也没有掉下来。巴图尔就觉得胸中憋闷，喘不上气来。

家人把早饭摆上，仍不见太夫人乌梁氏和老夫人巴云氏。正在疑惑之际，使女搀着太夫人乌梁氏回来了。只见太夫人乌梁氏眼圈发暗，一脸疲惫，头上还挂着汗。奶奶是个特别持重的老人，高兴时也不眉开眼笑，烦恼时也不愁眉苦脸，无论遇到什么事，从不惊慌，今天这是怎么了？

巴图尔迎上前，他搀着太夫人乌梁氏："奶奶，您怎么了？"

乌梁氏手里不停地捻着佛珠，一句话也不说。

使女忧心忡忡："回二爷，四老爷的汉家奶奶生不下来，人折腾了一天一夜，三个接生婆都没办法，汉家奶奶已经昏迷了好几次。老夫人担心太夫人熬不住，让奴婢先把太夫人送回来。"

孩子生不下来？巴图尔一下子想到了海伦，他立刻吩咐男仆："快！快去备车！"

巴图尔回过头对太夫人乌梁氏说："奶奶，不用担心，基督教堂的海伦有办法。"

巴图尔把几个月前海伦给一个胎位不正的产妇开刀的事简要地说了一遍。

太夫人乌梁氏连声道："阿弥陀佛，你快去吧！"

巴图尔和男仆把车赶到多尔济家门前，见多尔济正跪在院中呼号：

"长生天，佛祖，为什么对多尔济这么残忍？多尔济到底造了什么孽？难道连一个儿子也不给我吗？长生天，佛祖，开恩哪……"

巴图尔跳下车，几步来到多尔济面前："四伯伯，快起来……"

听说海伦能给难产的妇女接生，多尔济"噌"地就蹿了起来，他几步跑进屋中。此时，多尔济的汉家夫人已经奄奄一息了。巴云氏、布氏、穆氏都在，她们和使女七手八脚地把几床被子铺在车上，巴图尔、多尔济几个人用门板把产妇抬上车。巴云氏、布氏、穆氏也上了车，男仆扬鞭打马，车飞快地向包头城驶来。

车停在基督教堂门前，巴图尔跑了进去，片刻，海伦和几个白大褂就跑了出来。海伦看了一下产妇的情况，立刻对几个白大褂说："马上手术！"

巴云氏、布氏、穆氏和多尔济、巴图尔几个人站在廊下焦急地等着，一向说话又尖又亮的布氏也不作声了。

半个时辰过去了，"哇——哇——"，里面传出孩子的啼哭声。

几个人长长地出了一口气。

可是，并不见手术室有人出来，多尔济急不可耐了，他推门要进去，一个白大褂把他推了出来："先生，你不能进。"

多尔济询问："我是孩子的阿爸，孩子怎么样？大人怎么样？"

白大褂道："这是一对双胞胎，老大虽然出来了，可老二还没有出来。"

多尔济眼睛睁得大大的："双胞胎？都是男孩女孩？"

"老大是男孩，老二还不清楚。"白大褂说完就关上了门。

多尔济像个孩子一般，他乐得直蹦。巴云氏、布氏、穆氏等人也都为他高兴。

"哇——哇——"，第二个孩子的哭声也传了出来，白大褂推开手术室的门，还没等她说话，多尔济就问："这个是男孩女孩？"

白大褂笑说："恭喜恭喜，男孩，两个都是男孩。"

多尔济"扑通"就跪下了，他仰望苍天："长生天和佛祖一下子给了我两个儿子！给了我两个儿子啊！我有两个儿子了！"多尔济狂喜。

布氏嚷了起来:"四哥,你喊什么,也不问问大人怎么样?"

一句话提醒了多尔济,他忙问白大褂:"对对对,我媳妇怎么样?"

白大褂笑容可掬:"母子平安。"

晚霞如火一样,把巴图尔和海伦的脸映得绯红。两个人漫步在教堂外的草地上,巴图尔道:"如果没有你,我这位小四婶子和两个孩子都保不住。你们的科学技术就是比我们强,中国人要向你们好好学习。"

海伦耸了一下肩,她望着天边:"做女人苦,做中国的女人更苦。你知道吗?仅仅在包头,每年因难产致死的产妇就有三十多个,这太可怕了。"

巴图尔眉头皱起:"这么多!"

海伦忧伤地说:"生孩子是对女人的一场生死考验,尤其是中国女人,中国的医疗条件太落后了,她们得不到很好的救助,一些胎位不正的产妇,在极度的痛苦中死去,我实在是不忍心。我打算在包头建一所母婴医院,挽回那些产妇和孩子的生命。我想,这也是上帝的意思。"

巴图尔心中充满深深的敬意:"我现在真的相信了,确实有像你这样关心爱护中国人的洋人。"

自从多尔济有了儿子,他精神倍增,底气十足,甚至趾高气扬,飘飘欲仙。

多尔济逢人就说:"我有儿子了,我有两个儿子,我娶的汉家媳妇一胎给我生了两个儿子。等我两个儿子过百天的时候,你们都来喝喜酒,都来!"

两个孩子百天之日,多尔济家跟过年似的,又是吹,又是敲,又是唱,屋里屋外,桌上桌下,到处都是人,有蒙古人,有汉人,也有满人……十里八村沾亲带故的都来了,多尔济乐得嘴都合不拢了。

巴雅尔举起酒碗向多尔济祝贺:"四伯伯,我这两个小弟弟长得虎头虎脑,一看就是福相,为了他们俩的健康成长,我敬你老人家一碗。"

"好!大侄子,借你吉言,我喝,我都喝,干!"

"干!"

叔侄俩都喝了。

巴图尔走了过来："四伯伯，我也敬你一碗。"

多尔济脑袋一晃："不行，你敬四伯伯不行，四伯伯敬你！是你救了我这两个儿子，救了你小四婶子，也救了你四伯伯。"

巴图尔有点不好意思："四伯伯，我可没救人，是海伦救的。对了，四伯伯，你没请海伦来喝酒？"

多尔济提高嗓音："那哪能不请呢！你四伯伯是那种忘恩负义的人吗？我大清早就去包头城接海伦大夫了。可是，今天有三个女人生孩子，海伦大夫走不开。"多尔济一脸自豪，"不过，海伦大夫说了，让我过两天把这顿酒补上。"

巴音孟克诡异地一笑："海伦大夫跟我二哥关系可不一般，四大爷，我看先让我二哥巴图尔替海伦大夫干一碗，怎么样？"

一句话提醒了多尔济，也提醒了众人，人们一致要求巴图尔替海伦喝酒。巴图尔想推辞又推辞不了，不推辞还有点难为情。

突然，外面一阵骚乱，七八个差官闯了进来，人们大惊失色。

第二十八章

　　巴云氏，你不是瞧不起我吗？巴图尔，你不是陷害我吗？本将军给你们来个钝刀子割肉，一片一片地拉！只要巴图尔一天不死，巴家就得给我送银子，等我把巴家的财产榨干，然后再把巴图尔一刀两断！

　　进来的人之中，为首者身材不高，头戴红缨帽，上置砗磲（chēqú）顶珠，身着蓝色官服，胸前绣着彪。从顶珠和补子看出，此人是六品武官。只见他一双鹰眼，长脸大下巴，嘴角撇着，就跟谁欠他二百两银子似的。

　　多尔济虽不认识，但今天高兴，他举酒碗来到此人近前："来者都是客。几位官爷，今天我两个儿子过百天，喝一碗……"

　　鹰眼人用手一甩，"啪"，多尔济的酒碗被打落，酒溅了一地。

　　屋中的欢笑声戛然而止，所有人的目光都集中在鹰眼人脸上。

　　鹰眼人手握腰刀喝问："谁叫巴图尔？"

　　巴图尔一看鹰眼人的模样就有三分讨厌，他把酒碗重重地一蹾，用大拇指一指自己的胸膛："二爷我就是！"

　　巴雅尔见来人跟个瘟神似的，他怕巴图尔惹事，忙走向鹰眼人，以手抚胸，向鹰眼人施了一礼："在下沙尔沁章盖巴雅尔，不知上差是哪个衙门的？"

巴雅尔虽然没着官服，但他报出了自己的官职。按清朝的规定，官小的要给官大的磕头，就算是鹰眼人不给巴雅尔磕头，也应该敬礼。可巴雅尔主动敬礼，鹰眼人视而不见，他眼睛眯缝着："本官是新任绥远将军武梁武大人手下的前锋校。"说着，把绥远将军衙署的公文掏了出来。

前锋校主管前锋营，前锋营是绥远将军的侍卫营，专门负责绥远将军的安全。一般来说，能当上前锋校都是绥远将军的心腹。

前锋校望着巴雅尔："你既是沙尔沁的章盖，那我就告诉你，巴图尔打断了荷兰天主教传教士韩默理两根肋骨，强占韩主教的土地，韩主教把巴图尔告到了朝廷理藩院，理藩院把案子发到绥远将军衙署，本官奉武将军之命特来缉拿凶犯。巴大人，叫巴图尔跟本官走一趟吧？"

对方傲慢已极，不可一世。

巴雅尔大惊，当年那个武梁居然成了绥远将军！他与我家的矛盾由来已久，武梁审这个案子，这可对二弟巴图尔极其不利。巴雅尔强作笑脸："原来是前锋校大人，失敬失敬。"

巴音孟克也在场，见此情景，他头上的汗下来了。朝廷最怕洋人，二哥巴图尔打了洋人，而且还是武梁主审这个案子，这可是来者不善哪！

前锋校腆胸叠肚，他对巴雅尔说："听说巴图尔是你二弟，巴大人，你不会包庇他吧？"

巴雅尔尽可能使自己平静下来："当然不会。请问大人，巴图尔什么时候打了韩默理？"

前锋校冷笑："巴大人，这就要问你弟弟了。"

巴图尔走了过来："大哥，这事你别管，我去跟他们打官司！"

前锋校一递眼色，几个差人绳捆索绑，押巴图尔就走。

巴音孟克直抖手，心说，完了完了，二哥这次麻烦大了。

多尔济追了上来，他一把抓住前锋校的衣领："小子，我们家的喜事全让你搅了，你给我赔！你给我赔！"

"啪"，前锋校打了多尔济一巴掌："你敢阻拦本官办案，来人！把他也带走。"

过来两个差人要抓多尔济，巴雅尔忙打圆场："大人，我这个伯伯喝多了，不要见怪，不要见怪。"

巴雅尔把多尔济拉到自己身后，眼看前锋校带走了巴图尔，谁也没有办法。

多尔济跳着脚骂道："你们这些狗奴才，有本事跟小日本使去，跟老百姓使算什么能耐……"

武梁确实是个做官的料，他靠金钱美女各种手段当了绥远将军。刚刚上任，就接到韩默理状告巴图尔这个案子。武梁得意，巴图尔啊巴图尔，你终于犯到我手里了！

俗话说：伤筋动骨一百天。韩默理被打已过百日，他的肋骨已经接上了，但为了显示他在中国的特权，韩默理要求武梁在大堂上给他备下一张床，猪头肉石宗等几个人在一旁侍候着。

绥远将军武梁高坐正中，巴图尔被带进大堂，两旁衙役高喊堂威："威——武——"

巴图尔冷眼往两旁看了看，见当兵的一个个横眉立目，那样子就像猎人行猎时带的狗，只要主人把套在狗脖子上的链子一松，猎狗就会立刻扑上去。巴图尔又看了看上面的武梁，武梁虽然老了一些，可脑门倍儿亮，下颌一大嘟噜肉。

两旁的衙役高喊："跪下！"

清朝规定，在大堂上，无论是原告还是被告，都要跪着回话。巴图尔没有跪，他质问："韩默理为什么不跪？"

武梁勃然大怒："这是绥远将军衙署，你居然在本将军面前撒野，来人！重打四十大板。"

"啪啪啪"，三板子下去，巴图尔已经是皮开肉绽，鲜血横流。

巴图尔咬着牙："洋人在中国领土上横行霸道你不问，却打自己的同胞，你还算什么大清的官……狗官，狗官哪……"

武梁大叫："大胆刁民，你敢辱骂本官，给我狠狠地打！"

四十板子下去，巴图尔趴在地上起不来了。

武梁这才问："下面何人？"

"巴图尔！"巴图尔两眼喷火。

"韩默理主教告你仗势欺人，强占他的土地，你可知罪？"武梁问。

"不知！大清的土地虽多，可没有一寸是洋人的！"巴图尔的话仿佛是大锤砸在地上，震得大堂"嗡嗡"直响。

武梁一时答不上来，他转过脸看韩默理，见韩默理眼睛瞪得跟牛眼一样："胡说！香港以前是中国的，现在不是归英国了吗？澳门以前是中国的，现在不是归荷兰了吗？旅大是中国的，现在不是归俄国了吗？胶州也是中国的，现在不是归德国了吗？我是荷兰人，怎么说没有我的土地？"

巴图尔反驳："不对！那些地方都是你们这些洋人强行租借的。可小淖尔是我巴家的户口地，巴家没有租给你，大清也没租给你，怎么就成了你的土地？"

韩默理拍着床板："那片地是我从郭富手中转租的，我当然是小淖尔那片地的主人！"

巴图尔乜斜地看着韩默理："你做梦吧！"

武梁吩咐衙役："传郭富！"

几个衙役把郭富推了进来，郭富面容憔悴，两眼无神，一根布条挎在脖子上，布条吊了一块木板，小臂托在木板上，他步履蹒跚地走进大堂，跪在地上。

武梁看着郭富："下面何人？"

"草民郭富。"

"本将军问你，你必须实话实说，如有半句谎言，严惩不贷！你明白吗？"

"明，明白。"

"小淖尔那片地是你从哪里租来的？"

"从章盖巴家。"

"租的是短期还是永久？"

"永久。"

"你可向巴家退租？"

"没有。"

"既然没有退租，就说明你对那片地有永久使用权，同时，你也有权转租他人。本将军再问你，你把小淖尔那片地转租了没有？"

郭富扭头看巴图尔，见巴图尔眼睛盯着他，郭富立刻低下了头。

武梁一拍虎威："郭富！本将军在问你话，你为什么不回答？"

"我，我……"郭富身子发抖。

武梁恶狠狠地说："你可把小淖尔那片地转租给他人？说！"

郭富偷眼看韩默理，见韩默理像饿狼一样张着大嘴，仿佛一口就能吞掉郭富似的。郭富吓得一哆嗦，又把视线转向石宗，石宗手摁匕首，面露狰狞。

郭富身体瘫软："我，我转租给了'不讲理'……"

郭富称韩默理为"不讲理"已经习惯了，他刚说"不讲理"三个字，石宗大喝："姓郭的，辱骂韩主教，你想找死吗？"

郭富忙改口："……我租给韩默理主教了。"

巴图尔目瞪口呆："郭大哥，你什么时候把地转租给洋人了？"

武梁呵斥："巴图尔，是你问案，还是本将军问案？"

郭富一语皆无，脸埋得更低了。巴图尔暗自摇头，一定是韩默理和他的爪牙威胁郭富，郭富不得已才说违心话。巴图尔本指望郭富能实话实说，现在他的希望破灭了。

武梁又问郭富："你什么时候把地转租给韩默理主教的？"

郭富嘴唇嚅动："已，已，已经四个月了。"

巴图尔肝胆皆裂："郭大哥，三个月前韩默理逼你把地转租给他，你对我说，那片地是你们一家人的命根子，你坚决不转租。石宗带人打你，我路见不平，挺身而出，难道你忘了吗？你怎么能胡说？"

郭富"哇"的一声哭了出来。

武梁大怒："巴图尔，你三番两次扰乱公堂，来人！再打四十大板。"

又是四十板子，巴图尔血肉横飞，他紧咬牙关，一声不吭。

武梁赔着笑脸问韩默理："韩主教，巴图尔是什么时候强占你的土地的？"

"三个月前。"

"他什么时候打的你？"

"也是三个月前。"

武梁面对巴图尔如凶神恶煞一般："大胆刁民，小淖尔那片地虽是你家的户口地，可你已经永久地租给了郭富，郭富把小淖尔那片地转租给了韩主教，韩主教对那片地有不可争辩的使用权。可你却见财起意，敲诈勒索，韩主教不答应，你就动手行凶，致使韩主教险些丧命。韩主教乃荷兰传教士，荷兰是我大清之友邦，我大清把与友邦的关系看得比生命还重，而你竟敢藐视朝廷，破坏与友邦的关系，真是罪大恶极，死有余辜！来人！把他打入死牢。"

巴图尔仰头长啸："哈哈哈……"

武梁一愣："你笑什么？"

巴图尔的脸抽搐着："不，我是在哭！"

武梁很是得意："你现在怕了？本将军告诉你，你哭也没用。"

巴图尔两眼如同两把匕首："呸！我哭的不是我自己！我死不足惜，我是为你们这些唯洋鬼子之命是从的狗官而哭！我为大清而哭！我为天下四万万苍生而哭！"

武梁暴跳如雷："刁民，到现在你还嘴硬，再打四十，给我打，往死里打！"

"啪啪啪"，几板子下去，巴图尔两眼一黑，昏厥当场。

郭富跪爬到巴图尔面前，放声痛哭："二爷，二爷……"

武梁大声喝道："把郭富乱棍打出！"

衙役一顿棒子，把郭富打出大堂。

郭富跪在大堂外面，声嘶力竭地喊："二爷，我不是人，我对不起您，他们打断了我的胳膊，他们用铁钉子往我身上钉，我实在受不了，二爷……"郭富哭着哭着，突然站了起来，心想，我不能让二爷等死，我要去巴家报信，请章盖老爷想办法救巴二爷。

郭富站起身，跌跌撞撞地来到绥远城市场，租了一辆马车，向沙尔沁飞奔而去。

大风骤起，天地昏暗，漫天的沙尘令人无法透过气来。郭富身着单薄的衣裳，他的上下牙一个劲儿地打战，尽管冬天刚刚到来，可他觉得比数九天还寒冷。

车到沙尔沁章盖衙门时，郭富的腿都冻僵了，赶车人把他搀进章盖大堂。

郭富跪在巴雅尔面前，两眼一黑，就什么也不知道了。

巴雅尔大惊，他叫人把郭富搀到热炕头，焐上棉被，又让人烧了两碗姜汤。姜汤一匙一匙地喂入郭富口中，好半天郭富才醒过来。他一边哭，一边把武梁问案的过程告诉给巴雅尔。

巴雅尔身在官场，当然知道官场的黑暗，要救二弟巴图尔，除了送银子别无他法。巴雅尔不敢让奶奶和额吉知道，他和妻子商量后决定，就是倾家荡产也要把二弟巴图尔救出来。

到了绥远将军衙署，两旁的门军拦住巴雅尔。以前，门军跟巴雅尔很熟，对巴雅尔也很客气，可官府差人最拿手的就是见风使舵。今天，他们跟不认识巴雅尔一般。

巴雅尔把一包又一包银子递过去，他厚着脸皮央求：“几位弟兄，拜托通禀一声，就说土默特右旗第六甲沙尔沁章盖巴雅尔求见武将军，拜托！拜托！”

巴雅尔好话说了三大车，就差磕头了。

门军这才往里通禀，良久，门军才出来：“将军有令，任何人都不见。”

巴雅尔在绥远将军衙署前苦熬了七天，急得他满嘴是泡。直到第八天下午，门军才把巴雅尔放进去。

巴雅尔一进将军衙署双膝跪在武梁面前：“下官沙尔沁章盖巴雅尔叩见将军。”

武梁装傻充愣：“这不是巴大人吗？你什么时候来的？哎呀，本将军刚刚到任，事情一个接一个，本想下去看看你们，一直也没抽出空。快起来，快起来。”

巴雅尔站起身，双手把礼单递给武梁。

武梁假意推辞：“巴大人，这就见外了。本将军毕竟在沙尔沁代行过章盖，咱们也算是故交，不必如此，不必如此。”

巴雅尔道："将军，这是下官的一点儿心意，恭请将军笑纳。"

武梁接过礼单大致扫了一眼，见上面写的都是金银财宝，武梁心中暗喜，却故作漫不经心，把礼单放在桌案上。

见武梁收下礼单，巴雅尔仿佛看到了希望："将军，我弟弟巴图尔冒犯荷兰传教士，身犯重罪，可否请将军开恩，放我二弟出来，下官一定严加管教，绝不再犯。"

武梁一副为难的样子："巴大人，本将军正要跟你说呢，这事难哪，关键是涉及洋人。你也知道，当今朝廷，就连太后老佛爷对洋人都让三分。从上到下，谁都绕着洋人走，可巴图尔偏偏招惹洋人。你是不知道，巴图尔下手有多狠，他把洋人韩默理的肋骨打折了好几根，到现在还没好。韩默理把他告到了理藩院，理藩院责成本将军来审这个案子。洋人不依不饶，非要把巴图尔斩立决，是本将军从中周旋，顶着洋人的巨大压力，才没有杀巴图尔。本将军想拖一拖，等这阵风过去，只要洋人不追究，再想办法把巴图尔放出来。"

武梁嘴上这么说，心中却暗暗咬牙，巴云氏，你不是瞧不起我吗？巴图尔，你不是陷害我吗？本将军给你们来个钝刀子割肉，一片一片地拉！只要巴图尔一天不死，巴家就得给我送银子，等我把巴家的财产榨干，然后再把巴图尔一刀两断！

第二十九章

巴图尔跳下马，他紧走几步来到鄂必格夫妇面前，见地上的海伦两眼紧闭，血流如注。巴图尔痛断肝肠，他抱起海伦的头，声嘶力竭地呼唤……

巴雅尔想到牢房探视巴图尔，遭到武梁拒绝。没办法，巴雅尔只能买通狱卒，求狱卒好好照顾巴图尔。

韩默理赢了官司，气焰更加嚣张，他指使石宗等人大肆强占土地，一大批百姓流落街头。老百姓和天主教堂的矛盾日益突出。

然而，义和团运动爆发。义和团高举"扶清灭洋"大旗，很快由京津地区蔓延到归绥、包头一带。多年来，清政府对洋人恨之如狼，惧之如虎，现在义和团要杀洋鬼子，清廷乐得其所，睁一只眼闭一只眼。

老百姓被洋人欺负了几十年，终于可以出口恶气了。一时间，泥沙俱下，好人加入义和团，流氓地痞也加入义和团，如果谁不加入义和团，就有人骂他是洋人的走狗、卖国贼，甚至群起而攻之。加入义和团也没有什么仪式，只要义和团的团民一点头，人们就成了义和团。有的自己在街头喊两嗓子，也成了义和团。在这种背景下，土默川上的百姓纷纷拿起大刀长矛，杀洋人、焚教堂，追打信教的中国民众。

韩默理在小淖尔修建的天主教堂即将封顶，猪头肉石宗指手画脚地指挥着，巴音孟克、郭富等百余人就到了。

巴音孟克高喊：“‘不讲理’在哪儿？滚出来！”

猪头肉石宗见来了这么多人，他又是点头又是哈腰：“巴爷，郭爷，你们是……”

“我们是义和团，叫‘不讲理’滚出来！”

猪头肉石宗不知怎么称呼义和团，他结结巴巴地说：“义，义，义和团老爷，韩主教不在，你们有事吗？”

郭富一见猪头肉石宗，心中顿时燃起熊熊怒火，他对众人高喊：“弟兄们，‘不讲理’的损主意都是这个猪头肉石宗出的，打死这个假洋鬼子！”

“打呀——”

人们劈头盖脸就打，猪头肉石宗捂着脑袋要跑，巴音孟克飞起一脚踹在他屁股上，石宗摔了一个狗吃屎。

巴音孟克踩在他的后脖颈上：“说！‘不讲理’在哪儿？”

石宗嘴里含着血：“巴爷，我，我真不知道……”

巴音孟克脚下用力，石宗跟杀猪一般号叫：“巴爷饶命，巴爷饶命，我说，我说，韩默理躲在西面那间小房子里。”

巴音孟克奔石宗手指的那间房而来，人们冲进屋，连叫数声，无人应答。巴音孟克低头一看，发现床底下露出一只脚。巴音孟克猛地在那只脚上一踩，只听得床下“嗷”的一声。

巴音孟克喝道：“‘不讲理’，老兔崽子，你把我二哥巴图尔送进大牢，你却躲在这儿！”

郭富及众人喝喊：“滚出来！滚出来！”

韩默理哆哆嗦嗦地从床下爬了出来。

郭富上前“啪啪啪”就是几记耳光：“‘不讲理’呀‘不讲理’，你都把郭爷我害苦了——你盖教堂，逼我把这片地转租给你，我不租，你就让猪头肉石宗他们往死里打我。巴二爷跟你讲理，你却诬告巴二爷，还让我昧着良心作伪证，今天我非打死你不可！”

“打死他！打死他！”

人们义愤填膺，砖头、石块、木棍、板凳纷纷向韩默理砸去。

韩默理捂着大脑袋狂叫："各位大爷，饶命饶命啊……害巴二爷的不是我，是武梁，武梁早就想置巴二爷于死地，你们快去看看吧，晚上巴二爷就没命了。"

一听这话，巴音孟克向人们一摆手："先别打，让他把话说完。"

郭富及众人围着韩默理，韩默理跪在地上，"各位大爷，巴二爷虽然打了我，可我并没想杀他，我只想要几个钱盖教堂。可武梁说，当年巴二爷害得他丢官罢职，还被福兴打了四十军棍，他的仕途险些葬送在巴二爷之手。他说，他要让巴二爷加倍偿还，受尽酷刑，然而将其处死。"

众人要杀韩默理，巴音孟克眼珠一转，虽然武梁痛恨二哥，痛恨巴家，但是，二哥巴图尔是因为韩默理才吃了官司，如果韩默理撤诉，武梁就没有理由不放人。于是，巴音孟克让众人把韩默理的教堂烧掉，他和郭富押着韩默理奔向绥远城。

义和团运动席卷了中国北方，朝廷隔岸观火，巴雅尔觉得武梁该放二弟巴图尔了，他又一次带着重礼请求武梁放人。

武梁混迹官场几十年，朝廷的事一日三变，现在不过是在利用义和团，如果义和团把洋人赶出中国，螳螂捕蝉，黄雀在后，朝廷肯定要灭义和团；如果义和团被洋人打败，洋人绝不会善罢甘休，一定会找朝廷出气，朝廷就会出卖义和团，讨好洋人。无论如何，义和团的下场都好不了。当年的林则徐就是先例。道光年间，林则徐在虎门销烟，长了朝廷的威风，压了洋人的锐气，时值林则徐五十五岁生日，道光亲笔手书"福寿"二字横匾，差人送往广州，以示嘉奖。可后来，英国人打到大沽口，朝廷又拿林则徐当替罪羊，差点把他杀了。那时的洋人还没成气候，现在洋人的势力与当年不可同日而语，我把巴图尔放了，到时候韩默理向我要人，我怎么办？何况巴图尔还曾陷害过我，我岂能轻易放他？

武梁把官场的厚黑学发挥到了顶点，他礼照收，事不办。武梁今天推明天，明天推后天，巴雅尔跑断腿，磨破嘴，可是，连二弟巴图尔的影子都看不见。

"咚咚咚"，衙门外鼓声响起，鼓声一响，当官的必须升堂。

武梁脸色不悦，他吩咐军兵："传击鼓人上堂!"

武梁往下一看，见巴音孟克、郭富等人押着韩默理走上大堂。

武梁胆战心惊："你们要干什么?"

巴音孟克嘿嘿一笑："将军，韩主教要撤诉，非拉我们一起来。我们想，大清国乃礼仪之邦，不能怠慢了洋人，就陪着他一起来了。韩主教，你跟武将军说说?"

韩默理鼻子也青了，脸也紫了，浑身上下除了血就是土，仿佛从屠宰场里跑出来似的。

韩默理哭丧着脸："武将军，我要撤……"

韩默理脑袋后面也不知被谁打出鸭蛋大的包，巴音孟克用手一弹这个包，韩默理疼得一咧嘴，巴音孟克嬉皮笑脸地说："韩主教，我们武将军乃当朝一品，你得跪下回话。"

韩默理连声道："是是是……"他跪在地上，"武将军，我要撤诉。我不告巴二爷了，请将军放了巴图尔吧。"

武梁好不容易有机会整治巴图尔，怎么能说放就放? 武梁转过脸看巴音孟克和郭富："你们是不是威胁韩主教了?"

巴音孟克一龇牙："将军，没有没有，我们哪能威胁韩主教呢? 韩主教，你说是不是?"

韩默理连连点头："是是是。"

武梁心中气愤，这个韩默理真是个软蛋，你怎么能撤诉呢? 你撤诉我怎么办? 我不放巴图尔不行，我放巴图尔胸中这口气又如何咽得下? 可转念一想，义和团越闹越大，万一我不放巴图尔，这帮暴民冲击我的大堂，事情可就难办了。哼! 我是绥远将军，巴图尔在本将军的一亩三分地上，难道还怕他跑了不成?

"放了巴图尔。"武梁退堂而去。

不多时，几个军兵把巴图尔带到大堂，再看巴图尔衣衫褴褛，两腮无肉，两眼无神。

巴音孟克疾步上前："二哥!"

巴图尔又惊又喜："巴音孟克!"

兄弟二人四只手紧紧地握在一起，巴图尔喃喃道："这不是做梦吧？"

巴音孟克道："二哥，这不是梦，是真的。我们大伙救你来了，你可以回家了。"

郭富"扑通"跪在巴图尔面前，他放声大哭："二爷，我对不起你，我不是人，我忘恩负义，你杀了我吧！"

巴图尔放开巴音孟克的手，他拉起郭富，苦笑道："郭大哥，快起来，快起来。过去的事就不提了，你们是怎么来的？"

巴音孟克和郭富你一言我一语，讲起了义和团，当两个人说到义和团杀洋人，灭洋教时，巴图尔身子一颤："杀洋人？灭洋教？海伦一家也包括在内吗？"

巴音孟克和郭富都愣住了，是啊，海伦一家既是洋人，又在洋教堂。不过，鄂必格夫妇和海伦救助过不少当地的老百姓，尤其是产妇，他们应该没问题吧？巴音孟克和郭富两个人都宽慰巴图尔。然而，没有亲眼见到海伦一家，巴图尔的心无法落地。海伦一家两次救过巴图尔，巴图尔不能让他们受到伤害。

巴图尔跌跌撞撞地出了绥远将军衙署，巴音孟克、郭富等人紧跟其后，迎面正碰上巴雅尔。巴雅尔已经来绥远多日了，武梁不是不见，就是推诿。听说巴音孟克、郭富等人押着韩默理来撤诉，巴雅尔就骑马赶来了。

巴雅尔喜出望外："二弟！你终于出来了！……"

巴图尔心里想着海伦一家，他打断了巴雅尔的话："大哥，把你的马给我。"

"二弟，你身体这么虚弱，能骑马吗？"巴雅尔关切地说。

巴图尔心里着急，他夺过缰绳，扳鞍纫镫，可上了两次居然没上去，郭富忙把巴图尔扶上马背。

巴图尔两脚一蹿镫，向包头城飞奔而去。

在义和团运动中，只要是洋人、洋教，没人能够逃脱。包头基督教堂的十字架也掉了，门也碎了，窗户也断了，手术室的床也翻了。义和团有抡刀的，有使枪的，有举镐的，有挥锹的……门外还有无数百姓围观。

义和团中有人高叫："把教堂点了!"

几个人抱来干柴就要点火。

海伦从北面的房间里跑了出来："你们不能这样，我们是中国人的朋友，我们救了许多中国人……"

"放你娘的洋屁，你们收买人心，假装慈善，我们才不会上当!"

"洋鬼子没有一个好东西，打死这个洋女人!"

"打死这个洋女人!"

愤怒的烈焰像火山喷发一样，无论是善良还是邪恶，统统被吞噬了。失去理智的义和团挥舞锹镐向海伦头上砸去，海伦眼前一黑，瘫倒在地。

鄂必格夫妇扑到海伦身上："海伦! 海伦! 海伦……上帝，上帝，救救我的女儿，上帝……"

就在这时，一匹马箭一般地来到院中，马上之人一勒丝缰，这匹马"希溜溜"一声长嘶，人们的目光随之转向这匹马。

巴图尔在马上高声喝道："住手! 都住手!"

虽然巴图尔瘦了许多，还是有人认出了他："巴二爷!"

巴图尔跳下马，他紧走几步来到鄂必格夫妇面前，见地上的海伦两眼紧闭，血流如注。巴图尔痛断肝肠，他抱起海伦的头，声嘶力竭地呼唤："海伦! 海伦! 海伦……"

海伦声息皆无。

巴图尔朝人们吼道："你们为什么打她?"

义和团中有人道："二爷，洋人吃我们的肉，喝我们的血，骑在我们头上拉屎撒尿，如今我们参加了义和团，我们要扶清灭洋，把洋鬼子统统赶出中国。"

巴图尔大叫："不! 海伦一家是好人!"

人们面面相觑——

"巴二爷怎么替洋人说话?"

"巴二爷不是被关进绥远大牢了吗? 他怎么出来了?"

"是不是巴二爷的脑子被打出毛病了……"

围观的人群中挤出两个人，一个说："巴二爷说得对，鄂必格一家都是好人，那年大旱，我们从山西逃荒到包头，是鄂先生一家收留了我们，当时基督教堂里收留了好几十人呢！"

另一个道："是啊，是啊，海伦一家是好人。我媳妇难产，是海伦大夫救了我媳妇，还给了我一个活蹦乱跳的胖儿子。人们都说海伦大夫是天使，是送子娘娘……"

两个人的话还没说完，有人高喊："这两个人是卖国贼，是二鬼子，他们跟洋人穿一条裤子，打死他们！"

人群一拥齐上，吓得两个人撒腿就跑。两个人刚出教堂，迎面碰上了多尔济。

多尔济虽已年过六旬，但自从有了两个儿子，他满面红光，精气神十足。听说义和团到处杀洋人，灭洋教，多尔济马上想到了海伦。三姐吉不把巴图尔过继给我，他五婶布氏也不把儿子过继给我，为了儿子，我忍辱负重跟汉家女子厮混，好不容易汉家女子有了身孕，又难产生不下来。多亏了海伦大夫。受人滴水之恩，当以涌泉相报，我得去看看海伦一家。

多尔济骑着马，奔包头城而来，然而，眼前的情景让他惊呆了。多尔济大吼："都住手！住手！"

围观的人群中有人道："这不是巴四老爷吗？听巴四老爷说话，听巴四老爷说话。"

多尔济心如刀剜："海伦一家都是好人！海伦大夫救过许许多多中国人。我媳妇和我两个儿子都是她救的。人要知道感恩，不知道感恩那还算人吗？大伙都听着，凡是被海伦救过的，帮过的，你们都站出来，我们一起保护海伦大夫，保护她的全家！"

人群一阵骚动，有十几个人走到多尔济面前："巴四老爷，你来得正好，义和团见洋人就杀，谁替洋人说话，他们就打谁……"

义和团的团民面面相觑，不知所措。

巴图尔踉踉跄跄地把海伦抱进手术室，可手术室里器械柜也倒了，药瓶也碎了，消毒水、酒精洒了一地。鄂必格夫妇只能从碎玻璃瓶里蘸点酒精给海伦处置伤口。好半天，海伦才慢慢睁开眼睛。

巴图尔紧握海伦的手："海伦，你醒了，你终于醒了！"

海伦两眼无神："巴，是你吗？"

巴图尔热泪盈眶："是我，海伦。"

海伦气息很弱："我，我不行了，我要去见上帝了。"

鄂必格夫妇都哭成了泪人："女儿，你不能走啊，海伦……"

海伦轻轻地摇了摇头："父亲、母亲，中国人历经的磨难太多了，不要怪他们。"

鄂必格夫妇一边哭一边点头。

海伦喘了几口气又对鄂必格夫妇说："父亲、母亲，我走之后，一定要把医院办起来，替我多救几个中国母亲和中国孩子。"

鄂必格夫妇哭得更厉害了。

巴图尔泪流满面："海伦，你一定坚持住，鄂先生、鄂夫人一定有办法把你留住的。"

海伦露出了一丝笑容："巴，抱紧我，抱紧我。"

巴图尔把海伦搂在怀里，海伦的声音越来越弱："巴，我，我好温暖，我好幸福……巴，我，我告诉你一件事……"

巴图尔把耳朵贴在海伦嘴边："海伦，你说，我听着。"

"我……爱……你……"说完，海伦头一歪，气绝身亡。

巴图尔歇斯底里地叫道："海伦——"

屋子颤动起来，残破的教堂颤动起来，整个大地颤动起来。

三年之后，包头城出现了第一所外国人开办的医院——三妙救婴医院，医院主要是妇科和儿科，专门救助产妇和儿童，医院的负责人就是鄂必格夫妇。鄂必格夫妇的善举得到了包头百姓的广泛赞誉，时至今日，提起这对夫妇，包头百姓仍念念不忘。

不过，这都是后话了。

第三十章

　　穆氏摘下自己脖子上那块玉佩，和青面人的玉佩并在一起，一对鸳鸯玉佩端端正正地放在青面人胸窝上。穆氏将青面人下葬，埋成一座新坟。

　　　　神助拳，义和团，
　　　　只因鬼子闹中原。
　　　　劝奉教，自信天，
　　　　不信神，忘祖先。
　　　　男无伦，女行奸，
　　　　鬼孩俱是子母产，
　　　　如不信，仔细观，
　　　　鬼子眼睛俱发蓝。
　　　　天无雨，地焦旱，
　　　　全是教堂遮住天。
　　　　神发怒，仙发怨，
　　　　一同下山把道传。
　　　　非是邪，非白莲，
　　　　念咒语，法真言，

升黄表，敬香烟，

请下各洞众神仙。

仙出洞，神下山，

附着人体把拳传。

兵法艺，都学全，

要平鬼子不费难。

拆铁道，拔线杆，

紧急毁坏大轮船。

大法国，心胆寒，

英美俄德尽消然。

洋鬼子，尽除完，

大清一统靖江山。

这是义和团的歌谣。义和团最初叫义和拳，他们自信有神仙相助，刀枪不入，枪炮不伤。

义和团不分青红皂白，见洋人就杀，见教堂就烧，就连中国的信教群众也不放过。不久，义和团进攻北京东交民巷英、美、法、德、意、日、俄、西、比、荷、奥匈十一国使馆和西什库教堂，包括德国公使克林德在内的一些外国领事人员和信教群众被打死。使馆区筑起防御工事，由英国全权公使窦纳乐负责指挥抵抗。使馆区内被围者约 3000 人，其中有 2000 左右是寻求庇护的中国教民，其他的是外国公使及其家属和军队。

1900 年（光绪二十六年）6 月 17 日，英、美、法、德、意、日、俄、奥匈八国联军攻陷天津大沽口炮台。6 月 21 日，慈禧以光绪皇帝名义下诏书，向英、美、法、德、意、日、俄、西、比、荷、奥匈十一国同时宣战。8 月中旬，联军从天津进抵北京城下。这时，联军实际只有七国，分别为：日军 8000 人，俄军 4800 人，英军 3000 人，美军 2100 人，法军 800 人，奥匈帝国 50 人，意大利 53 人，共 18803 人。后来德军 7000 人加入，攻占北京的八国联军总计不到 26000 人。当时北京人口 70 万，此外，还有清军 8 万，义和团 20 万左右。

值得人们沉思的是，英军中有一支400多人的华勇队。华勇队全部是中国人。华勇队在攻打天津、北京时，首当其冲，战后得到了英方的嘉奖。

13日，联军打到北京城下，英军率先由广渠门入城。14日，北京失守。15日晨，慈禧太后和光绪皇帝出逃。联军入城后，解除了义和团对东交民巷外国使馆区的包围。

1901年9月7日，英、美、法、德、意、日、俄、奥匈以及比利时、荷兰、西班牙十一个国家与中国签订了《辛丑条约》，主要内容是：

1. 惩办伤害诸国国家及人民之首祸诸臣。

2. 清政府赔款十一国白银4.5亿两，分39年还清，年息4厘，本息共计约9.82亿两，以海关税、常关税和盐税作担保。

3. 允定各使馆境界以为专与住用之处。并独由使馆管理。中国民人，概不准在界内居住。

4. 永禁或设、或入与诸国仇敌之会，违者皆斩。

5. 将大沽炮台及有碍京师至海通道之各炮台一律削平，十一国可在北京至山海关铁路沿线的12个重点地区驻军。

6. 清政府分派亲王、大臣赴德、日两国表示"惋惜之意"，在德国公使克林德被杀之处建立石牌坊。

比利时、荷兰、西班牙没有出兵，八国联军没有这三个国家，但是，这三个国家的使馆被义和团烧毁，清政府也要向这三个国家做出赔偿。

慈禧太后在西逃途中再次以光绪皇帝名义下诏，调集各地清军剿灭义和团，义和团很快土崩瓦解。

韩默理又不可一世了，他来到绥远将军衙署，要求武梁把围攻小淖尔荷兰天主教堂的义和团人员全部杀掉！

韩默理又说："还有，你要把巴图尔和巴音孟克交给我，我要亲手杀死这两个狂妄而又野蛮的蒙古人。"

武梁对韩默理唯命是从，他调集人马，在包头、沙尔沁一带大肆抓捕义和团及与义和团有关的百姓，土默川血流成河，哀声遍地。

沙尔沁章盖衙门被团团包围，巴雅尔跪在武梁脚下："将军，巴图尔从没与义和团来往，请将军明察。"

武梁对韩默理大气都不敢出，对巴雅尔却居高临下："胡说！他没与义和团来往，义和团为什么救他？"

韩默理就在武梁身边，他手里提着一支洋枪："他就是义和团，必须杀头！"

武梁冷冷地看着巴雅尔："韩主教对义和团了如指掌，他说谁是义和团，谁就是义和团。巴雅尔，你是朝廷命官，义和团十恶不赦，按说是要灭九族的，本将军看在你的面上，对巴家不予追究，你就不要啰唆了，马上把巴图尔交出来！"

巴雅尔据理力争："将军，断案定罪需要人证物证，不能光凭洋人一句话就说谁是义和团……"

武梁大怒："大胆！巴音孟克、郭富他们烧了天主教堂，诓本官放走巴图尔，巴图尔不是义和团，巴音孟克和郭富为什么救他？搜！"

"且慢！"巴图尔从里面走了出来。

"官"字两张"口"，上说上有理，下说下有理。巴图尔想，奶奶和额吉那么大年纪，他不想让两位老人担惊受怕，巴图尔两手一背，任由军兵捆绑。

武梁吩咐一声："押到南门外，就地处决！"

南门外刑场，军兵里三层，外三层，地上横七竖八地躺着尸体，血把地上的土染成了紫黑色，血腥味传出老远。乌鸦在天空中绕来绕去，发出"呱呱呱"的叫声。野狗垂着涎，吐着舌头，来回直遛。围观的老百姓摇头叹息，不忍观看，可军兵不准他们离开。

巴音孟克被绑在木桩上，见巴图尔被押来，他惊道："二哥，你不是义和团，你怎么也被押来了？"

巴图尔牙关紧咬："当今朝廷昏庸无能，腐败透顶，对洋人卑躬屈膝，对百姓狠如虎狼。阿爸错了，九伯伯错了，当年土默特右旗那九百将士都错了。捻军是对的，麻政和将军是对的。我恨自己当初为什么那么幼稚？为什么要杀麻将军？为什么没有和麻将军一起替天行道？"

巴音孟克挣扎几下："二哥，你怎么跟我想的一样，我的肠子都悔青了。"

武梁往监斩棚中一坐，他亲自指挥："巴图尔，巴音孟克，死到临头，你们还不知悔改，来人，行刑！"

刽子手提着鬼头刀，来到两个人面前。

韩默理急了，他对武梁吼道："武将军，我说过，我要亲手杀死这两个狂妄而又野蛮的蒙古人，难道你把我的话当成了耳旁风？"

武梁诺诺连声，他让军兵退到一旁，韩默理走到巴图尔和巴音孟克近前，巴音孟克嘴不闲着："'不讲理'，你等着，巴爷到天堂就找上帝老爷子告你！"

韩默理在胸前画了一个十字："你告我什么？"

巴音孟克嘿嘿一笑："宗教都是向善的，可你身为主教，却作恶多端，为非作歹，你就等着吧，上帝老爷子非把你打入地狱不可。"

韩默理也知道自己的做法有违天主教教规："你胡说！你是义和团，是暴民，是魔鬼，我要杀了你。"

韩默理举起手中的洋枪，"啪"地就是一枪。也是因为巴音孟克说到了他的痛处，韩默理心发虚，手发抖，他和巴音孟克近在咫尺，居然没打中巴音孟克。

巴音孟克嘲弄道："'不讲理'，怎么样？上帝发怒了吧？上帝在制止你的恶行，懂不？"

韩默理紧张起来，"啪"，又是一枪，可子弹从巴音孟克耳边擦过，还是没打中巴音孟克。

巴音孟克一龇牙："'不讲理'，你再开枪，上帝就要惩罚你了。"

韩默理哆哆嗦嗦，他第三次把枪举了起来，只听"嘣"的一声闷响，巴音孟克没怎么样，韩默理却把枪扔了，再看韩默理的手，都快成烤猪蹄了。原来，韩默理的枪炸膛了。

巴音孟克笑得很开心："'不讲理'，看，上帝发怒了吧？"

韩默理疼得龇牙咧嘴，他一指刽子手："杀了他们！杀了这两个狂妄而又野蛮的蒙古人！"

两个刽子手把刀高高举起，往下就剁。突然有人高声断喝："住手！"

两个刽子手转过头，见人群中挤进一男一女两个洋人，男的是鄂必格，女的是鄂必格夫人。

鄂必格夫妇来到武梁面前："武将军，你不能杀巴图尔和巴音孟克，他们不是义和团。"

一见洋人，武梁就气短，他呆呆地看着韩默理。韩默理捂着受伤的手，晃着大脑袋和鄂必格夫妇争辩。鄂必格夫妇称巴图尔和巴音孟克是基督教堂的人，两个人应该交给基督教会处理。

韩默理坚持巴图尔和巴音孟克是义和团，他要求武梁必须把二人斩首。

在武梁眼中，洋人也有强弱之分，韩默理是荷兰人，鄂必格是比利时人，比利时从没与中国发生战争，而荷兰早在明朝时期就占领过中国的台湾，澳门就是荷兰的租借地。

武梁对刽子手命道："斩！"

刽子手举刀往下就落，突然，"嗖嗖"，不知哪里飞来两支箭，这两支箭正中两个刽子手的腕子，"当啷""当啷"，刽子手的刀掉在地上。

就在韩默理愣神之际，两匹马凌空而至，马上两个人，一个手舞大刀，另一个手擎盘龙枪，两个人像商量好了似的，舞刀人劈向韩默理，擎枪人刺向武梁。

事出突然，韩默理惊慌失措，他把胳膊举起来去挡大刀，只听"咔嚓"一声，韩默理连胳膊带半边脑袋一起落到地上。

武梁反应还挺快，见擎枪人的枪到了自己面门，他脑袋一歪，可躲得稍慢了点儿，对方的枪正刺在武梁耳朵上，"刺啦"，武梁大半个耳朵没了。武梁魂都飞了，他一骨碌钻到了桌子底下。

武梁号叫："放箭！放箭！快放箭！"

擎枪人一枪没刺死武梁，他把马拨了回来，大枪一抖，照地上的武梁前胸就扎，武梁往旁一滚，擎枪人的枪扎在地上。也不知擎枪人用了多大劲儿，他拔了三拔居然没拔出来。

"嗖嗖嗖"，箭如雨下，擎枪人身子在马上晃了两晃，"扑通"摔在地上。军兵上前一通乱刀，擎枪人的身子与大地融为一体。

两个戈什哈扶起武梁要跑，舞刀人迎面赶来，他手中刀一扫，两个戈什哈当场毙命。武梁调头就走，舞刀人大刀高高举起，照武梁头顶就劈，武梁身子一歪，"咔嚓"，他的左臂被劈落在地。

"啊！"武梁一声惨叫。

舞刀人再次抡起大刀，与此同时，"嗖嗖嗖"，箭像雨点儿般射向舞刀人，"噗噗噗"，舞刀人背后连中数箭，舞刀人翻身落马，他的身体如山一样崩塌。

此时，刑场外大乱，也不知从哪里冲出无数人马，这支队伍人似猛虎，马似蛟龙，清军与这支人马混战在一处。多尔济见巴图尔和巴音孟克还被绑着，他来到巴图尔和巴音孟克面前，拔出短刀，挑开了他们的绑绳。

"快！你们快走！"

巴图尔拉着多尔济："四伯伯，我们一起走。"

多尔济推开巴图尔，他面带笑容："你们走。四伯伯有儿子，有两个儿子呢，四伯伯对得起祖先，你们快走！"

巴图尔和巴音孟克正在犹豫之际，鄂必格夫妇来到近前，这对老夫妻一人拉一个，往刑场外面跑。

武梁在地上哀号："快来救我！快来救我……"

多尔济应声道："四老爷救你。"

多尔济拎着短刀来到武梁面前，"噗"，一刀扎进武梁胸膛。多尔济哈哈大笑："四老爷有儿子，四老爷不是胆小鬼，四老爷不怕死……"

多尔济正笑着，"噗"，一支箭射中了他的后心，多尔济"扑通"倒在地上。

黄河呜咽，青山垂泪，草原致哀，天空中细雨凄凄。

在清理包头南门外刑场时，有个当年与巴图尔和巴音孟克一起围剿捻军的退役士卒认出了那个擎枪者，他确认此人就是捻军首领麻政和。那个舞刀者脸呈青色，不知本来就是这个颜色，还是涂了什么东西。人们查验半天，在他脖子上发现一块玉佩。

穆氏听说这件事，她跑到刑场，把这具尸体盛殓起来。穆氏摘下自己脖子上那块玉佩，和青面人的玉佩并在一起，一对鸳鸯玉佩端端正正地放在青面人胸窝上。穆氏将青面人下葬，埋成一座新坟。

数年后，义和团成了过眼云烟，巴图尔的头发已经花白，脸上爬满了皱纹。巴图尔亲手做了一块匾，匾上刻着四个大字：

　　百舟风励

这块匾和章盖巴家以前的三块匾"甲操冰霜""气壮山河""义重恩隆"挂在一起，巴图尔每天站在四块匾前发呆。

巴图尔的小孙子仰着脸问："爷爷，'甲操冰霜''气壮山河''义重恩隆'您已经给孙儿讲过了，可'百舟风励'是什么意思呀？"

巴图尔俯下身，对小孙子说："爷爷已经老了，不能再为国家出力了，你们是国家的未来，是国家的希望。爷爷把你们比作舟，爷爷比作风，爷爷期盼你们战胜艰险，乘风破浪，使我们的国家早日走出贫穷，走出衰落，走向富强。"

光绪三十三年，也就是公元 1907 年，这年阴历十月初六，巴氏家族的家庙包头召建起了一所小学堂，"百舟风励"这块匾高高地挂在包头召小学教室的门上。